李白诗歌

鉴赏辞典

特装本

上海辞书出版社文学鉴赏辞典编纂中心 编

上海辞书出版社

《李白诗歌鉴赏辞典》领衔撰稿

马茂元	王运熙	霍松林	何满子	吴小如
沈祖棻	周汝昌	宛敏灏	袁行霈	葛晓音

撰稿人 (按姓氏笔画排列)

马茂元	王运熙	王治芳	朱世英	乔象钟
刘文忠	刘学锴	闫昭典	汤华泉	安　旗
孙　静	孙艺秋	吴小如	吴小林	吴汝煜
何庆善	何国治	何满子	余恕诚	沈祖棻
沈熙乾	张明非	张秉戍	张燕瑾	陈长明
陈邦炎	陈志明	范民声	周汝昌	周啸天
郑国铨	宛敏灏	宛新彬	赵孝思	赵其钧
胡国瑞	施绍文	袁行霈	贾文昭	倪其心
徐永年	黄宝华	常振国	葛晓音	傅经顺
霍松林				

前言

李白(701—762),唐代诗人。字太白,号青莲居士。自称祖籍陇西成纪(今甘肃静宁西南),隋末流寓碎叶(今吉尔吉斯斯坦托克马克附近)。出生地有蜀中、西域诸说,尚无定论。年少时,他居绵州昌隆(今四川江油)青莲乡,遍观经史百家,好神仙,喜任侠。开元十二年(724),李白辞亲远游,南穷苍梧,东涉溟海,足迹遍长江中下游地区。因娶故相许圉师孙女,遂寓居安陆十年。后西入长安,贺知章见之,惊为"谪仙人"。但求仕无成,遂东归,移居任城,与孔巢父等同隐于徂徕山,时号"竹溪六逸"。天宝元年(742),李白诏征入京,供奉翰林。三载,因权贵谗毁,赐金还山。与杜甫、高适同游梁宋。归东鲁,受道箓于齐州紫极宫。复漫游吴越、幽燕等地。安史乱起,他受永王璘召入幕府,璘败,系浔阳狱,长流夜郎。中道遇赦放还,漂泊于江汉、洞庭、江西、宣城、金陵等地。后依族叔李阳冰于当涂。上元二年(761),李光弼出镇临淮,李白欲以六十一岁高龄前往从军,病还,卒于当涂。代宗即位,以左拾遗召,会已卒。世人称他为李翰林或李谪仙。

李白是中国历史上的伟大诗人。与杜甫齐名,世称"李杜"。其诗各体均工,尤擅乐府、绝句。其内容或表现建功立业愿望,或抒写失志不平愤懑,或抨击黑暗现实,或关心民生疾苦,或流连山水风光,风格或豪放飘逸,或明秀清新,均热情奔放,想象丰富,骨气端翔,兴象超妙,含蕴深厚,自然浑成,既表现其独特气质与个性,又充分反映时代之精神风貌,闪烁理想主义之光辉,故能代表盛唐诗歌最高成就。同时代人如杜甫称

前言

“白也诗无敌，飘然思不群”（《春日忆李白》），“笔落惊风雨，诗成泣鬼神”（《寄李十二白二十韵》），李阳冰谓“其言多天仙之辞，凡所著述，言多讽兴。自风、雅以后，驰驱屈、宋，鞭挞扬、马，千载独步，唯公一人”（《草堂集序》），韩愈云“李杜文章在，光焰万丈长”（《调张籍》），均给予极高评价。后代诗人如欧阳修、苏轼、陆游等无不受其影响，明高棅《唐诗品汇》将其诗列为各体之“正宗”。《蜀道难》《行路难》《将进酒》《梦游天姥吟留别》《静夜思》《望庐山瀑布》《早发白帝城》等诗均为传世名作。其文亦雄奇俊逸，以气势胜，骈散俱工。《大鹏赋》为唐赋名篇，《与韩荆州书》《春夜宴桃李园序》均诵在人口。世传其所作《菩萨蛮》（平林漠漠烟如织）、《忆秦娥》（箫声咽），黄昇推此二词“为百代词典之祖”（《唐宋诸贤绝妙词选》），然后人颇疑非其所作，尚无定论。著有《草堂集》《李翰林集》，均佚。宋宋敏求编《李太白文集》三十卷，今传。

本书是本社中国文学鉴赏辞典系列之一。精选李白代表作品118篇，其中诗113篇、词2篇、文3篇，另请当代研究名家为每篇作品撰写鉴赏文章。其中诠词释句，发明妙旨，有助于了解李白名篇之堂奥，使读者尝鼎一脔，更好地了解李白文学成就之热情浪漫、超妙浑成、兴象丰富、风神清越。另外本书末还有附录《李白生平与文学创作年表》，供读者参考。不当之处，尚祈读者指正。

上海辞书出版社文学鉴赏辞典编纂中心

2020.3

目录

诗

目录

目录

目录

诗

shi

古风（其一）

原文

大雅久不作，吾衰竟谁陈？
王风委蔓草，战国多荆榛。
龙虎相啖食，兵戈逮狂秦。
正声何微茫，哀怨起骚人。
扬马激颓波，开流荡无垠。
废兴虽万变，宪章亦已沦。
自从建安来，绮丽不足珍。
圣代复元古，垂衣贵清真。
群才属休明，乘运共跃鳞。
文质相炳焕，众星罗秋旻。
我志在删述，垂辉映千春。
希圣如有立，绝笔于获麟。

鉴赏

宋代程颢曾把《论语》的文章比做玉，《孟子》的文章比做水晶，认为前者温润，而后者明锐。一般说来，李白的诗偏于明锐而有锋芒的一路，但这首诗却气息温润，节奏和缓，真正做到了“大雅”的风度。

开首二句“大雅久不作，吾衰竟谁陈”，是全诗的纲领：第一句统摄“王风委蔓草”到“绮丽不足珍”，第二句统摄“圣代复元古”到最后“绝笔于获麟”。这样开门见山，分写两扇，完全是堂堂正正的笔仗。这两句虽则只有十个字，可是感慨无穷。这里的“大雅”并不是指《诗经》中的《大雅》，而是泛指雅正之声。雅声久矣不起，这是正面的意思，是一层。然则谁能兴起呢？当今之世，舍我其谁？落出“吾”字，表出诗人的抱负，这是第二层。可是诗人这时候，已非少壮，而是如孔子自叹一样“甚矣吾衰也，久矣吾不复梦见周公”，即使能施展抱负，也已来日无多了，这是第三层。何况茫茫天壤，知我者谁？这一腔抱负，究竟向谁展示、呈献呢？这是第四层。这四层转折，一层深一层，一唱三叹，感慨苍凉，而语气却又浑然闲雅，不露郁勃牢骚，确是五言古诗的正统风度。

首两句点明正意以后，第三句起，就抒写“大雅久不作”了。春秋而后，以关雎麟趾王者之风为代表的诗三百篇已委弃于草莽之中，到了战国，蔓草更发展为遍地荆棘。三家分晋，七雄争强，虎斗龙争直到狂秦。四句一路顺叙下来，托出首句的“久”字，但如再顺叙下去，文气就未免平衍了，所以“正声何微茫”一句，用顿宕的问叹，转一口气。“正声”即是“大雅”，“何微茫”即是“久不作”，一面回应上文，一面反跌下句的“哀怨起骚人”。《诗经》本有“哀而不伤，怨而不怒”的说法，这里把屈原、宋玉，归之于哀怨，言外之意，还是留正声于微茫一脉之中。屈、宋都是七雄中楚国的诗人，论时代在秦以前，这里逆插一句，作为补叙，文势不平。于是再用顺叙谈到汉朝，“扬马激颓波，开流荡无垠”，说明扬雄、司马相如，继楚辞之后，在文风颓靡之中，激起中流，可是流弊所及，正如班固《汉书·艺文志·诗赋略》中所说：“竞为侈靡闳衍之辞，没其风喻之义”，和南朝梁刘勰《文心雕龙·辨骚》所说“扬马沿波而得奇”一样，荡而不返，开出无边的末流。诗人写到这里，不能像账册一般一笔一笔开列下去了。于是概括性地总束一下，“废兴虽万变，宪章亦已沦”，说明以后的变化虽多，但文章法度，总已沦丧。尤其“自从建安来”，三曹七子之后，更是“绮丽不足珍”，这与《文心雕龙·明诗》所说：“晋世群才，稍入轻绮”，“采缛于正始，力柔于建安”，大意相近。诗人反对绮丽侈靡，崇尚清真自然的文艺主张是显而易见的。诗写到这里，自从春秋战国直到陈隋，去古不可谓不远，写足了“大雅久不作”句中的“久”字，于是掉转笔来，发挥“吾衰竟谁陈”了。

“圣代复元古，垂衣贵清真。群才属休明，乘运共跃鳞。文质相炳焕，众星罗秋旻”，这六句铺叙唐代的文运，诗人故弄狡狯，其实半是假话。唐代是近体律绝诗新兴的时代，何尝有所谓“复元古”？唐太宗以马上得天下，高宗、中宗、睿宗之间，历经武后、韦后之变，又何尝有所谓垂衣裳无为而治天下？王、杨、卢、骆、沈、宋的诗，虽各有胜处，但用“清真”两字，也只是李白个人的说法，而不足以代表初盛唐的风格。文才处休明之世，乘时运而飞跃，有如鲤鱼踊跃于龙门，繁星罗布于秋天。这里写唐代的进士科，比较真实，但唐代主要以诗赋取士，文胜于质，又何尝有所谓“文质相炳焕”？这些还是枝节的问题，如果唐朝统治者真能如李白这六句诗所写的那样，李白应该早就复兴“大雅”，重振“正声”，何至于“吾衰竟谁陈”呢？这六句与“吾衰竟谁陈”之间的矛盾，说明了诗人这六句是故布疑局，故意地正反相形的。所以下文从“众星”中跃出“吾”来，用孔子“述而不作，信而好古”的话，申说自己已无创作之意，只有把“废兴万变”之中的那些作品，像孔子删诗一般，把它整理一下，去芜存菁罢了，这样庶几还可以“垂辉映千春”。可是孔子毕竟不是仅仅删述而已，赞周易、删诗书、定礼乐之外，最后还是作了流传千载的《春秋》，直到哀公十四年猎获麒麟时才绝笔。诗人的抱负，亦正是如此。最后两句，从“吾衰竟谁陈”，“我志在删述”的较消沉的想法，又一跃而起，以“希圣如有立，绝笔于获麟”的斩截之辞，来反振全诗，表示愿意尽有生之年，努力在文学上有所建树。诗人以开创一代诗风为己任，自比孔子，正说明他对自己期许很高。这一“立”字又遥遥与起句的“作”字呼应，气足神完，于是乎“大雅”又“作”了。

由于这首诗的主意在复振大雅之声，所以诗人在写作时，其胸襟风度，也一味的大雅君子之风，不能骏发飘逸，也不能郁勃牢骚，完全用中锋正笔。因此，即使在“吾衰竟谁陈”的慨叹之中，对当代有所不满，而只能以“圣代复元古”等六句正面颂扬之辞，来微露矛盾之意。这并非诗人故作违心之论，而是写这首诗的立场使然。千古以来，对此诗都是顺口随便读过，未尝抉出其矛盾之处的用心所在，未免辜负了诗人当时以此诗冠全集卷首的苦心了。

全诗一韵到底，音节安雅中和。最后两句，由于立意的坚决，音调也不自觉地紧急起来，“立”“绝”“笔”三个入声字，凑巧排列在一起，无意中声意相配，构成了斩钉截铁的压轴。

（沈熙乾）

古风（其三）

原文

秦王扫六合，虎视何雄哉！
挥剑决浮云，诸侯尽西来。
明断自天启，大略驾群才。
收兵铸金人，函谷正东开。
铭功会稽岭，骋望琅邪台。
刑徒七十万，起土骊山隈。
尚采不死药，茫然使心哀。
连弩射海鱼，长鲸正崔嵬。
额鼻象五岳，扬波喷云雷。
鬐鬣蔽青天，何由睹蓬莱。
徐市载秦女，楼船几时回？
但见三泉下，金棺葬寒灰。

鉴赏

此诗主旨是借秦始皇之求仙不成，以规讽唐玄宗之迷信神仙。就思想内容而言，并不算李白一人之特见卓识，但就其动荡开合的气势、惊心动魄的艺术效果而言，实堪称独步。全诗大体可分前后两段，前段为宾，后段为主。主要手法是欲抑先扬，忽翕忽张，最后盖棺论定。

前段从篇首至“骋望琅邪台”，颂扬秦王之雄才大略和统一业绩。头四句极力渲染秦始皇消灭六国平定天下的威风。不言平定四海，而言“扫”空“六合”（包天地四方而言之），首先就张扬了秦王之赫赫声威。再用“虎视”形容其勃勃雄姿，更觉咄咄逼人。起二句便有“猛虎攫人之势”。紧接着写统一天下的具体情事，也就有如破竹了。三句“浮云”象征当时天下混乱阴暗的局面，而秦王拔剑一挥，则寰区大定。一个“决”字，显得何其果断，有快刀斩乱麻之感。于是乎天下诸侯皆西来臣属于秦了。由于字字掷地有力，句句语气饱满，不待下两句赞扬，赞扬之意已溢于言表。“明断”句一作“雄图发英断”，但不管“明断”“英断”也好，“雄图”“天启”“大略”也好，总算把对政治家的最高赞词都用上了。诗篇至此，一扬再扬，预为后段的转折蓄势。紧接“收兵”二句，写秦始皇统一天下后所采取的巩固政权两大措施，亦是张扬气派。一是收集天下民间兵器，熔铸为十二金人，消除反抗力量，使“天下莫予毒也已”，于是秦和东方交通的咽喉函谷关便可敞开了。二是于琅邪台、会稽山等处刻石颂秦功德，为维护统一作舆论宣传。“会稽岭”和“琅邪台”一南一北，相距数千里，诗人紧接写来，有如信步户庭之间。“骋望”二字形象生动地展示出秦王当时志盈意满的气概。秦之统一措施甚多，择其要者，则纲举目张，叙得简劲豪迈。对秦王的歌颂至此臻极，然而物极必反，这犹如汉贾谊《过秦论》的开篇，直是轰轰烈烈，使后来的反跌之笔更见有力。

后段十二句，根据历史事实进行生动艺术描写，讽刺了秦王骄奢淫佚及妄想长生的荒唐行为。先揭发其骊山修墓奢靡之事。秦始皇即位第三十五年，发宫刑罪犯七十多万人建阿房宫和骊山墓，挥霍恣肆，穷极民力。再揭发其海上求仙的愚妄之举。始皇二十八年(前 219)，齐人徐市说海上有蓬莱等三神山，上有仙人及不死之药，于是始皇遣徐市带童男女数千人入海追求，数年无结果。此即“采不死药”事。“茫然使心哀”是担心贪欲未必能满足的恐惧和空虚。这四句对于前段，笔锋陡转，真如骏马注坡。写始皇既期不死又筑高陵，揭示出其自私、矛盾、欲令智昏的内心世界。但诗人并没有就此草草终篇，在写其求仙最终破产之前，又掀起一个波澜。据史载，徐市诈称求药不得，是因海中有大鱼阻碍之故，于是始皇派人运着连续发射的强弩沿海射鱼，在今山东烟台附近海面射死一条鲸。此节文字运用浪漫想象与高度夸张手法，把猎鲸场面写得光怪陆离，有声有色，惊险奇幻：赫然浮现海面上的长鲸，骤然看来好似一尊山岳，它喷射水柱时水波激扬，云雾弥漫，声如雷霆，它鬐鬣张开时竟遮蔽了青天……诗人这样写，不但使诗篇增添了一种惊险奇幻的神秘色彩，也是制造希望的假象，为篇终致命的一跌作势。长鲸征服了，不死之药总可求到吧？结果不然，此后不久，始皇就在巡行途中病死。"但见三泉下，金棺葬寒灰"，这是最后的反跌之笔，使九霄云上的秦王跌到地底，真是惊心动魄。以此二句收束筑陵、求仙事，笔力陡健，而口吻冷隽。想当初那样"明断"的英主，竟会一再被方士欺骗，仙人没做成，只留下一堆寒冷的骨灰；而"徐市载秦女，楼船几时回"，让方士大讨其便宜。历史的嘲弄是多么无情啊。

此诗虽属咏史，但并不仅仅为秦始皇而发。唐玄宗和秦始皇就颇相类似：两人都曾励精图治，而后来又变得骄侈无度，最后迷信方士，妄求长生。据《资治通鉴》载："（玄宗）尊道教，慕长生，故所在争言符瑞，群臣表贺无虚月。"这种蠢举，结果必然是贻害于国家。可见李白此诗是有感而发的。全诗史实与夸张、想象结合，叙事与议论、抒情结合，欲抑故扬，跌宕生姿，既有批判现实精神又有浪漫奔放激情，是李白《古风》中的力作。

（胡国瑞）

古风（其十五）

原文

燕昭延郭隗，遂筑黄金台。
剧辛方赵至，邹衍复齐来。
奈何青云士，弃我如尘埃。
珠玉买歌笑，糟糠养贤才。
方知黄鹄举，千里独徘徊。

鉴赏

这是一首以古讽今、寄慨抒怀的五言古诗。诗的主题是感慨怀才不遇。

前四句用战国时燕昭王求贤的故事。燕昭王决心洗雪被齐国袭破的耻辱，欲以重礼招纳天下贤才。他请郭隗推荐，郭隗说："王如果要招贤，那就先从尊重我开始。天下贤才见到王对我很尊重，那么比我更好的贤才也会不远千里而来了。"于是燕昭王立即修筑高台，置以黄金，大张旗鼓地恭敬郭隗。这样一来，果然奏效，当时著名游士如剧辛、邹衍等人纷纷从各国涌来燕国。在这里，李白的用意是借以表明他理想的明主和贤臣对待天下贤才的态度。李白认为，燕昭王的英明在于礼贤求贤，郭隗的可贵在于为君招贤。

然而，那毕竟是历史故事。次四句，诗人便化用前人成语，感讽现实。“青云士”是指那些飞黄腾达的达官贵人。《史记·伯夷列传》说：“闾巷之人欲砥行立名者，非附青云之士，恶能施于后世者！”意思是说，下层寒微的士人只有依靠达官贵人，才有可能扬名垂世，否则便被埋没。李白便发挥这个意思，感慨说，无奈那些飞黄腾达的显贵们，早已把我们这些下层士人像尘埃一样弃置不顾。显贵之臣如此，那么当今君主怎样呢？李白化用三国魏阮籍《咏怀》第三十一首讽刺魏王语“战士食糟糠，贤者处蒿莱”，尖锐指出当今君主也是只管挥霍珠玉珍宝，追求声色淫靡，而听任天下贤才过着贫贱的生活。这四句恰和前四句形成鲜明对比。诗人在深深的感慨中，寄寓着尖锐的揭露和讽刺。

现实不合理想，怀才不获起用，那就只有远走高飞，别谋出路，但是前途又会怎样呢？李白用了春秋时代田饶的故事，含蓄地抒写了他在这种处境中的不尽惆怅。田饶在鲁国长久未得到重用，决心离去，对鲁哀公说：“臣将去君，黄鹄举矣！”鲁哀公问他“黄鹄举”是什么意思。他解释说，鸡忠心为君主效劳，但君主却天天把它煮了吃掉，这是因为鸡就在君主近边，随时可得；而黄鹄一举千里，来到君主这里，吃君主的食物，也不像鸡那样忠心效劳，却受到珍贵，这是因为黄鹄来自远方，难得之故。所以我要离开君主，学黄鹄高飞远去了。鲁哀公听了，请田饶留下，表示要把这番话写下来。田饶说：“有臣不用，何书其言！”就离开鲁国，前往燕国。燕王立他为相，治燕三年，国家太平。鲁哀公为此后悔莫及。（见《韩诗外传》）李白在长安，跟田饶在鲁国的处境、心情很相似，所以这里说“方知”，也就是说，他终于体验到田饶作“黄鹄举"的真意，也要离开不察贤才的庸主，去寻求实现壮志的前途。但是，田饶处于春秋时代，王室衰微，诸侯逞霸，士子可以周游列国，以求遂志。而李白却是生活在统一强盛的大唐帝国，他不可能像田饶那样选择君主。因此，他虽有田饶"黄鹄举"之意，却只能"千里独徘徊"，彷徨于茫茫的前途。这末二句，归结到怀才不遇的主题，也结出了时代的悲剧，形象鲜明，含意无尽。

《古风》五十九首都是拟古之作。其一般特点是注重比兴，立意讽托，崇尚风骨，气势充沛，而语言朴实。这首显然拟三国魏阮籍《咏怀》体，对具体讽刺对象，故意闪烁其词，但倾向分明，感情激越，手法确似阮诗。这表明李白有很高的诗歌艺术素养和造诣。但从诗的构思和诗人形象所体现的全篇风格来看，这诗又确实保持着李白的独特风格。如上所述，首四句是咏历史以寄理想，但手法是似乎直陈史事，不点破用意。次四句是借成语以概现实，但都属泛指，读者难以猜测。末二句是借故事以写出路，但只以引事交织描叙，用形象点到即止。总起来看，手法是故拟阮籍的隐晦，而构思则从理想高度来揭露现实的黑暗，表现出李白那种热情追求理想的思想性格，和他的诗歌艺术的一个主要的风格特征。

（倪其心）

古风（其十九）

原文

西上莲花山，迢迢见明星。
素手把芙蓉，虚步蹑太清。
霓裳曳广带，飘拂升天行。
邀我至云台，高揖卫叔卿。
恍恍与之去，驾鸿凌紫冥。
俯视洛阳川，茫茫走胡兵。
流血涂野草，豺狼尽冠缨。

鉴赏

这是一首用游仙体写的古诗，大约作于安禄山攻破洛阳以后。诗中表现了诗人独善兼济的思想矛盾和忧国忧民的沉痛感情。诗人在想象中登上西岳华山的最高峰莲花峰，远远看见了明星仙女。“明星”本是华山玉女名，但字面上又给人造成天上明星的错觉。首二句展现了一个莲峰插天、明星闪烁的神话世界。玉女的纤纤素手拈着粉红的芙蓉，凌空而行，游于高高的太清，雪白的霓裳曳着宽广的长带，迎风飘举，升向天际。诗人用神奇的彩笔，绘出了一幅优雅缥缈的神女飞天图。

美丽的玉女邀请李白来到华山云台峰，与仙人卫叔卿长揖见礼。据《神仙传》载，卫叔卿曾乘云车、驾白鹿去见汉武帝，以为皇帝好道，见之必加优礼。但皇帝只以臣下相待，于是大失所望，飘然离去。这里用卫叔卿的故事暗暗关合着李白自己的遭遇。天宝初年，诗人不是也曾怀着匡世济民的宏图进入帝阙吗？而终未为玄宗所重用，三年后遭谗离京。所以没奈何，只好把卫叔卿引为同调，而与之驾鸿雁游紫冥了。

正当诗人恍惚间与卫叔卿一同飞翔在太空之上的时候，他低头看到了被胡兵占据的洛阳一带，人民惨遭屠戮，血流遍野，而逆臣安禄山及其部属却衣冠簪缨，坐了朝廷。社会的动乱惊破了诗人幻想超脱现实的美梦，使他猛然从神仙幻境折回，转而面对战乱的惨象。诗至此戛然而止，没有交代自己的去留，但诗中李白正视和关切现实，忧国忧民的心情，是十分明显的。

在这首《古风》里，诗人出世和用世的思想矛盾是通过美妙洁净的仙境和血腥污秽的人间这样两种世界的强烈对照表现出来的。这就造成了诗歌情调从悠扬到悲壮的急速变换，风格从飘逸到沉郁的强烈反差。然而它们却和谐地统一在一首诗里，这主要是靠诗人纵横的笔力、超人的才能和积极的进取精神。

李白后期的游仙诗，常常在驰骋丰富的想象时，把道家神仙的传说融入瑰丽奇伟的艺术境界，使抒情主人公带上浓郁的谪仙色彩。这是和他政治上不得志，信奉道教，长期过着游山玩水、修道炼丹的隐士生活分不开的。但他借游仙表现了对现实的反抗和对理想的追求，使魏晋以来宣扬高蹈遗世的游仙诗获得了新的生命。《古风》(其十九)便是一个例证。

（葛晓音）

古风（其二十四）

原文

大车扬飞尘，亭午暗阡陌。
中贵多黄金，连云开甲宅。
路逢斗鸡者，冠盖何辉赫！
鼻息干虹蜺，行人皆怵惕。
世无洗耳翁，谁知尧与跖！

鉴赏

唐玄宗的后期，政治由开明转为腐败。他宠任宦官，使这些人凭借权势，大肆勒索，“于是甲舍、名园、上腴之田为中人所名者，半京畿矣”（《新唐书·宦者传上》）。唐玄宗还喜好斗鸡之戏，据唐人陈鸿《东城老父传》云，当时被称为“神鸡童”的贾昌，由于得到皇帝的爱幸，“金帛之赐，日至其家”，有民谣说：“贾家小儿年十三，富贵荣华代不如”。这些宦官和鸡童恃宠骄恣，不可一世。其时李白在长安，深感上层统治者的腐败，这首《古风》就是针对当时现实而作的一幅深刻讽刺画。

诗的前八句写宦官、鸡童的豪华生活和飞扬跋扈的气焰。诗人对这些得幸小人的生活并没有进行全面描写，只是截取了京城大道上的两个场景，把它巧妙地勾画在读者眼前。

第一个场景写宦官。诗一开始，就像电影镜头一样，推出了一个尘土飞扬的画面："大车扬飞尘，亭午暗阡陌。""亭午"是正午，"阡陌"原指田间小路，这里泛指京城大道。正午天最亮，却黯然不见阡陌，可见尘土之大。而这样大的尘土是"大车"扬起来的，这又写出了大车之多与行驶的迅疾。这是写景，为后面即将出现的人物作铺垫。那么，是谁这样肆无忌惮地飞车疾驰呢？诗人指出："中贵多黄金，连云开甲宅。""中贵"，是"中贵人"的省称，指有权势的太监。"甲宅"，指头等的宅第。"连云"状其量，宅第高而且广，直连霄汉。诗人不仅写出了乘车人是宦官，而且写出了他们为什么能如此目中无人，因为他们有势，有钱，他们正驱车返回豪华的宅第。这里诗人既没有直接描写车中的宦官，也没有描写路上的行人，只是通过写飞扬的尘土、连云的宅第，来渲染气氛、显示人物，有烘云托月之妙。

另一个场景写鸡童，又换了一副笔墨。写"中贵"，处处虚笔烘托；对"鸡童"却是用实笔从两个方面进行正面描写：一是写服饰。"路逢斗鸡者，冠盖何辉赫！"斗鸡人与宦官不同，他是缓辔放马而行，好像故意要显示他的权势和服饰的华贵。在"亭午"阳光的照耀下，他们的车盖衣冠何等光彩夺目！二是写神态。"意态由来画不成"，一个人的神情本来是很难描绘的，尤其是在短小的抒情诗里。但李白写来却举重若轻，他先用了一个夸张的手法，把笔墨放开去。"鼻息干虹蜺"，虹蜺即虹霓，鼻息吹动了天上的云霞，活现出斗鸡人不可一世的骄横神态。继而，诗人又把笔收回来写实："行人皆怵惕"，行人没有一个不惶恐的，进一步用行人的心理把鸡童的势焰衬托得淋漓尽致。真是传神写照，健笔纵横。

最后两句写诗人的感慨。“洗耳翁”指许由。据西晋皇甫谧《高士传》说，尧曾想让天下给许由，许由不接受，认为这些话污了他的耳朵，就去水边洗耳。世上没有了像许由那样不慕荣利的人，谁还能分得清圣贤（尧）与盗贼（跖）呢？诗人鄙夷地把宦官、鸡童等佞幸小人看成是残害人民的强盗，同时也暗刺当时最高统治者的不辨“尧与跖”。

这首诗通过对中贵和斗鸡人的描绘，深刻讽刺了佞幸小人得势后的嚣张气焰，对当时的黑暗政治表示了愤慨。

诗的前八句叙事，后两句议论。叙事具体、形象，饱含讽刺，最后的议论便成为愤慨的自然喷发，一气贯注，把感情推向了高潮，由讽刺佞幸小人，扩大为放眼更广阔的现实，丰富了诗的内容，提高了主题思想的意义。

（张燕瑾）

古风（其三十一）

原文

郑客西入关，行行未能已，
白马华山君，相逢平原里，
璧遗镐池君，明年祖龙死。
秦人相谓曰：吾属可去矣！
一往桃花源，千春隔流水。

鉴赏

欲知李白这一首诗的妙处，且先看诗中这一故事的由来。《史记・秦始皇本纪》："三十六年（前211）……秋，使者从关东夜过华阴平舒道，有人持璧遮使者曰：'为吾遗镐池君。'因言曰：'今年祖龙死。'使者问其故，因忽不见，置其璧去。使者奉璧具以闻。始皇默然良久，曰：'山鬼固不过知一岁事也。'退言曰：'祖龙者，人之先也。'使御府视璧，乃二十八年行渡江所沉璧也。"另外，《汉书・五行志》引《史记》云："郑客从关东来，至华阴，望见素车白马从华山上下，知其非人，道住止而待之。遂至，持璧与客曰：'为我遗镐池君。'因言今年祖龙死。"《史记》所载的故事前后比较完整，用了一百零三个字。

《汉书》抓住故事的中心，只用了五十个字，而且由于素车白马从华山而下这一点染，增强了神话色彩，但仍然只是文章，而不是诗。

李白翻文为诗，主要以《汉书》所载的故事为根据，写成了这一首诗的前六句。其中第二句是原文所没有的，实质上诗人把原文凝炼为二十五个字，字数压缩了一半，却无损于故事的完整性，并且诗意盎然，诗情醰永。这就不能不佩服诗人以古为新的手法了。一起“郑客西入关”一句，为什么不依原文写为“郑客关东来”呢？这是因为“关东来”只表明出发地，却不能表出目的地，而“西入关”则包括了“关东来”，平平五字，一石两鸟，极尽简括之能事。第二句“行行未能已”原文没有的，诗人增添了这一句，便写出了郑客“行行重行行”的旅途生活；“未能已”三字则又点出了道远且长，言外还暗示秦法森严，行路程期有所规定，不敢超越期限的那种惶恐赶路的心情。就这一句，平添了无限的情意，也就是诗之所以为诗。接下去“白马华山君，相逢平原里”，两句与文章的叙述次序恰恰相反。这并不是因为受押韵的牵制，而主要是用倒笔突接的方法，先把鲜明的形象送到读者的眼前：“唉！来了一位白马神人！”然后再补叙原委。这样写法接法，也是诗的特征，而非文章的常规。第五句“璧遗镐池君”，是把原文“持璧与客曰：为我遗镐池君”十一字删成五字，凝缩得非常精致。镐池君指水神，秦以五行中的水德为王，故水神相当于秦朝的护国神，华山神预将秦的亡征告知水神。第六句“明年祖龙死”，祖龙即指秦始皇。不必点明，即知为华山君传语，简洁了当地预报了秦始皇的死耗。

以上六句，只是李白复述故事，其长处也不过是剪裁、点染得宜，而还不足以见此诗之特点。此诗精神发越之处，主要在后四句，李白的超人之处也在后四句。

东晋诗人陶潜曾写过一篇《桃花源记》，后来的诗人极喜引用，“世外桃源”几成为尽人皆知的成语。李白想象力过人，把这一故事和上面六句中的故事，掺和在一起，似乎桃源中人所以避秦隐居，就是因为他们得知郑客从华山君那儿得来祖龙将死、秦将大乱的消息。所以七、八两句用“秦人相谓曰：吾属可去矣”，轻轻地把两个故事天衣无缝地联系在一起了。“秦人相谓曰”之前省去了郑客传播消息，因而行文更加紧凑。“相谓”二字写出秦人传说时的神情，活跃纸上；“吾属可去矣”一句则写出了他们坚决而又轻松的感情，这些都是此诗神妙之处。

最后，诗人以“一往桃花源，千春隔流水”两句结住全诗。“春”字，承桃花春开，取春色美好之意。用“千春”而不用“千秋”，说明他对桃花源的赞美。这两句反映了李白对桃花源的向往和对尘世生活的厌恶。是啊，一旦进了世外桃源，就永远与这混浊纷乱的人寰相隔绝了。

诗人写诗时可能预感到安史之乱的某些征兆，所以引喻故事，借古喻今，以表遁世避乱的归隐思想。结笔悠然而止，不再写入桃源后的如何如何，不但行文简洁，而且余音袅袅，也令人起不尽之思。

（沈熙乾）

古风（其三十四）

原文

羽檄如流星，虎符合专城。
喧呼救边急，群鸟皆夜鸣。
白日曜紫微，三公运权衡。
天地皆得一，澹然四海清。
借问此何为？答言楚征兵。
渡泸及五月，将赴云南征。
怯卒非战士，炎方难远行。
长号别严亲，日月惨光晶。
泣尽继以血，心摧两无声。
困兽当猛虎，穷鱼饵奔鲸。
千去不一回，投躯岂全生！
如何舞干戚，一使有苗平！

鉴赏

这首诗是反映征讨南诏的事。南诏（在今云南大理一带），是唐时我国西南地区民族建立的一个政权，其王受唐朝廷的册封。据《资治通鉴》记载，天宝九载（750），杨国忠荐鲜于仲通为剑南节度使，仲通专横粗暴，失南诏人心，而云南太守张虔陀又对南诏王阁罗凤多所凌辱和征求，遂激起南诏反抗。次年夏，鲜于仲通发兵八万征讨，阁罗凤遣使谢罪，仲通不准，与阁罗凤战于西洱河，惨败，伤亡六万。杨国忠为他隐瞒败迹，又在东西两京和河南、河北地区大肆征兵。诗即以这一事件为背景，却不拘泥于其事，而是通过艺术的概括，深入挖掘事件的根源，将矛头指向唐王朝的国策。

开头四句展现了一幅紧急军事行动的场面：军书飞驰，征调急切，一片喧呼救边的叫嚷声，连栖鸟也不得安巢。短短几句诗渲染出一种紧迫的气氛。“羽檄”，已是紧急文书，又以流星喻之，更显出十万火急。“喧呼”，已见催迫之状，又以群鸟惊鸣烘托之，愈见其督驱骚扰之甚，使人有鸡飞狗跳之感。这些都是以夸饰的笔墨，给人以强烈的印象。从事情的原委上看，下文“借问”四句言在楚地征兵，远征南诏，才是叙事之始。但是诗人没有从这里开头，而是截取一个惊人心目的镜头以为开端，将本事留到下面再补叙，避开平铺直叙的写法，使诗起得警动有势，能一下子抓住读者，是很巧妙的结构。

“白日”四句，突然逆转，勾勒出一幅承平景象，与前面的战争气氛形成鲜明的强烈的对照。前两句全以天象为喻。以“白日”“紫微”“三公”“权衡”象征皇帝和朝廷大臣，描绘一幅玉宇清平的景象。语语言天象，即语语言人世。人世的内容通过形象的天象展现出来，确是一种妙运。“天地皆得一”是从《老子》“天得一以清，地得一以宁”二句熔铸而成，即寰宇清平安宁之意。你看，白日辉耀，可谓君明；三公执枢，可谓臣能；四海清澄，可谓天下安定。如此承平盛世怎么会突然发生战争呢？诗人虽然没有当即回答，而其不满之心，指责之情，讥讽之意，已尽在不言之中。

“借问”四句，把兴兵讨伐南诏的本事补叙明白。古来相传泸水有瘴气，至五月方可渡。“渡泸及五月”，一个“及”字把统治集团急不可耐的征伐情绪，和盘托出。下面侧重写统治者驱民于死地的罪恶。“怯卒”以下十句是诗人用浓墨重笔着力刻画之处。前六句写征行别离之惨。与役者都是未经战阵的百姓，是为“怯卒”，本不堪行；南方又多瘴疠，触之则毙，尤不可去。而朝廷必驱而往之，不啻白白送死，所以生离亦即死别。日月都带上凄惨色调，可见悲怨之气冲天之状；泪尽继之以血，心碎哭亦无声，足见悲痛欲绝之情。“困兽”四句写驱遣有去无回之势。以困兽、穷鱼喻怯卒，以猛虎、奔鲸喻悍敌，使不敌之势，跃然纸上。虎而云猛，鲸而云奔，兽而云困，鱼而云穷，有意使桀悍与疲弱相对，更为鲜明。虎为兽中之王，一般兽所难当，何况疲困之兽；鲸为鱼中之巨，一般鱼所难逃，何况力穷之鱼。这两句充满夸饰色彩、形象鲜明的比喻，是下文最好的铺垫，使“千去不一回，投躯岂全身”二句一下子便深印人心。李白的诗笔善夸张，十句诗把驱民于虎口的惨象写得怵目惊心，可谓对穷兵黩武的血泪批判与控诉。

末二句用舜的典故，披露全诗主旨。据《帝王世纪》记载，舜的时候，有苗氏不服，禹请发兵征讨。舜说，不，我修德还不深厚，擅动刀兵，不合于道，于是进一步修明政教。过了三年，他只举行一次以干（盾）戚（斧）为道具的舞蹈，有苗氏便服威怀德而归顺。作者慨叹这样的原则不见了，等于说当时“当国之臣不能敷文德以来远人”（元萧士赟《分类补注李太白集》），这正是本诗的主旨所在。现在可以回顾一下“白日”四句，在那一片清平气象中，似觉缺少点什么，缺少的就是这“敷文德以来远人”的国策。这就是前面留给读者的悬念的答案。至此，主旨已明，悬念已解，诗也就戛然而止。从这一方面看，诗的前后呼应关锁，也是非常紧密的。

（孙　静）

古风（其四十六）

原文

一百四十年，国容何赫然。
隐隐五凤楼，峨峨横三川[①]。
王侯象星月[②]，宾客如云烟。
斗鸡金宫里，蹴鞠瑶台边。
举动摇白日，指挥回青天。
当涂何翕忽，失路长弃捐。
独有扬执戟，闭关草《太玄》[③]。

〔注〕

① 三川：指流经长安一带的三条水——泾水、洛水、渭水。
② 史载开元、天宝年间，宦官“黄衣以上三千员，衣朱紫千余人，其称旨辄拜三品将军”（《新唐书・宦官传上》）。
③ 汉代的郎官执戟宿卫宫殿，扬雄曾为郎官，所以称他扬执戟。《汉书・扬雄传》载，汉哀帝时，外戚丁明、傅晏和佞幸董贤用事，“诸附离之者，或起家至二千石”，而扬雄则不肯趋附，闭门“草《太玄》，有以自守，泊如也”。

鉴赏

这首诗从内容上看，当作于天宝初李白在长安时期。唐代从开国到这时共一百二十多年，与诗所言年数不合，“四十”二字可能有误，以古人诗文中常举成数而言，当为“二十”或“三十”。

开元、天宝年间，进入了历史上所称的“盛唐”。一方面唐王朝登上了繁荣昌盛的顶峰，另一方面也渐次呈露出由盛转衰的危机。诗人以特有的政治敏感，用他的诗笔，为我们展现了一幅繁盛中充斥着腐朽的真实的历史画卷。

诗从唐王朝一百多年发展历史入手。开篇四句是一节，重点在勾勒盛唐时期大唐帝国的辉煌显赫面貌。诗人只用“一百四十年”五个字，便将“贞观之治”“开元之治”等丰富的历史内容，推入诗句的背后，而用“国容何赫然”一句赞叹，启示人们自己去体味、领会，这是虚写的方法，笔墨非常经济。然而虚多则易空，故下文“隐隐”二句又转用实写的方法，选择一个极富有表现力的侧面——长安都城宫室建筑的雄伟壮丽，来给人们以“赫然”“国容”的具体感受。十个字，字字精实。“隐隐”，见出宫室的层叠深邃；“峨峨”，见出楼观的巍拔飞骞；“五凤楼”，见出其精工华美之巧；“横三川”，见出其龙蟠虎踞之势。诗人有意将宏丽建筑安放在一个广阔的背景上，以增其壮伟雄浑之感。短短四句诗，虚实结合，使经过百多年发展的大唐帝国，以其富丽堂皇的面貌、磅礴的气势屹立在我们面前，令人不能不佩服诗人巨大的艺术概括力量。

“王侯”以下六句，转入对权势者的描写。“王侯”二句言其众盛。以灿然罗列的星月状王侯，亦似见其华耀骄贵之相；以弥漫聚散的云烟状宾客，亦似见其趋走奔竞之态：都极善用比，有传神尽相之妙。“斗鸡”二句言其行径。“金宫”“瑶台”都是指帝王所居,“斗鸡”“蹴鞠”都是游戏玩好,他们的所作所为无非是凭借侍从游乐以邀宠幸。“举动”二句言其气焰。“摇白日”“回青天”,以夸张的笔墨刻画其权势之大,气焰之盛,也隐含可以左右帝王之意。六句诗分三个层次,把王侯权贵的腐朽骄横形象一笔笔勾勒完足,笔墨很有分量。在章法的承接上,由辉煌的国势一下子过渡到势焰熏天的权贵,收到很好的艺术效果:在那繁荣昌盛的背景上,活动着、主宰着的竟是一群腐朽的权贵,不禁使人有大好河山、锦绣前程将被活活断送之感,而这也正是诗人悲愤之所在。

末四句巧妙地运用扬雄的故事表明诗人的鲜明态度。“当涂”二句熔炼汉扬雄《解嘲》中的话:“当涂者入青云,失路者委沟渠。旦握权则为卿相,夕失势则为匹夫。”一针见血地指出这班权贵不会有好结局,得意的日子不会长久。“翕忽”是飞速之意,形容青云直上。“独有”二句,诗人以扬雄自比,向权贵们投以轻蔑的目光。借用这个典故,简约而有力地表现了诗人清操自守和对权贵们鄙视与决绝态度。扬雄闭关草《太玄》时,有人嘲笑他得不到官职,扬雄做《解嘲》以答。其中大讲得士、失士同国家兴亡的关系:“昔三仁去而殷墟,二老归而周炽,子胥死而吴亡,种蠡存而越霸。”这不正是唐王朝当时面临的问题吗?看来诗人用此典还有更深的含义。

本诗首二句纵观历史,次二句横览山河,都如登高临深,有俯视一切的气概,见出其吞吐千古、囊括六合的胸怀与气魄。“王侯”六句,一气贯下,刻画权势者们的形象,笔墨酣畅,气完神足。而正当把权势者们说到十分兴头上的时候,“当涂”二句却兜头一盆冷水浇了下来,使人有一落千丈之感。末二句只客观地摆出扬雄的典实，冷然作收。但冷静平实的笔墨中隐含怒目横眉之气，柔中有刚。不长的一首诗，写得腾跃有势，跌宕多姿，气势充沛，见出作者独具的艺术特色。

（孙　静）

远别离

原文

远别离，古有皇英之二女；
乃在洞庭之南，潇湘之浦。
海水直下万里深，谁人不言此离苦？
日惨惨兮云冥冥，猩猩啼烟兮鬼啸雨。
我纵言之将何补？
皇穹窃恐不照余之忠诚，雷凭凭兮欲吼怒。
尧舜当之亦禅禹，君失臣兮龙为鱼，权归臣兮鼠变虎。
或云尧幽囚，舜野死。
九疑联绵皆相似，重瞳孤坟竟何是？
帝子泣兮绿云间，随风波兮去无还。
恸哭兮远望，见苍梧之深山。
苍梧山崩湘水绝，竹上之泪乃可灭。

鉴赏

这是一个古老的传说：帝尧曾经将两个女儿（长曰娥皇，次曰女英）嫁给舜。舜南巡，死于苍梧之野。二妃溺于湘江，神游洞庭之渊，出入潇湘之浦。这个传说，使得潇湘洞庭一带似乎几千年来一直被悲剧气氛笼罩着，“远别离，古有皇英之二女；乃在洞庭之南，潇湘之浦。海水直下万里深，谁人不言此离苦?”一提到这些诗句，人们心理上都会被唤起一种凄迷的感受。那流不尽的清清的潇湘之水，那浩淼的洞庭，那似乎经常出没在潇湘云水间的两位帝子，那被她们眼泪所染成的斑竹，都会一一浮现在脑海里。所以，诗人在点出潇湘、二妃之后发问：“谁人不言此离苦?”就立即能获得读者强烈的感情共鸣。

接着，承接上文渲染潇湘一带的景物：太阳惨淡无光，云天晦暗，猩猩在烟雨中啼叫，鬼魅在呼唤着风雨。但接以“我纵言之将何补”一句，却又让人感到不是单纯写景了。阴云蔽日，那“日惨惨兮云冥冥”，不像是说皇帝昏聩、政局阴暗吗?“猩猩啼烟兮鬼啸雨”，不正像大风暴到来之前的群魔乱舞吗？而对于这一切，一个连一官半职都没有的诗人，即使说了，又何补于世，有谁能听得进去呢？既然“日惨惨”“云冥冥”，那么朝廷又怎么能区分忠奸呢?所以诗人接着写道：我觉得皇天恐怕不能照察我的忠心，相反，雷声殷殷，又响又密，好像正在对我发怒呢。这雷声显然是指朝廷上某些有权势的人的威吓，但与上面“日惨惨兮云冥冥，猩猩啼烟兮鬼啸雨”相呼应，又像是仍然在写潇湘洞庭一带风雨到来前的景象，使人不觉其确指现实。

“尧舜当之亦禅禹，君失臣兮龙为鱼，权归臣兮鼠变虎。”这段议论性很强，很像在追述造成别离的原因：奸邪当道，国运堪忧。君主用臣如果失当，大权旁落，就会像龙化为可怜的鱼类，而把权力窃取到手的野心家，则会像鼠一样变成吃人的猛虎。当此之际，就是尧亦得禅舜，舜亦得禅禹。不要以为我的话是危言耸听，亵渎人们心目中神圣的上古三代，证之典籍，确有尧被秘密囚禁、舜野死蛮荒之说啊。《史记·五帝本纪》正义引《竹书纪年》载：尧年老德衰为舜所囚。《国语·鲁语》："舜勤民事而野死。"由于忧念国事，诗人观察历史自然别具一副眼光：尧幽囚、舜野死之说，大概都与失权有关吧？"九疑联绵皆相似，重瞳孤坟竟何是？"舜的眼珠有两个瞳孔，人称重华。传说他死在湘南的九嶷山，但九座山峰联绵相似，究竟何处是重华的葬身之地呢？称舜墓为"孤坟"，并且叹息死后连坟地都不能为后人确切知道，更显凄凉。不是死得暖昧，何至如此呢！娥皇、女英二位帝子，在绿云般的丛竹间哭泣，哭声随风波远逝，去而无应。"见苍梧之深山"，着一"深"字，令人可以想象群山迷茫，即使二妃远望也不知其所，这就把悲剧更加深了一步。"苍梧山崩湘水绝，竹上之泪乃可灭。"斑竹上的泪痕，乃二妃所洒。苍梧山应该是不会有崩倒之日，湘水也不会有涸绝之时，二妃的眼泪又岂有止期？这个悲剧实在是太深重了！

诗所写的是二妃的别离，但"我纵言之将何补"一类话，分明显出诗人是对现实政治有所感而发的。所谓"君失臣""权归臣"是天宝后期政治危机中突出的标志，并且是李白当时心中最为忧念的一端。元代萧士赟认为玄宗晚年贪图享乐，荒废朝政，把政事交给李林甫、杨国忠，边防交给安禄山、哥舒翰，"太白熟观时事，欲言则惧祸及己，不得已而形之诗，聊以致其爱君忧国之志。所谓皇英之事，特借指耳"(《分类补注李太白集》)。这种说法是可信的。李白之所以要危言尧舜之事，意思大概是要强调人君如果失权，即使是圣哲也难保社稷妻子。后来在马嵬事变中，玄宗和杨贵妃演出一场远别离的惨剧，可以说是正好被李白言中了。

诗写得迷离惝恍，但又不乏要把迷阵挑开一点缝隙的笔墨。“我纵言之将何补？皇穹窃恐不照余之忠诚，雷凭凭兮欲吼怒。”这些话很像他在《梁甫吟》中所说的“我欲攀龙见明主，雷公砰訇震天鼓。……白日不照吾精诚，杞国无事忧天倾。”不过，《梁甫吟》是直说，而《远别离》中的这几句隐隐呈现在重重迷雾之中，一方面起着点醒读者的作用，一方面又是在述及造成远别离的原因时，自然地带出的。诗仍以叙述二妃别离之苦开始，以二妃恸哭远望终结，让悲剧故事笼括全篇，保持了艺术上的完整性。

诗人是明明有许多话急于要讲的。但他知道即使是把喉咙喊破了，也决不会使唐玄宗醒悟，真是“言之何补”！况且诗人自己也心绪如麻，不想说，但又不忍不说。因此，写诗的时候不免若断若续，似吞似吐。范梈说：“此篇最有楚人风。所贵乎楚言者，断如复断，乱如复乱，而辞意反复行乎其间者，实未尝断而乱也；使人一唱三叹，而有遗音。”（据瞿蜕园、朱金城《李白集校注》转引）这是很精到的见解。诗人把他的情绪，采用楚歌和骚体的手法表现出来，使得断和续、吞和吐、隐和显，消魂般的凄迷和预言式的清醒，紧紧结合在一起，构成深邃的意境和强大的艺术魅力。

（余恕诚）

蜀道难

原文

噫吁嚱，危乎高哉！蜀道之难难于上青天！
蚕丛及鱼凫，开国何茫然！
尔来四万八千岁，不与秦塞通人烟。
西当太白有鸟道，可以横绝峨眉巅。
地崩山摧壮士死，然后天梯石栈相钩连。
上有六龙回日之高标，下有冲波逆折之回川。
黄鹤之飞尚不得过，猿猱欲度愁攀援。
青泥何盘盘，百步九折萦岩峦。
扪参历井仰胁息，以手抚膺坐长叹。
问君西游何时还？畏途巉岩不可攀。
但见悲鸟号古木，雄飞雌从绕林间。
又闻子规啼夜月，愁空山。
蜀道之难难于上青天，使人听此凋朱颜！
连峰去天不盈尺，枯松倒挂倚绝壁。
飞湍瀑流争喧豗，砯崖转石万壑雷。
其险也如此，嗟尔远道之人，胡为乎来哉！

剑阁峥嵘而崔嵬，一夫当关，万夫莫开。
所守或匪亲，化为狼与豺，
朝避猛虎，夕避长蛇，磨牙吮血，杀人如麻。
锦城虽云乐，不如早还家。
蜀道之难，难于上青天，侧身西望长咨嗟！

鉴赏

这首诗，大约是唐玄宗天宝初年，李白第一次到长安时写的。《蜀道难》是他袭用乐府古题，展开丰富的想象，着力描绘了秦蜀道路上奇丽惊险的山川，并从中透露了对社会的某些忧虑与关切。

诗人大体按照由古及今，自秦入蜀的线索，抓住各处山水特点来描写，以展示蜀道之难。

从“噫吁嚱”到“然后天梯石栈相钩连”为一个段落。一开篇就极言蜀道之难，以感情强烈的咏叹点出主题，为全诗奠定了雄放的基调。以下随着感情的起伏和自然场景的变化，“蜀道之难难于上青天”的咏叹反复出现，像一首乐曲的主旋律一样激荡着读者的心弦。

为什么说蜀道的难行比上天还难呢？这是因为自古以来秦、蜀之间被高山峻岭阻挡，由秦入蜀，太白峰首当其冲，只有高飞的鸟儿能从低缺处飞过。太白峰在秦都咸阳西南，是关中一带的最高峰。民谚云：“武公太白，去天三百。”诗人以夸张的笔墨写出了历史上不可逾越的险阻，并融汇了五丁开山的神话，点染了神奇色彩，犹如一部乐章的前奏，具有引人入胜的妙用。下面即着力刻画蜀道的高危难行了。

从“上有六龙回日之高标”至“使人听此凋朱颜”为又一段落。这一段极写山势的高危，山高写得愈充分，愈可见路之难行。你看那突兀而立的高山，高标接天，挡住了太阳神的运行；山下则是冲波激浪、曲折回旋的河川。诗人不但把夸张和神话融为一体，直写山高，而且衬以“回川”之险。惟其水险，更见山势的高危。诗人意犹未足，又借黄鹤与猿猱来反衬。山高得连千里翱翔的黄鹤也不得飞度，轻疾敏捷的猿猴也愁于攀援，不言而喻，人行走就难上加难了。以上用虚写手法层层映衬，下面再具体描写青泥岭的难行。

青泥岭，“悬崖万仞，山多云雨”（《元和郡县志》），为唐代入蜀要道。诗人着重就其峰路的萦回和山势的峻危来表现人行其上的艰难情状和畏惧心理，捕捉了在岭上曲折盘桓、手扪星辰、呼吸紧张、抚胸长叹等细节动作加以摹写，寥寥数语，便把行人艰难的步履、惶悚的神情，绘声绘色地刻画出来，困危之状如在目前。

至此，蜀道的难行似乎写到了极处。但诗人笔锋一转，借“问君”引出旅愁，以忧切低昂的旋律，把读者带进一个古木荒凉、鸟声悲凄的境界。杜鹃鸟空谷传响，充满哀愁，使人闻声失色，更觉蜀道之难。诗人借景抒情，用“悲鸟号古木”“子规啼夜月”等感情色彩浓厚的自然景观，渲染了旅愁和蜀道上空寂苍凉的环境气氛，有力地烘托了蜀道之难。

然而，逶迤千里的蜀道，还有更为奇险的风光。自“连峰去天不盈尺”至全篇结束，主要从山川之险来揭示蜀道之难，着力渲染惊险的气氛。如果说“连峰去天不盈尺”是夸饰山峰之高，“枯松倒挂倚绝壁”则是衬托绝壁之险。

诗人先托出山势的高险，然后由静而动，写出水石激荡、山谷轰鸣的惊险场景。好像一串电影镜头：开始是山峦起伏、连峰接天的远景画面；接着平缓地推成枯松倒挂绝壁的特写；而后，跟踪而来的是一组快镜头，飞湍、瀑流、悬崖、转石，配合着万壑雷鸣的音响，飞快地从眼前闪过，惊险万状，目不暇接，从而造成一种势若排山倒海的强烈艺术效果，使蜀道之难的描写，简直达到了登峰造极的地步。如果说上面山势的高危已使人望而生畏，那么此处山川的险要更令人惊心动魄了。

风光变幻，险象丛生。在十分惊险的气氛中，最后写到蜀中要塞剑阁，在大剑山和小剑山之间有一条三十里长的栈道，群峰如剑，连山耸立，削壁中断如门，形成天然要塞。因其地势险要，易守难攻，历史上在此割据称王者不乏其人。诗人从剑阁的险要引出对政治形势的描写。他化用西晋张载《剑阁铭》中“形胜之地，匪亲勿居”的语句，劝人引为鉴戒，警惕战乱的发生，并联系当时的社会背景，揭露了蜀中豺狼的“磨牙吮血，杀人如麻”，从而表达了对国事的忧虑与关切。唐天宝初年，太平景象的背后正潜伏着危机，后来发生的安史之乱，证明诗人的忧虑是有现实意义的。

李白以变化莫测的笔法，淋漓尽致地刻画了蜀道之难，艺术地展现了古老蜀道逶迤、峥嵘、高峻、崎岖的面貌，描绘出一幅色彩绚丽的山水画卷。诗中那些动人的景象宛如历历在目。

李白之所以描绘得如此动人，还在于融贯其间的浪漫主义激情。诗人寄情山水，放浪形骸。他对自然景物不是冷漠地观赏，而是热情地赞叹，借以抒发自己的理想和感受。那飞流惊湍、奇峰险壑，赋予了诗人的情感气质，因而才呈现出飞动的灵魂和瑰伟的姿态。诗人善于把想象、夸张和神话传说融为一体进行写景抒情。言山之高峻，则曰“上有六龙回日之高标”；状道之险阻，则曰“地崩山摧壮士死，然后天梯石栈相钩连”……诗人“驰走风云，鞭挞海岳”（明陆时雍《诗镜总论》评李白七古语），从蚕丛开国说到五丁开山，由六龙回日写到子规夜啼，天马行空般地驰骋想象，创造出博大浩渺的艺术境界，充满了浪漫主义色彩。透过奇丽峭拔的山川景物，仿佛可以看到诗人那“落笔摇五岳，笑傲凌沧洲”的高大形象。

唐以前的《蜀道难》作品，简短单薄。李白对乐府古题有所创新和发展，用了大量散文化诗句，字数从三言、四言、五言、七言，直到十一言，参差错落，长短不齐，形成极为奔放的语言风格。诗的用韵，也突破了梁陈时代旧作一韵到底的程式。后面描写蜀中险要环境，一连三换韵脚，极尽变化之能事。所以唐人殷璠编《河岳英灵集》称此诗“奇之又奇，自骚人以还，鲜有此体调”。

关于本篇，前人有种种寓意之说，断定是专为某人某事而作的。明人胡震亨、顾炎武认为，李白“自为蜀咏”，“别无寓意”。今人有谓此诗表面写蜀道艰险，实则写仕途坎坷，反映了诗人在长期漫游中屡逢踬碍的生活经历和怀才不遇的愤懑，迄无定论。

（闫昭典）

梁甫吟

原文

长啸梁甫吟，何时见阳春？
君不见朝歌屠叟辞棘津，八十西来钓渭滨！
宁羞白发照清水？逢时壮气思经纶。
广张三千六百钓，风期暗与文王亲。
大贤虎变愚不测，当年颇似寻常人。
君不见高阳酒徒起草中，长揖山东隆准公！
入门不拜骋雄辩，两女辍洗来趋风。
东下齐城七十二，指挥楚汉如旋蓬。
狂客落魄尚如此，何况壮士当群雄！
我欲攀龙见明主，雷公砰訇震天鼓，帝旁投壶多玉女。
三时大笑开电光，倏烁晦冥起风雨。
阊阖九门不可通，以额扣关阍者怒。
白日不照吾精诚，杞国无事忧天倾。
猰貐[①]磨牙竞人肉，驺虞[②]不折生草茎。
手接飞猱搏雕虎，侧足焦原[③]未言苦。

智者可卷愚者豪，世人见我轻鸿毛。
力排南山三壮士，齐相杀之费二桃④。
吴楚弄兵无剧孟⑤，亚夫咍尔为徒劳。
梁甫吟，声正悲。
张公两龙剑，神物合有时。
风云感会起屠钓，大人𡾕屼当安之。

〔注〕

① 猰貐(yà yǔ)：古代传说中一种吃人的野兽。
② 驺(zōu)虞：古代传说中的一种仁兽，不吃生物，不在草上践踏。这里用来比喻仁慈的统治者。
③ 焦原：传说中春秋时莒国的一块大石名。它宽五十步，下面是百丈深溪，无人敢近。
④ 据《晏子春秋》记载：春秋时齐景公手下有公孙接、田开疆、古冶子三个力能搏虎的勇士，都曾立过大功。有一次相国晏子见他们不懂君臣、尊卑之别，产生了疑忌，就建议景公除掉他们。办法是由景公派人赏赐给他们两只桃子，叫他们三人"计功而食桃"。公孙接和田开疆都以为自己功大，各拿了一只桃子，而古冶子认为自己的功劳更大，要二人退出桃子。二人感到羞愧而自杀。古冶子因二人之死而无颜独生，同样自杀身亡。
⑤ 剧孟：西汉初，吴楚七国叛乱，汉景帝派窦婴、周亚夫前去讨伐。周亚夫在将到河南时，找到侠士剧孟，笑吴楚不用剧孟而起兵，实是徒劳。

鉴赏

《梁甫吟》是古代用作葬歌的一支民间曲调，音调悲切凄苦。古辞今已不传，宋郭茂倩《乐府诗集》收有诸葛亮所作一首，写春秋时齐相晏子“二桃杀三士”事，通过对死者的伤悼，谴责谗言害贤的阴谋。李白这首也有“力排南山三壮士，齐相杀之费二桃”之句，显然是袭用了诸葛亮那首的立意。诗大概写在李白“赐金放还”，刚离开长安之后。诗中抒写遭受挫折以后的痛苦和对理想的期待，气势奔放，感情炽热，是李白的代表作之一。

开头两句：“长啸梁甫吟，何时见阳春？”“长啸”是比高歌更为凄厉激越的感情抒发。诗一上来就单刀直入，显示诗人此时心情极不平静，为全诗定下了感情的基调。战国楚宋玉《九辩》中有“恐溘死而不得见乎阳春”之句，故“见阳春”有从埋没中得到重用，从压抑中得以施展抱负的意思。以下诗句，全是由此生发。

接着，连用两组“君不见”提出两个历史故事。一是说西周吕望（即姜太公）长期埋没民间，五十岁在棘津当小贩，七十岁在朝歌当屠夫，八十岁时还垂钓于渭水之滨，钓了十年（每天一钓，十年共三千六百钓），才得遇文王，遂展平生之志。一是说秦末的郦食其，刘邦原把他当作一个平常儒生，看不起他，但这位自称“高阳酒徒”的儒生，不仅凭雄辩使刘邦改变了态度，以后还说服齐王率七十二城降汉，成为楚汉相争中的风云人物。诗人引用这两个历史故事，实际上寄寓着自己的理想与抱负：“大贤虎变愚不测，当年颇似平常人”，“狂客落魄尚如此，何况壮士当群雄”。他不相信自己会长期沦落，毫无作为。诗人对前途有着坚定的信念，所以这里声调高亢昂扬，语言节奏也较爽利明快，中间虽曾换过一次韵，但都押平声韵，语气还是舒展平坦的。

自“我欲攀龙见明主”句起，诗人一下子从乐观陷入了痛苦。

加上改用了仄声韵，语气拗怒急促，更使人感到犹如一阵凄风急雨劈面打来。这一段写法上很像战国楚屈原的《离骚》，诗人使自己置身于惝恍迷离、奇幻多变的神话境界中，通过描写奇特的遭遇来反映对现实生活的感受。你看，他为了求见“明主”，依附着夭矫的飞龙来到天上。可是，凶恶的雷公擂起天鼓，用震耳欲聋的鼓声来恐吓他，他想求见的那位“明主”，也只顾同一班女宠作投壶的游戏。他们高兴得大笑时天上闪现出耀眼的电光，一时恼怒又使天地昏暗，风雨交加。尽管如此，诗人还是不顾一切以额叩关，冒死求见，不料竟触怒了守卫天门的阍者。在这段描写中，诗人的感情表现得那么强烈，就像浩荡江水从宽广的河床突然进入峡谷险滩一样，旋涡四起，奔腾湍急，不可抑止。诗人在天国的遭遇，实际上就是在现实生活中的遭遇，他借助于幻设的神话境界，尽情倾诉了胸中的忿懑与不平。

自“白日不照吾精诚”以下十二句又另作一段。在这段中，诗人通过各种典故或明或暗地抒写了内心的忧虑和痛苦，并激烈地抨击了现实生活中的不合理现象：上皇不能体察我对国家的一片精诚，反说我是“杞人忧天”。权奸们像恶兽猰貐那样磨牙厉齿残害人民，而诗人的理想则是以仁政治天下。他自信有足够的才能和勇气去整顿乾坤，就像古代能用左手接飞猱、右手搏雕虎的勇士那样，虽置身于危险的焦原仍不以为苦。诗意像是宕起，可是马上又重重地跌了下来。在现实的生活中，只有庸碌之辈可以趾高气扬，真有才能的人反而只能收起自己的聪明才智，世人就把我看得轻如鸿毛。古代齐国三个力能排山的勇士被相国晏子设计害死，可见有才能的人往往受到猜疑。明明有剧孟这样的能人而摒弃不用，国家的前途真是不堪设想了。这一段行文的显著特点是句子的排列突破了常规。如果要求意思连贯,那么“手接飞猱”两句之后,应接写“力排南山”两句,“智者可卷”两句之后,应接写“吴楚弄兵”两句。可是诗人却故意把它们作上下错落的排列,避免了平铺直叙。诗人那股汹涌而来的感情激流,至此一波三折,成迂回盘旋之势,更显得恣肆奇横,笔力雄健。这段的语气节奏也随着感情发展而跌宕起伏,忽而急促,忽而舒展,忽而押平声韵,忽而换仄声韵,短短十二句竟三易其韵,极尽变化之能事。

最后一段开头,“梁甫吟,声正悲”,直接呼应篇首两句,语气沉痛而悲怆。突然,诗人又笔锋一折,“张公两龙剑”以下四句仍是信心百倍地回答了“何时见阳春”这一设问。诗人确信,正如干将、莫邪二剑不会久没尘土,我同“明主”一时为小人阻隔,终当有会合之时。既然做过屠夫和钓徒的吕望最后仍能际会风云,建立功勋,那自己也就应该安时俟命,等待风云感会的一天到来。饱经挫折的诗人虽然沉浸在迷惘和痛苦之中,却仍在用各种办法自我慰藉,始终没有放弃对理想的追求。

写长篇歌行最忌呆滞平板,这首诗最大的艺术特色正在于布局奇特,变化莫测。它通篇用典,但表现手法却不时变换。吕望和郦食其两个故事是正面描写,起“以古为鉴”的作用,接着借助于种种神话故事,寄寓自己的痛苦遭遇,第三段则把几个不相连属的典故交织在一起,正如清人沈德潜说的“后半拉杂使事,而不见其迹”(《唐诗别裁集》),因而诗的意境显得奇幻多姿,错落有致:它时而和风丽日,春意盎然,时而浊浪翻滚,险象纷呈;时而语浅意深,明白如话,时而杳冥惝恍,深不可测。加上语言节奏的不断变化起伏,诗人强烈而又复杂的思想感情表现得淋漓尽致。

(范民声)

乌夜啼

原文

黄云城边乌欲栖，
归飞哑哑枝上啼。
机中织锦秦川女，
碧纱如烟隔窗语。
停梭怅然忆远人，
独宿空房泪如雨。

鉴赏

传说李白在天宝初年到长安，贺知章读了他的《乌栖曲》《乌夜啼》等诗后，大为叹赏，说他是“天上谪仙人也”，于是在唐玄宗面前推荐了他。《乌夜啼》为乐府旧题，内容多写男女离别相思之苦。李白这首的主题也与前代所作相类，但言简意深，别出新意，遂为名篇。

“黄云城边乌欲栖，归飞哑哑枝上啼”，起首两句绘出一幅秋林晚鸦图，夕曛暗淡，返照城闉，成群的乌鸦从天际飞回，盘旋着，哑哑地啼叫。“乌欲栖”，正是将栖未栖，叫声最喧嚣、最烦乱之时，无所忧愁的人听了，也会感物应心，不免惆怅，更何况是心绪愁烦的离人思妇呢？在这黄昏时候，乌鸦尚知要回巢，而远在天涯的征夫，到什么时候才能归来呵？起首两句，描绘了环境，渲染了气氛，在有声有色的自然景物中蕴含着的愁绪牵引了读者。

“机中织锦秦川女，碧纱如烟隔窗语”，这织锦的秦川女，固可指为苻秦时窦滔妻苏蕙，更可看作唐时关中一带征夫远戍的思妇。诗人对秦川女的容貌服饰，不作任何具体的描写，只让你站在她的闺房之外，在暮色迷茫中，透过烟雾般的碧纱窗，依稀看到她伶俜的身影，听到她低微的语音。这样的艺术处理，确是匠心独运。因为在本诗中要让读者具体感受的，并不是这女子的外貌，而是她的内心，她的思想感情。

“停梭怅然忆远人，独宿空房泪如雨。”这个深锁闺中的女子，她的一颗心牢牢地系在远方的丈夫身上，“我心匪石，不可转也”“我心匪席，不可卷也”，悲愁郁结，无从排解。追忆昔日的恩爱，感念此时的孤独，种种的思绪涌上心来，怎不泪如雨呢？这如雨的泪也沉重地滴到诗人的心上，促使你去想一想造成她不幸的原因。到这里，诗人也就达到他预期的艺术效果了。

五、六两句，有几种异文。如敦煌唐写本作“停梭问人忆故夫，独宿空床泪如雨”，五代韦縠《才调集》卷六注“一作‘停梭向人问故夫，知在流沙泪如雨’”等，可能都出于李白原稿。异文与通行本相比，有两点不同：一是“隔窗语”不是自言自语，而是与窗外人对话；二是征夫的去向，明确在边地的流沙。仔细吟味，通行本优于各种异文，没有“窗外人”更显秦川女的孤独寂寞；远人去向不具写，更增相忆的悲苦。可见在本诗的修改上，李白是经过推敲的。清沈德潜评此诗说：“蕴含深远，不须语言之烦。”（《唐诗别裁集》）说得言简意赅。短短六句诗，起手写情，布景出人，景里含情；中间两句，人物有确定的环境、身份和身世，而且绘影绘声，想见其人；最后点明主题，却又包含着许多意内而言外之音。诗人不仅不替她和盘托出，作长篇的哭诉，而且还为了增强诗的概括力量，放弃了看似具体实是平庸的有局限性的写法。从上述几种异文的对比中，便可明白这点。

（徐永年）

乌栖曲

原文

姑苏台上乌栖时，
吴王宫里醉西施。
吴歌楚舞欢未毕，
青山欲衔半边日。
银箭金壶漏水多，
起看秋月坠江波。
东方渐高奈乐何！

鉴赏

《乌栖曲》是乐府《清商曲辞·西曲歌》旧题。现存南朝梁简文帝、徐陵等人的古题，内容大都比较靡艳，形式则均为七言四句，两句换韵。李白此篇，不但内容从旧题的歌咏艳情转为讽刺宫廷淫靡生活，形式上也作了大胆的创新。

相传吴王夫差耗费大量人力物力，用三年时间，筑成横亘五里的姑苏台(旧址在今苏州市西南姑苏山上)，上建春宵宫，与宠妃西施在宫中为长夜之饮。诗的开头两句，不去具体描绘吴宫的豪华和宫廷生活的淫靡，而是以洗练而富于含蕴的笔法，勾画出日落乌栖时分姑苏台上吴宫的轮廓和宫中美人西施醉态朦胧的剪影。“乌栖时”，照应题面，又点明时间。诗人将吴宫设置在昏林暮鸦的背景中，无形中使"乌栖时"带上某种象征色彩,使人们隐约感受到包围着吴宫的幽暗气氛,联想到吴国日暮黄昏的没落趋势。而这种环境气氛,又正与"吴王宫里醉西施"的纵情享乐情景形成鲜明对照,暗含乐极悲生的意蕴。这层象外之意,贯串全篇,但表现得非常隐微含蓄。

"吴歌楚舞欢未毕,青山欲衔半边日。"对吴宫歌舞,只虚提一笔,着重写宴乐过程中时间的流逝。沉醉在狂欢极乐中的人,往往意识不到这一点。轻歌曼舞,朱颜微酡,享乐还正处在高潮之中,却忽然意外地发现,西边的山峰已经吞没了半轮红日,暮色就要降临了。"未"字、"欲"字,紧相呼应,微妙而传神地表现出吴王那种惋惜、遗憾的心理。而落日衔山的景象,又和第二句中的"乌栖时"一样,隐约透出时代没落的面影,使得"欢未毕"而时已暮的描写,带上了为乐难久的不祥暗示。

"银箭金壶漏水多,起看秋月坠江波。"续写吴宫荒淫之夜。宫体诗的作者往往热中于展览豪华颓靡的生活,李白却巧妙地从侧面淡淡着笔。"银箭金壶",指宫中计时的铜壶滴漏。铜壶漏水越来越多,银箭的刻度也随之越来越上升,暗示着漫长的秋夜渐次消逝,而这一夜间吴王、西施寻欢作乐的情景便统统隐入幕后。一轮秋月,在时间的默默流逝中越过长空,此刻已经逐渐黯淡,坠入江波,天色已近黎明。这里在景物描写中夹入"起看"二字,不但点醒景物所组成的环境后面有人的活动,暗示静谧皎洁的秋夜中隐藏着淫秽丑恶,而且揭示出享乐者的心理。他们总是感到享乐的时间太短,昼则望长绳系日,夜则盼月驻中天,因此当他"起看秋月坠江波"时,内心不免浮动着难以名状的怅恨和无可奈何的悲哀。这正是末代统治者所特具的颓废心理。"秋月坠江波"的悲凉寂寥意象,又与上面的日落乌栖景象相应,使渗透在全诗中的悲凉气氛在回环往复中变得越来越浓重了。

诗人讽刺的笔锋并不就此停住，他有意突破《乌栖曲》旧题偶句收结的格式，变偶为奇，给这首诗安上了一个意味深长的结尾："东方渐高奈乐何！""高"是"皜"的假借字。东方已经发白，天就要亮了，寻欢作乐难道还能再继续下去吗？这孤零零的一句，既像是恨长夜之短的吴王所发出的欢乐难继、好梦不长的叹喟，又像是诗人对沉溺不醒的吴王敲响的警钟。诗就在这冷冷的一问中陡然收煞，特别引人注目，发人深省。

这首诗在构思上有显著的特点，即以时间的推移为线索，写出吴宫淫佚生活中自日至暮，又自暮达旦的过程。诗人对这一过程中的种种场景，并不作具体描绘渲染，而是紧扣时间的推移、景物的变换，来暗示吴宫荒淫的昼夜相继，来揭示吴王的醉生梦死，并通过寒林栖鸦、落日衔山、秋月坠江等富于象征暗示色彩的景物隐寓荒淫纵欲者的悲剧结局。通篇纯用客观叙写，不下一句贬辞，而讽刺的笔锋却尖锐、冷峻，深深刺入对象的精神与灵魂。清人所编《唐宋诗醇》评此诗说："乐极生悲之意写得微婉，未几而麋鹿游于姑苏矣。全不说破，可谓寄兴深微者。……末缀一单句，有不尽之妙。"这是颇能抓住本篇特点的评论。

李白的七言古诗和歌行，一般都写得雄奇奔放，恣肆淋漓，这首《乌栖曲》却偏于收敛含蓄，深婉隐微，成为他七古中的别调。前人或以为它是借吴宫荒淫来托讽唐玄宗的沉湎声色，这是可能的。玄宗早期励精图治，后期荒淫废政，和夫差先发愤图强，振吴败越，后沉湎声色，反致覆亡有相似之处。据唐孟启《本事诗》记载，李白初至长安，贺知章见其《乌栖曲》，叹赏苦吟，说："此诗可以泣鬼神矣。"看来贺知章的"泣鬼神"之评，也不单纯是从艺术角度着眼的。

（刘学锴）

战城南

原文

去年战，桑干[①]源；
今年战，葱河[②]道。
洗兵条支[③]海上波，放马天山雪中草。
万里长征战，三军尽衰老。
匈奴以杀戮为耕作，古来惟见白骨黄沙田。
秦家筑城备胡处，汉家还有烽火燃。
烽火燃不息，征战无已时！
野战格斗死，败马号鸣向天悲。
乌鸢啄人肠，衔飞上挂枯树枝。
士卒涂草莽，将军空尔为。
乃知兵者是凶器，圣人不得已而用之。

〔注〕

① 桑干：河名，流经今山西、河北北部，地属北方。
② 葱河：即葱岭河，在今新疆西南部，地属西方。
③ 条支：西域国名，即唐时的大食，在今伊朗境内。唐朝安西都护府下设有条支都督府。

鉴赏

这首诗是抨击封建统治者穷兵黩武的。元萧士赟说:“开元、天宝中,上好边功,征伐无时,此诗盖以讽也。”(《分类补注李太白集》)所评颇中肯綮。

天宝年间,唐玄宗轻动干戈,逞威边远,而又几经失败,给人民带来深重的灾难。一宗宗严酷的事实,汇聚到诗人胸中,同他忧国悯民的情怀产生激烈的矛盾。他沉思,悲愤,内心的呼喊倾泻而出,铸成这一名篇。

整首诗大体可分为三段和一个结语。

第一段共八句,先从征伐的频繁和广远方面落笔。前四句写征伐的频繁。以两组对称的句式出现,不仅音韵铿锵,而且诗句复沓的重叠和鲜明的对举,给人以东征西讨、转旆不息的强烈印象,有力地表达了主题。“洗兵”二句写征行的广远。晋左思《魏都赋》描写曹操讨灭群雄、威震寰宇的气势时说:“洗兵海岛,刷马江洲。”此二句用其意。洗兵,洗去兵器上的污秽;放马,牧放战马,在条支海上洗兵,天山草中牧马,其征行之广远自见。由战伐频繁进至征行广远,境界扩大了,内容更深厚了,是善于铺排点染的笔墨。“万里”二句是本段的结语。“万里长征战”,是征伐频繁和广远的总括,“三军尽衰老”是长年远征的必然结果,广大士兵在无谓的战争中耗尽了青春的年华和壮盛的精力。有了前面的描写,这一声慨叹水到渠成,自然坚实,没有一点矫情的喧呶叫嚣之感。

“匈奴”以下六句是第二段,进一步从历史方面着墨。如果说第一段从横的方面写,那么,这一段便是从纵的方面写。西汉王褒《四子讲德论》说,匈奴“业在攻伐,事在射猎”,“其耒耜则弓矢鞍马,播种则扞弦掌拊,收秋则奔狐驰兔,获刈则颠倒殪仆”。以耕作为喻，生动地刻画出匈奴人的生活与习性。李白将这段妙文熔冶成“匈奴”两句诗。耕作的结果会是禾黍盈畴，杀戮的结果却只能是白骨黄沙。语浅意深，含蓄隽永。并且很自然地引出“秦家”二句。秦筑长城防御胡人的地方，汉时仍然烽火高举。二句背后含有深刻的历史教训和诗人深邃的观察与认识，成为诗中警策之句。没有正确的政策，争斗便不可能停息。“烽火燃不息，征战无已时！”这深沉的叹息是以丰富的历史事实为背景的。

“野战”以下六句为第三段，集中从战争的残酷性上揭露不义战争的罪恶。“野战”二句着重勾画战场的悲凉气氛，“乌鸢”二句着重描写战场的凄惨景象，二者相互映发，交织成一幅色彩强烈的画面。战马独存犹感不足，加以号鸣思主，更增强物在人亡的悲凄；乌啄人肠犹以不足，又加以衔挂枯枝，更见出情景的惨酷，都是带有夸张色彩的浓重笔墨。“士卒”二句以感叹结束本段。士卒作了无谓的牺牲，将军呢？也只能一无所获。

《六韬》说：“圣人号兵为凶器，不得已而用之。”全诗以此语意作结，点明主题。这一断语属于理语的范围，而非形象的描写。运用不当，易生抽象之弊。这里不同。有了前三段的具体描写，这个断语是从历史和现实的惨痛经验中提炼出来，有画龙点睛之妙，使全诗意旨豁然。有人怀疑这一句是批注语误入正文，可备一说，实际未必然。

这是一首叙事诗，却带有浓厚的抒情性，事与情交织成一片。三段的末尾各以两句感叹语作结，每一段是叙事的一个自然段落，也是感情旋律的一个自然起伏。事和情配合得如此和谐，使全诗具有鲜明的节奏感，有“一唱三叹”之妙。

《战城南》是汉乐府旧题，属《鼓吹曲辞》，为汉《饶歌》十八曲之一。汉古辞主要是写战争的残酷，相当于李白这首诗的第三段。李白不拘泥于古辞，从思想内容到艺术形式都表现出很大的创造性。内容上发展出一、二两段，使战争性质一目了然，又以全诗结语表明自己的主张。艺术上则糅合唐诗发展的成就，由质朴无华变为逸宕流美。如古辞"水深激激，蒲苇冥冥。枭骑战斗死，驽马徘徊鸣"和"野死不葬乌可食，为我谓乌，且为客豪，野死谅不葬，腐肉安能去子逃"，本诗锤炼为两组整齐的对称句，显得更加凝练精工，更富有歌行奔放的气势，显示出李白的独特风格。

（孙　静）

将进酒

原文

君不见黄河之水天上来，奔流到海不复回。

君不见高堂明镜悲白发，朝如青丝暮成雪。

人生得意须尽欢，莫使金樽空对月。

天生我材必有用，千金散尽还复来。

烹羊宰牛且为乐，会须一饮三百杯。

岑夫子，丹丘生，将进酒，杯莫停。

与君歌一曲，请君为我倾耳听。

钟鼓馔玉不足贵，但愿长醉不复醒。

古来圣贤皆寂寞，惟有饮者留其名。

陈王昔时宴平乐，斗酒十千恣欢谑。

主人何为言少钱，径须沽取对君酌。

五花马，千金裘，呼儿将出换美酒，与尔同销万古愁。

鉴赏

李白咏酒的诗篇极能表现他的个性，这类诗固然数长安放还以后所作思想内容更为深沉，艺术表现更为成熟。《将进酒》即其代表作。

《将进酒》原是汉乐府短箫铙歌的曲调，“将(qiāng)”意为“愿”“请”，题目意译即“劝酒歌”，故古词有“将进酒，乘大白”云。作者这首“填之以申己意”(萧士赟《分类补注李太白诗》)的名篇，旧说均以为作于天宝间去朝之后(约752)。据今人考证，李白曾两入长安，此诗当为开元间一入长安以后(约736)所作。他当时与友人岑勋在嵩山另一好友元丹丘的颍阳山居为客，三人尝登高饮宴。(《酬岑勋见寻就元丹丘对酒相待以诗见招》：“不以千里遥，命驾来相招。中逢元丹丘，登岭宴碧霄。对酒忽思我，长啸临清飙。”)人生快事莫若置酒会友，作者又正值“抱用世之才而不遇合”(萧士赟)之际，于是满腔不合时宜借酒兴诗情，来了一次淋漓尽致的发抒。

诗篇发端就是两组排比长句，如挟天风海雨迎面扑来。“君不见黄河之水天上来，奔流到海不复回”，颍阳去黄河不远，登高纵目，故借以起兴。黄河源远流长，落差极大，如从天而降，一泻千里，东奔大海。如此壮浪景象，定非肉眼可以穷极，作者是想落天外，“自道所得”，语带夸张。上句写大河之来，势不可挡；下句写大河之去，势不可回。一涨一消，形成舒卷往复的咏叹味，是短促的单句(如“黄河落天走东海”)所没有的。紧接着，“君不见高堂明镜悲白发，朝如青丝暮成雪”，恰似一波未平、一波又起。如果说前二句为空间范畴的夸张，这二句则是时间范畴的夸张。悲叹人生短促，而不直言自伤老大，却说“高堂明镜悲白发”，一种搔首顾影、徒呼奈何的情态宛如画出。将人生由青春至衰老的全过程说成“朝”“暮”间事，把本来短暂的说得更短暂，与前两句把本来壮浪的说得更壮浪，是“反向”的夸张。于是，开篇的这组排比长句既有比意——以河水一去不返喻人生易逝，又有反衬作用——以黄河的伟大永恒形出生命的渺小脆弱。这个开端可谓悲感已极，却不堕纤弱，可说是巨人式的感伤，具有惊心动魄的艺术力量，同时也是由长句排比开篇的气势感造成的。这种开篇的手法作者常用，他如“弃我去者，昨日之日不可留；乱我心者，今日之日多烦忧”(《宣城谢朓楼饯别校书叔云》)，清沈德潜说：“此种格调，太白从心化出。”(《唐诗别裁集》)可见其颇具创造性。此诗两作“君不见”的呼告(一般乐府诗只于篇首或篇末偶一用之)，又使诗句感情色彩大大增强。诗有所谓大开大阖者，此可谓大开。

“夫天地者，万物之逆旅也；光阴者，百代之过客也”(《春夜宴从弟桃李园序》)，悲感虽然不免，但悲观却非李白性分之所近。在他看来，只要“人生得意”便无所遗憾，当纵情欢乐。五、六两句便是一个逆转，由“悲”而翻作“欢”“乐”。从此直到“杯莫停”，诗情渐趋狂放。“人生达命岂暇愁，且饮美酒登高楼”(《梁园吟》)，行乐不可无酒，这就入题。但句中未直写杯中之物，而用“金樽”“对月”的形象语言出之，不特生动，更将饮酒诗意化了；未直写应该痛饮狂欢，而以“莫使”“空”的双重否定句式代替直陈，语气更为强调。“人生得意须尽欢”，这似乎是宣扬及时行乐的思想，然而只不过是表象而已。诗人又用乐观好强的口吻肯定人生，肯定自我：“天生我材必有用。”这是一个令人击节赞叹的句子。“有用”而“必”，一何自信！简直像是人的价值宣言，而这个人——“我”——是须大写的。于此，从貌似消极的现象中露出了深藏其内的一种怀才不遇而又渴望用世的积极的本质内容来。正是“长风破浪会有时”，为什么不为这样的未来痛饮高歌呢！破费又算得了什么——“千金散尽还复来”！这又是一个高度自信的惊人之句，能驱使金钱而不为金钱所使，真足令一切凡夫俗子们咋舌。诗如其人，想诗人“曩者游维扬，不逾一年，散金三十余万”（《上安州裴长史书》），是何等豪举。故此句深蕴在骨子里的豪情，绝非装腔作势者可得其万一。与此气派相当，作者描绘了一场盛筵，那决不是“菜要一碟乎，两碟乎？酒要一壶乎，两壶乎”，而是整头整头地“烹羊宰牛”，不喝上“三百杯”决不甘休。多痛快的筵宴，又是多么豪壮的诗句！

至此，狂放之情趋于高潮，诗的旋律加快。诗人那眼花耳热的醉态跃然纸上，恍惚使人如闻其高声劝酒：“岑夫子，丹丘生，将进酒，杯莫停！”几个短句忽然加入，不但使诗歌节奏富于变化，而且写来逼肖席上声口。既是生逢知己，又是酒逢对手，不但“忘形到尔汝”，诗人甚而忘却是在写诗，笔下之诗似乎还原为生活，他还要“与君歌一曲，请君为我倾耳听”。以下八句就是诗中之歌了。这着想奇之又奇，纯系神来之笔。

“钟鼓馔玉”意即富贵生活（富贵人家吃饭时鸣钟列鼎，食物精美如玉），可诗人以为“不足贵”，并放言“但愿长醉不复醒”。诗情至此，便分明由狂放转而为愤激。这里不仅是酒后吐狂言，而且是酒后吐真言了。以“我”天生有用之才，本当位至卿相，飞黄腾达，然而“大道如青天，我独不得出”（《行路难》）。说富贵“不足贵”，乃出于愤慨。以下“古来圣贤皆寂寞”二句亦属愤语。诗人曾喟叹“自言管葛竟谁许”，所以说古人“寂寞”，也表现出自己“寂寞”，因此才愿长醉不醒了。这里，诗人已是用古人酒杯，浇自己块垒了。说到“惟有饮者留其名”，便举出“陈王”曹植作代表。并化用其《名都篇》"归来宴平乐,美酒斗十千"之句。古来酒徒历历,何以偏举"陈王"?这与李白一向自命不凡分不开,他心目中树为榜样的是谢安之类高级人物,而这类人物中,"陈王"与酒联系较多。这样写便有气派,与前文极度自信的口吻一贯。再者,"陈王"曹植于丕、叡两朝备受猜忌,有志难展,亦激起诗人的同情。一提"古来圣贤",二提"陈王"曹植,满纸不平之气。此诗开始似只涉人生感慨,而不染政治色彩,其实全篇饱含一种深广的忧愤和对自我的信念。诗情所以悲而不伤,悲而能壮,即根源于此。

刚露一点深衷,又回到说酒了,而且看起来酒兴更高。以下诗情再入狂放,而且愈来愈狂。"主人何为言少钱",既照应"千金散尽"句,又故作跌宕,引出最后一番豪言壮语:即便千金散尽,也当不惜将出名贵宝物——"五花马"(毛色作五花纹的良马)、"千金裘"来换取美酒,图个一醉方休。这结尾之妙,不仅在于"呼儿""与尔",口气甚大;而且具有一种作者一时可能觉察不到的将宾作主的任诞情态。须知诗人不过是被友招饮的客人,此刻他却高踞一席,气使颐指,提议典裘当马,几令人不知谁是"主人"。浪漫色彩极浓。快人快语,非不拘形迹的豪迈知交断不能出此。诗情至此狂放至极,令人嗟叹咏歌,直欲"手之舞之,足之蹈之"。情犹未已,诗已告终,突然又迸出一句"与尔同销万古愁",与开篇之"悲"关合,而"万古愁"的含义更其深沉。这"白云从空,随风变灭"的结尾,显见诗人奔涌跌宕的感情激流。通观全篇,真是大起大落,非如椽巨笔不办。

《将进酒》篇幅不算长,却五音繁会,气象不凡。它笔酣墨饱,情极悲愤而作狂放,语极豪纵而又沉着。诗篇具有震动古今的气势与力量，这诚然与夸张手法不无关系，比如诗中屡用巨额数目字（“千金”“三百杯”“斗酒十千”“千金裘”“万古愁”等等）表现豪迈诗情，同时，又不给人空洞浮夸感，其根源就在于它那充实深厚的内在感情，那潜在酒话底下如波涛汹涌的郁怒情绪。此外，全篇大起大落，诗情忽翕忽张，由悲转乐，转狂放，转愤激，再转狂放，最后结穴于“万古愁”，回应篇首，如大河奔流，有气势，亦有曲折，纵横捭阖，力能扛鼎。其歌中有歌的包孕写法，又有鬼斧神工、“绝去笔墨畦径”之妙，既非镵刻能学，又非率尔可到。通篇以七言为主，而以三、五、十言句“破”之，极参差错综之致；诗句以散行为主，又以短小的对仗语点染（如“岑夫子，丹丘生”，“五花马，千金裘”），节奏疾徐尽变，奔放而不流易。清沈德潜《唐诗别裁集》谓“读李诗者于雄快之中，得其深远宕逸之神，才是谪仙人面目”，此篇足以当之。

（周啸天）

行路难三首（其一）

原文

金樽清酒斗十千，
玉盘珍羞直万钱。
停杯投箸不能食，
拔剑四顾心茫然。
欲渡黄河冰塞川，
将登太行雪满山。
闲来垂钓碧溪上，
忽复乘舟梦日边。
行路难，行路难，
多歧路，今安在？
长风破浪会有时，
直挂云帆济沧海！

鉴赏

这是李白所写的三首《行路难》的第一首。这组诗从内容看，应该是写在天宝三载(744)李白离开长安的时候。

诗的前四句写朋友出于对李白的深厚友情，出于对这样一位天才被弃置的惋惜，不惜金钱，设下盛宴为之饯行。“嗜酒见天真”的李白，要是在平时，因为这美酒佳肴，再加上朋友的一片盛情，肯定是会“一饮三百杯”的。然而，这一次他端起酒杯，却又把酒杯推开了；拿起筷子，却又把筷子搁下了。他离开座席，拔下宝剑，举目四顾，心绪茫然。“停”“投”“拔”“顾”四个连续的动作，形象地显示了内心的苦闷抑郁，感情的激荡变化。

接着两句紧承“心茫然”，正面写“行路难”。诗人用“冰塞川”“雪满山”象征人生道路上的艰难险阻，具有比兴的意味。一个怀有伟大政治抱负的人物，在受诏入京、有幸接近皇帝的时候，皇帝却不能任用，被“赐金还山”，变相撵出了长安，这不正像遇到冰塞黄河、雪拥太行吗！但是，李白并不是那种软弱的性格，从“拔剑四顾”开始，就表示着不甘消沉，而要继续追求。“闲来垂钓碧溪上，忽复乘舟梦日边。”诗人在心境茫然之中，忽然想到两位开始在政治上并不顺利，而最后终于大有作为的人物：一位是吕尚，八十岁在磻溪钓鱼，得遇文王；一位是伊尹，在受汤聘前曾梦见自己乘舟绕日月而过。想到这两位历史人物的经历，又给诗人增加了信心。

“行路难，行路难，多歧路，今安在？”吕尚、伊尹的遇合，固然增加了对未来的信心，但当他的思路回到眼前现实中来的时候，又再一次感到人生道路的艰难。离筵上瞻望前程，只觉前路崎岖，歧途甚多，要走的路，究竟在哪里呢？这是感情在尖锐复杂的矛盾中再一次回旋。但是倔强而又自信的李白，决不愿在离筵上表现自己的气馁。他那种积极用世的强烈要求，终于使他再次摆脱了歧路彷徨的苦闷，唱出了充满信心与展望的强音：“乘风破浪会有时，直挂云帆济沧海！”他相信尽管前路障碍重重，但仍将会有一天要像刘宋时宗悫所说的那样，乘长风破万里浪，挂上云帆，横渡沧海，到达理想的彼岸。

这首诗一共十四句，八十二个字，在七言歌行中只能算是短篇，但它跳荡纵横，具有长篇的气势格局。其重要的原因之一，就在于它百步九折地揭示了诗人感情的激荡起伏、复杂变化。诗的一开头，“金樽清酒”“玉盘珍羞”，让人感觉似乎是一个欢乐的宴会，但紧接着“停杯投箸”“拔剑四顾”两个细节，就显示了感情波涛的强烈冲击。中间四句，刚刚慨叹“冰塞川”“雪满山”，又恍然神游千载之上，仿佛看到了吕尚、伊尹由微贱而忽然得到君主重用。诗人心理上的失望与希望、抑郁与追求,急遽变化交替。“行路难,行路难,多歧路,今安在?”四句节奏短促、跳跃,完全是急切不安状态下的内心独白,逼肖地传达出进退失据而又要继续探索追求的复杂心理。结尾二句,经过前面的反复回旋以后,境界顿开,唱出了高昂乐观的调子,相信自己的理想抱负总有实现的一天。通过这样层层叠叠的感情起伏变化,既充分显示了黑暗污浊的政治现实对诗人的宏大理想抱负的阻遏,反映了由此而引起的诗人内心的强烈苦闷、愤郁和不平,同时又突出表现了诗人的倔强、自信和他对理想的执著追求,展示了诗人力图从苦闷中挣脱出来的强大精神力量。

这首诗在题材、表现手法上都受到鲍照《拟行路难》的影响,但却青出于蓝而胜于蓝。两人的诗,都在一定程度上反映了封建统治者对人才的压抑,而由于时代和诗人精神气质方面的原因,李诗则揭示得更加深刻强烈,同时还表现了一种积极的追求、乐观的自信和顽强地坚持理想的品格。因而,和鲍作相比,李诗的思想境界就显得更高。

(余恕诚)

行路难三首（其二）

原文

大道如青天，我独不得出。

羞逐长安社中儿，赤鸡白雉赌梨栗。

弹剑作歌奏苦声，曳裾王门不称情。

淮阴市井笑韩信，汉朝公卿忌贾生。

君不见昔时燕家重郭隗，拥篲折节无嫌猜。

剧辛乐毅感恩分，输肝剖胆效英才。

昭王白骨萦蔓草，谁人更扫黄金台？

行路难，归去来！

鉴赏

“大道如青天，我独不得出。”这个开头与《行路难》第一首不同。第一首用赋的手法，从筵席上的美酒佳肴写起，起得比较平。这一首，一开头就陡起壁立，让久久郁积在内心里的感受，一下子喷发出来。亦赋亦比，使读者感到它的思想感情内容十分深广。后来孟郊写了“出门如有碍，谁谓天地宽”（《赠崔纯亮》）的诗句，可能受了此诗的启发，但气局比李白差多了。能够和它相比的，还是李白自己的诗“蜀道之难难于上青天”（《蜀道难》）这类诗句，大概只有李白那种胸襟才能写得出。不过，《蜀道难》用徒步上青天来比喻蜀道的艰难，使人直接想到那一带山川的艰险，却并不感到文章上有过多的埋伏。而这一首，用青天来形容大道的宽阔，照说这样的大道是易于行路的，但紧接着却是“我独不得出”，就让人感到这里面有许多潜台词。这样，这个警句的开头就引起了人们对下文的注意。

“羞逐”以下六句，是两句一组。“羞逐”两句是写自己的不愿意。唐代上层社会喜欢拿斗鸡进行游戏或赌博。唐玄宗曾在宫内造鸡坊，斗鸡的小儿因而得宠。当时有“生儿不用识文字，斗鸡走狗胜读书”的民谣。如果要去学斗鸡，是可以交接一些纨袴子弟，在仕途上打开一点后门的。但李白对此嗤之以鼻。所以声明自己羞于去追随长安里社中的小儿。这两句和他在《答王十二寒夜独酌有怀》中所说的“君不能狸膏金距学斗鸡，坐令鼻息干虹霓”是一个意思。都是说他不屑与“长安社中儿”为伍。那么，去和那些达官贵人交往呢？“弹剑作歌奏苦声，曳裾王门不称情。”“曳裾王门”，即拉起衣服前襟，出入权贵之门。“弹剑作歌”，用的是冯谖的典故。冯谖在孟尝君门下作客，觉得孟尝君对自己不够礼遇，开始时经常弹剑而歌，表示要回去。李白是希望“平交王侯”的，而现在在长安，权贵们并不把他当一回事，因而使他像冯谖一样感到不能忍受。这两句是写他的不称意。“淮阴市井笑韩信，汉朝公卿忌贾生。”韩信未得志时，在淮阴曾受到一些市井无赖们的嘲笑和侮辱。贾谊年轻有才，汉文帝本打算重用，但由于受到大臣灌婴、冯敬等的忌妒、反对，后来竟遭贬逐。李白借用了韩信、贾谊的典故，写出在长安时一般社会上的人对他嘲笑、轻视，而当权者则加以忌妒和打击。这两句是写他的不得志。

“君不见”以下六句，深情歌唱当初燕国君臣互相尊重和信任，流露他对建功立业的渴望，表现了他对理想的君臣关系的追求。战国时燕昭王为了使国家富强，尊郭隗为师，于易水边筑台置黄金其上，以招揽贤士。于是乐毅、邹衍、剧辛纷纷来归，为燕所用。燕昭王对于他们不仅言听计从，而且屈己下士，折节相待。当邹衍到燕时，昭王“拥篲先驱”，亲自扫除道路迎接，恐怕灰尘飞扬，用衣袖挡住扫帚，以示恭敬。李白始终希望君臣之间能够有一种比较推心置腹的关系。他常以伊尹、姜尚、张良、诸葛亮自比，原因之一，也正因为他们和君主之间的关系，比较符合自己的理想。但这种关系在现实中却是不存在的。唐玄宗这时已经腐化而且昏庸，根本没有真正的求贤、重贤之心，下诏召李白进京，也只不过是装出一副爱才的姿态，并要他写一点歌功颂德的文字而已。“昭王白骨萦蔓草，谁人更扫黄金台？”慨叹昭王已死，没有人再洒扫黄金台，实际上是表明他对唐玄宗的失望。诗人的感慨是很深的，也是很沉痛的。

以上十二句，都是承接“大道如青天，我独不得出”，对“行路难”作具体描写的。既然朝廷上下都不是看重他，而是排斥他，那么就只有拂袖而去了。“行路难，归去来！”在当时的情况下，他只有此路可走。这两句既是沉重的叹息，也是愤怒的抗议。

这首诗表现了李白对功业的渴望，流露出在困顿中仍然想有所作为的积极用世的热情，他向往像燕昭王和乐毅等人那样的风云际会，希望有“输肝剖胆效英才”的机缘。篇末的“行路难，归去来”，只是一种愤激之词，只是比较具体地指要离开长安，而不等于要消极避世，并且也不排斥在此同时他还抱有他日东山再起“直挂云帆济沧海”的幻想。

（余恕诚）

日出入行

原文

日出东方隈，似从地底来。

历天又复入西海，六龙所舍安在哉？

其始与终古不息，人非元气[①]，安得与之久徘徊？

草不谢荣于春风，木不怨落于秋天。

谁挥鞭策驱四运[②]？万物兴歇皆自然。

羲和！羲和！汝奚汩没于荒淫之波？

鲁阳[③]何德，驻景挥戈？

逆道违天，矫诬实多。

吾将囊括大块，浩然与溟涬同科！

〔注〕

① 元气：我国古代哲学家常用的术语，认为它是最原始、最本质的因素，混沌一片，浩瀚无边，天地万物都是由它派生出来的。

② 四运：指春、夏、秋、冬四时。

③ 鲁阳：即鲁阳公。《淮南子·览冥训》说鲁阳公与韩作战，十分激烈，时近黄昏，鲁阳公援戈一挥，使太阳退了三舍(一舍三十里)。

鉴赏

汉代乐府中也有《日出入》篇，它咏叹的是太阳出入无穷，而人的生命有限，于是幻想骑上六龙成仙上天。李白的这首拟作一反其意，认为日出日落、四时变化，都是自然规律的表现，而人是不能违背和超脱自然规律的，只有委顺它、适应它，同自然融为一体，这才符合天理人情。这种思想，表现出一种朴素的唯物主义光彩。

诗凡三换韵，作者抒情言志也随着韵脚的变换而逐渐推进、深化。前六句，从太阳的东升西落说起，古代神话讲，羲和每日赶了六条龙载上太阳神在天空中从东到西行驶。然而李白却认为，太阳每天从东升起，“历天”而西落，这是其本身的规律而不是什么“神”在指挥、操纵。否则，六条龙又停留在什么地方呢?“六龙安在”，这是反问句式，实际上否认了六龙存在的可能性，当然，羲和驱日也就荒诞不可信了。太阳运行，终古不息，人非元气，又怎么能够与之同升共落?“徘徊”两字用得极妙，太阳东升西落，犹如人之徘徊，多么形象生动。在这一段中，诗人一连用了“似”“安在”“安得”这些不肯定、不确认的语词，并且连用了两个问句，这是有意提出问题，借以引起读者的深省。诗人故意不作正面的阐述而以反诘的方式提问，又使语气变得更加肯定有力。

中间四句，是说草木的繁荣和凋落，万物的兴盛和衰歇，都是自然规律的表现，它们自荣自落，荣既不用感谢谁，落也不用怨恨谁，因为根本不存在某个超自然的“神”在那里主宰着四时的变化更迭。这四句诗是全篇的点题之处、核心所在。“草不”“木不”两句，连用两个“不”字，加强了肯定的语气，显得果断而有力。“谁挥鞭策驱四运”这一问，更增强气势。这个“谁”字尤其值得思索。是谁在鞭策四时的运转呢？是羲和那样的神吗？读者的注意力很快就被吸引到作者的回答上来了:“万物兴歇皆自然”。回答是断然的,不是神而是自然。此句质朴刚劲,斩钉截铁,给人以字字千钧之感。

最后八句中,诗人首先连用了两个诘问句,对传说中驾驭太阳的羲和和挥退太阳的大力士鲁阳公予以怀疑,投以嘲笑:羲和呵羲和,你怎么会沉埋到浩渺无际的波涛之中去了呢?鲁阳公呵鲁阳公,你又有什么能耐挥戈叫太阳停下来?这是屈原“天问”式的笔法。这里,李白不仅继承了屈原浪漫主义的表现手法,而且比屈原更富于探索的精神。李白不单单是提出问题,更重要的是在回答问题。既然宇宙万物都有自己的规律,那么硬要违背这种自然规律(“逆道违天”),就必然是不真实的,不可能的,而且是自欺欺人的了(“矫诬实多”)。照李白看来,正确的态度应该是:顺应自然规律,同自然(即“元气”,亦即“溟涬”)融为一体,混而为一,在精神上包罗和占有(“囊括”)天地宇宙(“大块”)。人如果做到了这一点,就能够达到与溟涬(xìng)“齐生死”的境界了。

西方的文艺理论家在谈到积极浪漫主义的时候,常常喜欢用三个“大”来概括其特点:口气大,力气大,才气大。这种特点在李白身上得到了充分的体现。李白诗中曾反复出现过关于大鹏、天马、长江黄河和名山大岭的巨大而宏伟的形象。如果把李白的全部诗作比作交响乐的话,那么这些宏大形象就是这支交响乐中主导的旋律,就是这支交响乐中非常突出的、经常再现的主题乐章。在这些宏大的形象中,始终跳跃着一个鲜活的灵魂,这,就是诗人自己的个性。诗人写大鹏:“烜赫乎宇宙,凭陵乎昆仑,一鼓一舞,烟朦沙昏,五岳为之震荡,百川为之崩奔”(《大鹏赋》);诗人写天马:“嘶青云,振绿发”“腾昆仑,历西极”“口喷红光汗沟朱”“曾陪时龙跃天衢”(《天马歌》)。诗人所写的山是:“太白与我语,为我开天关。愿乘泠风去,直出浮云间”(《登太白峰》);诗人所写的水是:“黄河落天走东海,万里泻入胸怀间”(《赠裴十四》)。为什么李白总爱写宏伟巨大、不同凡响的自然形象,而在这些形象中又流露出这样大的口气,焕发着这样大的力气和才气呢?读了《日出入行》,我们总算找到了理解诗人的钥匙——“吾将囊括大块,浩然与溟涬同科!”这是诗人“天地与我并生”“万物与我为一”的自我形象。这个能与“溟涬同科”的“自我”,是李白精神力量的源泉,也是他浪漫主义创作方法的思想基础。

有人认为,《日出入行》“似为求仙者发”(清人所编《唐宋诗醇》),可能有一定的道理。李白受老庄影响颇深,也很崇奉道教,一度曾潜心学道,梦想羽化登仙,享受长生之乐。但从这首诗看,他对这种“逆道违天”的思想和行动,是怀疑和否定的。他实际上用自己的诗篇否定了自己的行动。这正反映出诗人的矛盾心理。

这首诗,在表现手法上,把述事、抒情和说理结合起来,既跳开了空泛的抒情,又规避了抽象的说理,而是情中见理,理中寓情,情理相互生发。诗中频频出现神话传说,洋溢着浓郁而热烈的浪漫主义色彩,而诗人则在对神话传说中人事的辩驳、揶揄和否定的抒写中,把“天道自然”的思想轻轻点出,显得十分自如、贴切,情和理契合无间。诗篇采用了杂言句式,从二字句到九字句都有,不拘一格,灵活自如。其中又或问或答,波澜起伏,表达了深刻的哲理,而且那样具有论辩性和说服力。整首诗读来轻快、活泼而又不失凝重。

(王治芳)

北风行

原文

烛龙栖寒门，光耀犹旦开。
日月照之何不及此，唯有北风号怒天上来。
燕山雪花大如席，片片吹落轩辕台。
幽州思妇十二月，停歌罢笑双蛾摧。
倚门望行人，念君长城苦寒良可哀。
别时提剑救边去，遗此虎文金鞞靫。
中有一双白羽箭，蜘蛛结网生尘埃。
箭空在，人今战死不复回。
不忍见此物，焚之已成灰。
黄河捧土尚可塞，北风雨雪恨难裁！

鉴赏

这是一首乐府诗。清王琦注："鲍照有《北风行》，伤北风雨雪，行人不归。李白拟之而作。"(《李太白全集》)李白的乐府诗，不满足因袭模仿，而能大胆创造，别出新意，被誉为"擅奇古今"(明胡应麟《诗薮》)。他的近一百五十首乐府诗，或"不与本辞为异"(明胡震亨《李诗通》)，但在艺术上高出前人；或对原作提炼、深化，熔铸出新的、寓意深刻的主题。《北风行》就属于这后一类。它从一个“伤北风雨雪，行人不归”的一般题材中，出神入化，点铁成金，开掘出控诉战争罪恶，同情人民痛苦的新主题，从而赋予比原作深刻得多的思想意义。

这诗一起先照应题目，从北方苦寒着笔。这正是古乐府通常使用的手法，这样的开头有时甚至与主题无关，只是作为起兴。但这首《北风行》还略有不同，它对北风雨雪的着力渲染，倒不只为了起兴，也有着借景抒情，烘托主题的作用。

李白是浪漫主义诗人，常常借助于神话传说。“烛龙栖寒门，光耀犹旦开”，就是引用《淮南子・墬形训》中的故事：“烛龙在雁门北，蔽于委羽之山，不见日，其神人面龙身而无足。”高诱注：“龙衔烛以照太阴，盖长千里，视为昼，瞑为夜，吹为冬，呼为夏。”这两句诗的意思是：烛龙栖息在极北的地方，那里终年不见阳光，只以烛龙的视瞑呼吸区分昼夜和四季，代替太阳的不过是烛龙衔烛发出的微光。怪诞离奇的神话虽不足凭信，但它所展现的幽冷严寒的境界却借助于读者的联想成为真实可感的艺术形象。在此基础上，作者又进一步描写足以显示北方冬季特征的景象：“日月照之何不及此，唯有北风号怒天上来。燕山雪花大如席，片片吹落轩辕台。”这几句意境十分壮阔，气象极其雄浑。日月不临既承接了开头两句，又同“唯有北风”互相衬托，强调了气候的寒冷。“号怒”写风声，“天上来”写风势，此句极尽北风凛冽之形容。对雪的描写更是大气包举，想象飞腾，精彩绝妙，不愧是千古传诵的名句。诗歌的艺术形象是诗人主观感情和客观事物的统一，李白有着丰富的想象，热烈的情感，自由豪放的个性，所以寻常的事物到了他的笔下往往会出人意表，超越常情。这正是他诗歌浪漫主义的一个特征。这两句诗还好在它不单写景，而且寓情于景。李白另有两句诗："瑶台雪花数千点，片片吹落春风香。"(《酬殷明佐见赠五云裘歌》)二者同样写雪，同样使用了夸张，连句式也相同，在读者心中引起的感受却全然不同。一个唤起了浓郁的春意，一个渲染了严冬的淫威。不同的艺术效果皆因作者的情思不同。这两句诗点出"燕山"和"轩辕台"，就由开头泛指广大北方具体到幽燕地区，引出下面的"幽州思妇"。

作者用"停歌""罢笑""双蛾摧""倚门望行人"等一连串的动作来刻画人物的内心世界，塑造了一个忧心忡忡、愁肠百结的思妇的形象。这位思妇正是由眼前过往的行人，想到远行未归的丈夫；由此时此地的苦寒景象，引起对远在长城的丈夫的担心。这里没有对长城作具体描写，但"念君长城苦寒良可哀"一句可以使人想到，定是长城比幽州更苦寒，才使得思妇格外忧虑不安。而幽州苦寒已被作者写到极致，则长城的寒冷、征人的困境便不言自明。前面的写景为这里的叙事抒情作了伏笔，作者的剪裁功夫也于此可见。

"别时提剑救边去，遗此虎文金鞞靫"，"鞞靫"是装箭的袋子。这两句是写思妇忧念丈夫，但路途迢远，无由得见，只得用丈夫留下的饰有虎纹的箭袋寄托情思，排遣愁怀。这里仅用"提剑"一词，就刻画了丈夫为国慷慨从戎的英武形象，使人对他后来不幸战死更生同情。因丈夫离家日久，白羽箭上已蛛网尘结。睹物思人，已是黯然神伤，更那堪"箭空在，人今战死不复回"，物在人亡，倍觉伤情。"不忍见此物，焚之已成灰"一笔，入木三分地刻画了思妇将种种离愁别恨、忧思悬想统统化为极端痛苦的绝望心情。诗到此似乎可以结束了，但诗人并不止笔，他用惊心动魄的诗句倾泻出满腔的悲愤："黄河捧土尚可塞，北风雨雪恨难裁！""黄河捧土"是用典，见于《后汉书·朱浮传》："此犹河滨之人，捧土以塞孟津，多见其不知量也。"是说黄河边孟津渡口不可塞。那么，"奔流到海不复回"的滔滔黄河当更不可塞。这里却说即使黄河捧土可塞，思妇之恨也难裁，这就极其鲜明地反衬出思妇愁恨的深广和她悲愤得不能自已的强烈感情。北风号怒，飞雪漫天，满目凄凉的景象更加浓重地烘托出悲剧的气氛，它不仅又一次照应了题目，使首尾呼应，结构更趋完整；更重要的是使景与情极为和谐地交融在一起，使人几乎分辨不清哪是写景，哪是抒情。思妇的愁怨多么像那无尽无休的北风雨雪，真是"此恨绵绵无绝期"！结尾这两句诗恰似火山喷射着岩浆，又像江河冲破堤防，产生了强烈的震撼人心的力量。

这首诗成功地运用了夸张的手法。鲁迅在《漫谈"漫画"》一文中说："'燕山雪花大如席'，是夸张，但燕山究竟有雪花，就含着一点诚实在里面，使我们立刻知道燕山原来有这么冷。如果说'广州雪花大如席'，那就变成笑话了。"只有在真实基础上的夸张才有生命力。清叶燮的《原诗》又说，夸张是"决不能有其事，实为情至之语"。诗中"燕山雪花大如席"和"黄河捧土尚可塞"，说的都是生活中决不可能发生的事，但读者从中感到的是作者强烈真实的感情，其事虽"决不能有"，却变得真实而可以理解，并且收到比写实强烈得多的艺术效果。此诗信笔挥洒，时有妙语惊人；自然流畅，不露斧凿痕迹。无怪乎明人胡应麟说李白的乐府诗是"出鬼入神，惝恍莫测"（《诗薮》）。

（张明非）

关山月

原文

明月出天山，苍茫云海间。
长风几万里，吹度玉门关。
汉下白登道，胡窥青海湾。
由来征战地，不见有人还。
戍客望边色，思归多苦颜。
高楼当此夜，叹息未应闲。

鉴赏

“关山月”是乐府旧题。《乐府古题要解》：“‘关山月’，伤离别也。”李白的这首诗，在内容上继承了古乐府，但又有极大的提高。

开头四句，可以说是一幅包含着关、山、月三种因素在内的辽阔的边塞图景。我们在一般文学作品里，常常看到“月出东海”或“月出东山”一类描写，而天山在我国西部，似乎应该是月落的地方，何以说“明月出天山”呢？原来这是就征人角度说的。征人戍守在天山之西，回首东望，所看到的是明月从天山升起的景象。天山虽然不靠海，但横亘在山上的云海则是有的。诗人把似乎是在人们印象中只有大海上空才更常见的云月苍茫的景象，与雄浑磅礴的天山组合到一起，显得新鲜而壮观。这样的境界，在一般才力薄弱的诗人面前，也许难乎为继，但李白有的是笔力。接下去“长风几万里，吹度玉门关”，范围比前两句更为广阔。宋代的杨齐贤，好像惟恐“几万里”出问题，说是：“天山至玉门关不为太远，而曰几万里者，以月如出于天山耳，非以天山为度也。”（瞿蜕园、朱金城《李白集校注》引）用想象中的明月与玉门关的距离来解释“几万里”，看起来似乎稳妥了，但李白是讲“长风”之长，并未说到明月与地球的距离。其实，这两句仍然是从征戍者角度而言的，士卒们身在西北边疆，月光下伫立遥望故园时，但觉长风浩浩，似掠过几万里中原国土，横度玉门关而来。如果联系李白《子夜吴歌》中“秋风吹不尽，总是玉关情”来进行理解，诗的意蕴就更清楚了。这样，连同上面的描写，便以长风、明月、天山、玉门关为特征，构成一幅万里边塞图。这里表面上似乎只是写了自然景象，但只要设身处地体会这是征人东望所见，那种怀念乡土的情绪就很容易感觉到了。

“汉下白登道，胡窥青海湾。由来征战地，不见有人还。”这是在前四句广阔的边塞自然图景上，叠印出征战的景象。下，指出兵。汉高祖刘邦领兵征匈奴，曾被匈奴在白登山（今山西大同市东北）围困了七天。而青海湾一带，则是唐军与吐蕃连年征战之地。这种历代无休止的战争，使得从来出征的战士，几乎见不到有人生还故乡。这四句在结构上起着承上启下的作用，描写的对象由边塞过渡到战争，由战争过渡到征戍者。

“戍客望边色，思归多苦颜。高楼当此夜，叹息未应闲。”战士们望着边地的景象，思念家乡，脸上多现出愁苦的颜色，他们推想自家高楼上的妻子，在此苍茫月夜，叹息之声当是不会停止的。“望边色”三个字在李白笔下似乎只是漫不经心地写出，但却把以上那幅万里边塞图和征战的景象，跟“戍客”紧紧联系起来了。所见的景象如此，所思亦自是广阔而渺远。战士们想象中的高楼思妇的情思和他们的叹息，在那样一个广阔背景的衬托下，也就显得格外深沉了。

诗人放眼于古来边塞上的漫无休止的民族冲突，揭示了战争所造成的巨大牺牲和给无数征人及其家属所带来的痛苦，但对战争并没有作单纯的谴责或歌颂，诗人像是沉思着一代代人为它所支付的沉重的代价！在这样的矛盾面前，诗人，征人，乃至读者，很容易激起一种渴望。这种渴望，诗中没有直接说出，但类似“乃知兵者是凶器，圣人不得已而用之”(《战城南》)的想法，是读者在读这篇作品时很容易产生的。

离人思妇之情，在一般诗人笔下，往往写得纤弱和过于愁苦，与之相应，境界也往往狭窄。但李白却用“明月出天山，苍茫云海间。长风几万里，吹度玉门关”的万里边塞图景来引发这种感情。这只有胸襟如李白这样浩渺的人，才会如此下笔。明代胡应麟评论说：“浑雄之中，多少闲雅。”(《诗薮》)如果把“闲雅”理解为不局促于一时一事，是带着一种更为广远、沉静的思索，那么，他的评语是很恰当的。用广阔的空间和时间做背景，并在这样的思索中，把眼前的思乡离别之情融合进去，从而展开更深远的意境，这是其他一些诗人所难以企及的。

（余恕诚）

杨叛儿

原文

君歌《杨叛儿》，妾劝新丰酒。
何许最关人？乌啼白门柳。
乌啼隐杨花，君醉留妾家。
博山炉中沉香火，
双烟一气凌紫霞。

鉴赏

《杨叛儿》本北齐时童谣，后来成为乐府诗题。李白此诗与《杨叛儿》童谣的本事无关，而与乐府《杨叛儿》关系十分密切。开头一句中的《杨叛儿》，即指以这篇乐府为代表的情歌。“君歌《杨叛儿》，妾劝新丰酒。”一对青年男女，一方唱歌，一方劝酒，显出男女双方感情非常融洽。

“何许最关人？乌啼白门柳。”白门，本刘宋都城建康（今南京）城门。因为南朝民间情歌常常提到白门，所以成了男女欢会之地的代称。“最关人”，犹言最牵动人心。是何事物最牵动人心呢？——“乌啼白门柳”。五个字不仅点出了环境、地点，还暗示了时间。乌啼，应是接近日暮的时候。其时、其地、其景，不用说是最关情的了。

“乌啼隐杨花，君醉留妾家。”乌鸦归巢之后渐渐停止啼鸣，在柳叶杨花之间甜蜜地憩息了。这里既是写景，又充满着比兴意味，情趣盎然。这里的“醉”，当然不排斥酒醉，同时还包括男女之间柔情蜜意的陶醉。

“博山炉中沉香火，双烟一气凌紫霞。”沉香，即名贵的沉水香。博山炉是一种炉盖作重叠山形的薰炉。这两句承“君醉留妾家”把诗推向高潮，进一步写男女欢会。对方的醉留，正像沉香投入炉中，爱情的火焰立刻燃烧起来，情意融洽，精神升华，则像香火化成烟，双双一气，凌入云霞。

这首诗，形象丰满，生活气息浓厚，显得非常新鲜、活泼，但它却不同于一般直接歌唱现实生活的作品，而是李白根据古乐府《杨叛儿》进行的艺术再创造。古词只四句：“暂出白门前，杨柳可藏乌。君作沉水香，侬作博山炉。”古词和李白的新作，神貌颇为相近，但艺术感染力有很大差距。李诗一开头，“君歌《杨叛儿》，妾劝新丰酒”就是原乐府中所无。而缺少这两句，全诗就看不到场面，失去了一开头就笼罩全篇的男女慕悦的气氛。第三句“何许最关人”，这是较原诗多出的一句设问，使诗意显出了变化，表现了双方在“乌啼白门柳”那种特定的环境下浓烈的感情。第五句“乌啼隐杨花”，从原诗中“藏乌”一语引出，但意境更美。接着，“君醉留妾家”则写出醉留，意义更显豁，有助于表现爱情的炽烈和如鱼得水的情趣。特别是最后既用“博山炉中沉香火”七字隐括原诗的后半：“君作沉水香，侬作博山炉。”又生发出了“双烟一气凌紫霞”的绝妙形容。这一句由前面的比兴，发展到带有较多的象征意味，使全诗的精神和意趣得到完美的体现。

李白《杨叛儿》中一男一女由唱歌劝酒到醉留。这在封建礼教面前是带有解放色彩的。较之古《杨叛儿》，情感更炽烈，生活的调子更加欢快和浪漫。这与唐代经济繁荣，社会风气比较解放，显然有关。

（余恕诚）

长干行

原文

妾发初复额，折花门前剧[①]。
郎骑竹马来，绕床弄青梅。
同居长干里，两小无嫌猜。
十四为君妇，羞颜未尝开。
低头向暗壁，千唤不一回。
十五始展眉，愿同尘与灰。
常存抱柱信，岂上望夫台。
十六君远行，瞿塘滟滪堆。
五月不可触，猿声天上哀。
门前迟行迹[②]，一一生绿苔。
苔深不能扫，落叶秋风早。
八月蝴蝶黄，双飞西园草。
感此伤妾心，坐愁红颜老。
早晚下三巴，预将书报家。
相迎不道远，直至长风沙[③]。

〔注〕

① 剧：游戏。
② 迟：等待。“迟行迹”，一作“旧行迹”，指与丈夫共同生活时往来留下的足迹。
③ 长风沙：地名，在今安徽安庆市东长江边上。

鉴赏

这是一首以商妇的爱情和离别为题材的诗。它以女子自述的口吻，抒写对远出经商的丈夫的怀念。诗用年龄序数法和四季相思的格调，巧妙地把一些生活片断（或女主人公拟想中的生活情景）联缀成完整的艺术整体。

诗一开始四句，女子回忆童年时与丈夫一起长大，彼此“青梅竹马”“两小无猜”的情景。“十四为君妇”四句，以极细腻的笔触写初婚时的情景。尽管对方是童年的伙伴，但出嫁时仍然羞涩不堪。“十五始展眉”四句，抒写夫妇间婚后发展起来的炽烈爱恋。《庄子·盗跖》云：“尾生与女子期（约会）于梁（桥）下，女子不来，水至不去，抱梁柱而死。”小夫妻但愿同生共死，常日怀着尾生抱柱的信念，哪里曾想到有上望夫台的今日呢？“十六君远行”四句，遥思丈夫远行经商，而所去的方向又是长江三峡那条险途，想到那哀猿长啸的环境，想到高浪急流下的暗礁滟滪堆，不由得为之担惊受怕。“门前迟行迹”以下八句，触景生情，刻骨的相思在煎熬着少妇的心。门前伫立等待时留下的足迹已长满了青苔，盖上了落叶，再加上西园双飞的蝴蝶，格外叫人伤感，因为忧愁的煎熬，自己的容貌也不觉憔悴了。最后四句，寄语远方亲人：您不论什么时候回来，预先都要给家里捎封信，我好去迎您，即使到七百里外的长风沙去迎候，也不会嫌远。

这首诗写南方女子温柔细腻的感情，缠绵婉转，步步深入。配合着舒徐和谐的音节，形象化的语言，在生活图景刻画，环境气氛渲染，人物性格描写上，显示了完整性、创造性。清人所编《唐宋诗醇》说："儿女子情事，直从胸臆中流出。萦回曲折，一往情深。"评价是很高的。这首诗通过一连串具有典型意义的生活片断和心理活动的描写，几乎展示了女主人公的一部性格发展史。并且，随着人物的成长，写出了一对商人家庭的儿女带有解放色彩的婚姻和爱情。诗中的长干，是一个特殊的生活环境，其地在今南京市，本古金陵里巷，居民多从事商业。古代，在商人、市民中间，封建礼教的控制是比较弱的。这位长干女子，似乎从小就远离了封建礼教的监护，而处于一个比较开放的生活环境，那种青梅竹马式的童年生活，对于心灵的健康发展是有利的。她新婚时的"羞颜未尝开"，"低头向暗壁，千唤不一回"，没有某些女子因受封建婚姻迫害的愁苦，而是通过羞涩情态表现了她对于爱情的矜持和性格中淳厚的素质。她婚后"愿同尘与灰"，"常存抱柱信"，以及与丈夫离别后的深刻思念，都鲜明生动地表现了真诚平等的相爱和对爱情幸福的热烈追求和向往。这种爱情多少带有一点脱离封建礼教的解放色彩。

八世纪上半叶，大唐帝国经济繁荣，工商业和城市有进一步的发展。出生在商人家庭的李白，和市民一直有着密切的联系，是唐代诗人中最敢于大胆蔑视封建秩序的人物。可以说他和长干儿女，最早呼吸到一点由市民圈子中产生出来的新鲜空气。李白的《长干行》比白居易《琵琶行》要早半个多世纪。而到《琵琶行》问世前后，在诗歌和传奇中写商妇或妓女等类人物，则几乎成为一种风尚。与此同时，市民文学也随着萌生和发展。因此，李白此篇可以说最早在封建正统文学中透露了一些市民气息，是《琵琶行》等一类作品的前驱。

（余恕诚）

古朗月行

原文

小时不识月，呼作白玉盘。
又疑瑶台镜，飞在青云端。
仙人垂两足，桂树何团团。
白兔捣药成，问言与谁餐？
蟾蜍蚀圆影，大明夜已残。
羿昔落九乌，天人清且安。
阴精此沦惑，去去不足观。
忧来其如何？凄怆摧心肝。

鉴赏

这是一首乐府诗。“朗月行”是乐府古题，属《杂曲歌辞》。南朝宋鲍照有《朗月行》，写佳人对月弦歌。李白采用这个题目，故称《古朗月行》，但没有因袭旧的内容。

诗人运用浪漫主义的创作方法，通过丰富的想象，神话传说的巧妙加工，以及强烈的抒情，构成瑰丽神奇而含意深蕴的艺术形象。诗中先写儿童时期对月亮稚气的认识：“小时不识月，呼作白玉盘。又疑瑶台镜，飞在青云端。”以“白玉盘”“瑶台镜”作比，生动地表现出月亮的形状和月光的皎洁可爱，使人感到非常新颖有趣。“呼”“疑”这两个动词，传达出儿童的天真烂漫之态。这四句诗，看似信手写来，却是情采俱佳。然后，又写月亮的升起："仙人垂两足，桂树何团团。白兔捣药成，问言与谁餐？"古代神话说，月中有仙人、桂树、白兔。当月亮初生的时候，先看见仙人的两只脚，而后逐渐看见仙人和桂树的全形，看见一轮圆月，看见月中白兔在捣药。诗人运用这一神话传说，写出了月亮初生时逐渐明朗和宛若仙境般的景致。然而好景不长，月亮渐渐地由圆而蚀："蟾蜍蚀圆影，大明夜已残。"蟾蜍，俗称癞蛤蟆；"大明"，指月亮。传说月蚀就是蟾蜍食月所造成，月亮被蟾蜍所啮食而残损，变得晦暗不明。"羿昔落九乌，天人清且安"，表现出诗人的感慨和希望。古代善射的后羿，射落了九个太阳，只留下一个，使天、人都免除了灾难。诗人为什么在这里引出这样的英雄来呢？也许是为现实中缺少这样的英雄而感慨，也许是希望有这样的英雄来扫除天下灾难吧！然而，现实毕竟是现实，诗人深感失望："阴精此沦惑，去去不足观。"月亮既然已经沦没而迷惑不清，还有什么可看的呢！不如趁早走开吧。这显然是无可奈何的办法，心中的忧愤不仅没有解除，反而加深了："忧来其如何？凄怆摧心肝。"诗人不忍一走了之，内心矛盾重重，忧心如焚。

这首诗，大概是李白针对当时朝政黑暗而发的。唐玄宗晚年沉湎声色，宠幸杨贵妃，权奸、宦官、边将擅权，把国家搞得乌烟瘴气。诗中"蟾蜍蚀圆影，大明夜已残"似是刺这一昏暗局面。清沈德潜说，这是"暗指贵妃能惑主听"（《唐诗别裁集》）。然而诗人的主旨却不明说，而是通篇作隐语，化现实为幻景，以蟾蜍蚀月影射现实，说得十分深婉曲折。诗中一个又一个新颖奇妙的想象，展现出诗人起伏不平的感情，文辞如行云流水，富有魅力，发人深思，体现出李白诗歌的雄奇奔放、清新俊逸的风格。

（郑国铨）

妾薄命

原文

汉帝重阿娇，贮之黄金屋。
咳唾落九天，随风生珠玉。
宠极爱还歇，妒深情却疏。
长门一步地，不肯暂回车。
雨落不上天，水覆难再收。
君情与妾意，各自东西流。
昔日芙蓉花，今成断根草。
以色事他人，能得几时好？

鉴赏

《妾薄命》为乐府古题之一。李白的这首诗“依题立义”，通过对陈皇后阿娇由得宠到失宠的描写，揭示了封建社会中妇女以色事人，色衰而爱弛的悲剧命运。

全诗十六句，每四句基本为一个层次。诗的前四句，先写阿娇的受宠，而从“金屋藏娇”写起，欲抑先扬，以反衬失宠后的冷落。据《汉武故事》记载：汉武帝刘彻数岁时，他的姑母长公主问他：“儿欲得妇否？”指左右长御百余人，皆曰：“不用。”最后指其女阿娇问：“阿娇好否？”刘彻笑曰：“好！若得阿娇作妇，当作金屋贮之。”刘彻即位后，阿娇做了皇后，也曾宠极一时。诗中用“咳唾落九天，随风生珠玉”两句夸张的诗句，形象地描绘出阿娇受宠时的气焰之盛，真是炙手可热，不可一世。但是，好景不长。从"宠极爱还歇"以下四句，笔锋一转，描写阿娇的失宠，俯仰之间，笔底翻出波澜。娇妒的陈皇后，为了"夺宠"，曾做了种种努力，她重金聘请司马相如写《长门赋》，"但愿君恩顾妾深，岂惜黄金买词赋"（李白《白头吟》）；又曾用女巫楚服的法术，"令上意回"。前者没有收到多大的效果，后者反因此得罪，后来成了"废皇后"，幽居于长门宫内，虽与皇帝相隔一步之远，但咫尺天涯，宫车不肯暂回。"雨落不上天"以下四句，用形象的比喻，极言"令上意回"之不可能，与《白头吟》所谓"东流不作西归水""覆水再收岂满杯"词旨相同。这是什么原因呢？最后四句，诗人用比兴的手法，形象地揭示出这样一条规律："昔日芙蓉花，今成断根草。以色事他人，能得几时好?"这发人深省的诗句，是一篇之警策。它对以色取人者进行了讽刺，同时对"以色事人"而暂时得宠者，也是一个警告。诗人用比喻来说理，用比兴来议论，充分发挥形象思维的特点和比兴的作用，不去说理，胜似说理，不去议论，而又高于议论，颇得理趣。

这首诗语言质朴自然，气韵天成，比喻贴切，对比鲜明。得宠与失宠相比，"芙蓉花"与"断根草"相比，比中见义。全诗半是比拟，从比中得出结论："以色事他人，能得几时好?"显得自然而又奇警——自然得如水到渠成，瓜熟蒂落；奇警处，读之让人惊心动魄。

（刘文忠）

塞下曲六首（其一）

原文

五月天山雪，无花只有寒。
笛中闻折柳，春色未曾看。
晓战随金鼓，宵眠抱玉鞍。
愿将腰下剑，直为斩楼兰。

鉴赏

《塞下曲》出于汉乐府《出塞》《入塞》等曲（属《横吹曲》），为唐代新乐府题，歌辞多写边塞军旅生活。李白所作共六首，此其第一首。作者天才豪纵，作为律诗亦逸气凌云，独辟一境。像这首诗，几乎完全突破律诗通常以联为单位作起承转合的常式。大致讲来，前四句起，五、六句为承，末二句作转合，直是别开生面。

起从“天山雪”开始，点明“塞下”，极写边地苦寒。“五月”在内地属盛暑，而天山尚有“雪”。但这里的雪不是飞雪，而是积雪。虽然没有满空飘舞的雪花（“无花”），却只觉寒气逼人。仲夏五月“无花”尚且如此，其余三时（尤其冬季）寒如之何就可以想见了。所以，这两句是举轻而见重,举隅而反三,语淡意浑。同时,“无花”二字双关不见花开之意,这层意思紧启三句“笛中闻折柳”。“折柳”即《折杨柳》曲的省称。这句表面看是写边地闻笛,实话外有音,意谓眼前无柳可折,“折柳”之事只能于“笛中闻”。花明柳暗乃春色的表征,“无花”兼无柳,也就是“春色未曾看”了。这四句意脉贯通,“一气直下,不就羁缚”(清沈德潜《说诗晬语》),措语天然,结意深婉,不拘格律,如古诗之开篇,前人未具此格。

五、六句紧承前意,极写军旅生活的紧张。古代行军鸣金(钅享、镯之类)击鼓,以整齐步伐,节止进退。写出“金鼓”,则烘托出紧张气氛,军纪严肃可知。只言“晓战”,则整日之行军、战斗俱在不言之中。晚上只能抱着马鞍打盹儿,更见军中生活之紧张。本来,宵眠枕玉鞍也许更合军中习惯,不言“枕”而言“抱”,一字之易,紧张状态尤为突出,似乎一当报警,“抱鞍”者便能翻身上马,奋勇出击。起四句写“五月”以概四时;此二句则只就一“晓”一“宵”写来,并不铺叙全日生活,概括性亦强。全篇只此二句作对仗,严整的形式适与严肃之内容配合,增强了表达效果。

以上六句全写边塞生活之艰苦,若有怨思,末二句却急作转语,音情突变。这里用了西汉傅介子的故事。由于楼兰(西域国名)王贪财,屡遮杀前往西域的汉使,傅介子受霍光派遣出使西域,计斩楼兰王,为国立功。此诗末二句借此表达了边塞将士的爱国激情:“愿将腰下剑,直为斩楼兰。”“愿”字与“直为”,语气砍截,慨当以慷,足以振起全篇。这是一诗点睛结穴之处。

这结尾的雄快有力,与前六句的反面烘托之功是分不开的。没有那样一个艰苦的背景,则不足以显如此卓绝之精神。“总为末二语作前六句”(王夫之),此诗所以极苍凉而极雄壮,意境浑成,如开口便作豪语，转觉无力。这写法与“黄沙百战穿金甲，不破楼兰终不还”二语有异曲同工之妙。此诗不但篇法独造，对仗亦不拘常格，“于律体中以飞动票姚之势，运旷远奇逸之思”（姚鼐），自是五律别调佳作。

（周啸天）

玉阶怨

原文

玉阶生白露，夜久侵罗袜。
却下水晶帘，玲珑望秋月。

鉴赏

《玉阶怨》，见宋郭茂倩《乐府诗集》，属《相和歌·楚调曲》，与《婕妤怨》《长信怨》等曲，从古代所存歌辞看，都是专写“宫怨”的乐曲。

李白的《玉阶怨》，虽曲名标有“怨”字，诗作中却只是背面敷粉，全不见“怨”字。无言独立阶砌，以至冰凉的露水浸湿罗袜；以见夜色之浓，伫待之久，怨情之深。“罗袜”，见人之仪态、身份，有人有神。夜凉露重，罗袜知寒，不说人而已见人之幽怨如诉。二字似写实，实用三国魏曹子建“凌波微步，罗袜生尘”（《洛神赋》）意境。

怨深，夜深，不禁幽独之苦，乃由帘外而帘内，及至下帘之后，反又不忍使明月孤寂。似月怜人，似人怜月；若人不伴月，则又有何物可以伴人？月无言，人也无言。但读者却深知人有无限言语，月也解此无限言语，而写来却只是一味望月。此不怨之怨所以深于怨也。

“却下”二字，以虚字传神，最为诗家秘传。此一转折，似断实连；似欲一笔荡开，推却愁怨，实则经此一转，字少情多，直入幽微。却下，看似无意下帘，而其中却有无限幽怨。本以夜深、怨深，无可奈何而入室。入室之后，却又怕隔窗明月照此室内幽独，因而下帘。帘既下矣，却更难消受此凄苦无眠之夜，于更无可奈何之中，却更去隔帘望月。此时忧思徘徊，直如宋李清照“寻寻觅觅，冷冷清清，凄凄惨惨戚戚”（《声声慢》）之纷至沓来，如此情思，乃以“却下”二字出之。“却”字直贯下句，意谓：“却下水晶帘”，“却去望秋月”。在这两个动作之间，有许多愁思转折返复，所谓字少情多，以虚字传神。中国古代诗艺中有“空谷传音”之法，似当如此。“玲珑”形容水晶帘之透明，二字看似不经意之笔，实则极见工力，以隔帘望月，衬托出了人之幽怨。

诗中不见人物姿容与心理状态，而作者似也无动于衷，只以人物行动见意，引读者步入诗情之最幽微处，故能不落言筌，为读者保留想象余地，使诗情无限辽远，无限幽深。以此见诗家“不著一字，尽得风流”真意。以叙人事之笔抒情，恒见，易；以抒情之笔状人，罕有，难。

俄国作家契诃夫有“矜持”说，也常闻有所谓“距离”说，两者颇近似，似应合为一说。即谓作者应与所写对象，保持一定距离，并保持一定“矜持”与冷静。如此，则作品无声嘶力竭之弊，而有幽邃深远之美，写难状之情与难言之隐，使读者觉得漫天诗思飘然而至，却又无从于字句间捉摸之。这首《玉阶怨》含思婉转，余韵如缕，正是这样的佳作。

（孙艺秋）

宫中行乐词八首（其一）

原文

小小生金屋，盈盈在紫微。
山花插宝髻，石竹[①]绣罗衣。
每出深宫里，常随步辇归。
只愁歌舞散，化作彩云飞。

〔注〕

① 石竹：指石竹花，细叶剪绒，娇艳嫂娟。自六朝至宋代，多取其样绣为衣服图案。见于歌咏者，如陆龟蒙《石竹花咏》："曾看南朝画国娃，古罗衣上碎明霞。"宋王安石《石竹花》："已向美人衣上绣"及"绣在罗衣色未真"。

鉴赏

李白《宫中行乐词》，今存八首，据唐孟启《本事诗》记载，是李白奉召为唐玄宗所作的遵命文字之一。

这一首五律，写一位年轻甚至幼年宫女。首联写丰姿仪态。"小小""盈盈"，有爱怜意。金屋，用汉武及阿娇事，这里指深宫。紫微，天子所居。次联写幼女服饰。满衣绣着石竹，满头插着山花，一片天真，似不知其身在深宫。

第三联写幼女随步辇出入宫禁的情景。隋代诗人虞世南奉炀帝命嘲司花女袁宝儿的诗："学画鸦黄半未成，垂肩亸袖太憨生。缘憨却得君王惜，常把花枝傍辇行。"袁宝儿为长安所贡御车女，方十五岁，骙憨多态。时洛阳献迎辇花，炀帝命袁宝儿持之，号曰司花女。因命虞世南嘲袁宝儿娇憨之状，故诗中所写重在娇憨二字。李诗这里用步辇故事，也是暗写此幼年宫女之娇憨。步辇，不驾马，用宫人挽车。这一联，实际上用虞世南诗意。

前六句是描写人物，字字有姿态仪容，字字见曼丽风神；点染人物娇憨天真，颇见作者怜惜之心。最后两句用点睛法，侧写宫女之风韵神采。以彩云之轻飞，像人物之去，觉凌波微步，不如此之轻盈。全诗只写此宫女之娇憨，只写其天真无邪，对其轻歌曼舞却不着一字。只在最后以"愁"表示作者眷念之感，以"彩云"之绚丽飘逸传人物之神。李白诗中数用"彩云"字样，只此诗为最感人，对后世影响也大。北宋晏几道《临江仙》"当时明月在，曾照彩云归"，即化用此诗结句。

这首诗清丽飘洒，神韵飞逸。把这种宫廷行乐诗，写得丽而不腻，工而疏宕，前人所谓"丽语难于超妙"，正是作者超群出众之处。

（孙艺秋）

清平调词三首

原文

云想衣裳花想容，
春风拂槛露华浓。
若非群玉山头见，
会向瑶台月下逢。

一枝红艳露凝香，
云雨巫山枉断肠。
借问汉宫谁得似？
可怜飞燕倚新妆。

名花倾国两相欢，
长得君王带笑看。
解释春风无限恨，
沉香亭北倚阑干。

鉴赏

这三首诗是李白在长安供奉翰林时所作。一日，玄宗和杨妃在宫中观牡丹花，因命李白写新乐章，李白奉诏而作。在三首诗中，把木芍药（牡丹）和杨妃交互在一起写，花即是人，人即是花，把人面花光浑融一片，同蒙唐玄宗的恩泽。从篇章结构上说，第一首从空间来写，把读者引入蟾宫阆苑；第二首从时间来写，把读者引入楚襄王的阳台，汉成帝的宫廷；第三首归到目前的现实，点明唐宫中的沉香亭北。诗笔不仅挥洒自如，而且相互钩带。第一首中的“春风”，和第三首中的“春风”，前后遥相呼应。

第一首，一起七字：“云想衣裳花想容”。把杨妃的衣服，写成真如霓裳羽衣一般，簇拥着她那丰满的玉容。“想”字有正反两面的理解，可以说是见云而想到衣裳，见花而想到容貌，也可以说把衣裳想象为云，把容貌想象为花。这样交互参差，七字之中就给人以花团锦簇之感。接下去“春风拂槛露华浓”，进一步以“露华浓”来点染花容，美丽的牡丹花在晶莹的露水中显得更加艳冶，这就使上句更为酣满，同时也以风露暗喻君王的恩泽，使花容人面倍见精神。下面，诗人的想象忽又升腾到天堂西王母所居的群玉山、瑶台。“若非”“会向”，诗人故作选择，意实肯定：这样超绝人寰的花容，恐怕只有在上天仙境才能见到！玉山、瑶台、月色，一色素淡的字眼，映衬花容人面，使人自然联想到白玉般的人儿，又像一朵温馨的白牡丹花。与此同时，诗人又不露痕迹，把杨妃比作天女下凡，真是精妙至极。

第二首，起句“一枝红艳露凝香”，不但写色，而且写香；不但写天然的美，而且写含露的美，比上首的“露华浓”更进一层。“云雨巫山枉断肠”用楚襄王的故事，把上句的花，加以人化，指出楚王为神女而断肠，其实梦中的神女，哪里及得到当前的花容人面！再算下来，汉成帝的皇后赵飞燕，可算得绝代美人了，可是赵飞燕还得倚仗新妆，哪里及得眼前花容月貌般的杨妃，不须脂粉，便是天然绝色。这一首以压低神女和飞燕，来抬高杨妃，借古喻今，亦是尊题之法。相传赵飞燕体态轻盈，能站在宫人手托的水晶盘中歌舞，而杨妃则比较丰肥，固有“环肥燕瘦”之语（杨贵妃名玉环）。后人据此就编造事实，说杨妃极喜此三诗，时常吟哦，高力士因李白曾命之脱靴，认为大辱，就向杨妃进谗，说李白以飞燕之瘦，讥杨妃之肥，以飞燕之私通赤凤，讥杨妃之宫闱不检。李白诗中果有此意，首先就瞒不过博学能文的玄宗，而且杨妃也不是毫无文化修养的人。据原诗来看，很明显是抑古尊今，好事之徒，强加曲解，其实是不可通的。

第三首从仙境古人返回到现实。起首二句："名花倾国两相欢，长得君王带笑看。""倾国"美人，当然指杨妃，诗到此处才正面点出，并用"两相欢"把牡丹和"倾国"合为一提，"带笑看"三字再来一统，使牡丹、杨妃、玄宗三位一体，融合在一起了。由于第二句的"笑"，逗起了第三句的"解释春风无限恨"，"春风"两字即君王之代词。这一句，把牡丹美人动人的姿色写得情趣盎然，君王既带笑，当然"无恨"，"恨"都为之消释了。末句点明玄宗杨妃赏花地点——"沉香亭北"。花在阑外，人倚阑干，多么优雅风流。

这三首诗，语语浓艳，字字流葩；而最突出的是将花与人浑融在一起写，如"云想衣裳花想容"，又似在写花光，又似在写人面。"一枝红艳露凝香"，也都是人、物交融，言在此而意在彼。读这三首诗，如觉春风满纸，花光满眼，人面迷离，不待什么刻画，而自然使人觉得这是牡丹，这是美人玉色，而不是别的。无怪这三首诗当时就深为唐玄宗所赞赏。

（沈熙乾）

丁都护歌

原文

云阳上征去，两岸饶商贾。
吴牛喘月时，拖船一何苦！
水浊不可饮，壶浆半成土。
一唱都护歌，心摧泪如雨。
万人系磐石，无由达江浒。
君看石芒砀，掩泪悲千古。

鉴赏

李白反映劳动人民生活的诗作不如杜甫多，此诗写纤夫之苦，却是很突出的篇章。

《丁都护歌》，也作《丁督护歌》，是乐府旧题，属《清商曲辞·吴声歌曲》。据传南朝宋高祖（刘裕）的女婿徐逵之为鲁轨所杀，府内直督护丁旿奉旨料理丧事，其后徐妻（刘裕之长女）向丁询问殓送情况，每发问辄哀叹一声"丁督护"，至为凄切。后人依声制曲，故定名如此。（见《宋书·乐志》）李白以此题写悲苦时事，可谓"未成曲调先有情"了。

"云阳"（即今江苏丹阳）秦以后为曲阿，天宝初改丹阳，属江南道润州，是长江下游商业繁荣区，有运河直达长江。故首二句说自云阳乘舟北上，两岸商贾云集。把纤夫生活放在这商业网点稠密的背景上，与巨商富贾们的生活形成对照，造境便很典型。“吴牛”乃江淮间水牛，“南土多暑而此牛畏热，见月疑是日，所以见月则喘”（《世说新语·言语》刘孝标注）。这里巧妙点出时令，说“吴牛喘月时”比直说盛夏酷暑具体形象，效果好得多。写时与写地，都不直截、呆板，而是配合写境传情，使下面“拖船一何苦”的叹息语意沉痛。“拖船”与“上征”照应，可见是逆水行舟，特别吃力，纤夫的形象就突现纸上。读者仿佛看见那褴褛的一群，挽着纤，喘着气，面朝黄土背朝天，一步一颠地艰难地行进着……

气候如此炎热，劳动强度如此大，渴，自然成为纤夫们最强烈的感觉。然而生活条件如何呢？渴极也只能就河取水，可是“水浊不可饮”呵！仅言“水浊”似不足令人注意，于是诗人用最有说服力的形象语言来表现：“壶浆半成土”。这哪是人喝的水呢？只说“不可饮”，言下之意是不可饮而饮之，控诉的力量尤为含蓄。纤夫生活条件恶劣岂止一端，而作者独取“水浊不可饮”的细节来表现，是因为这细节最具水上劳动生活的特征；不仅如此，水浊如泥浆，足见天热水浅，又交待出“拖船一何苦”的另一重原因。

以下两句写纤夫的心境。但不是通过直接的心理描写，而是通过他们的歌声即拉船的号子来表现的。称其为“都护歌”，不必指古辞，乃极言其声凄切哀怨，故口唱心悲，泪下如雨，这也照应了题面。

以上八句就拖船之艰难、生活条件之恶劣、心境之哀伤一一写来，似已尽致。不料末四句却翻出更惊心的场面。“万人系磐石”，“系”一作“凿”，结合首句“云阳上征”的诗意看，概指采太湖石由运河北运。云阳地近太湖，而太湖石多孔穴，为建筑园林之材料，唐人已珍视。船夫为官吏役使，得把这些开采难尽的石头运往上游。“磐石”大且多，即有“万人”之力拖（“系”）之，亦断难达于江边（“江浒”）。此照应“拖船一何苦”句，极言行役之艰巨。“无由达”而竟须达之，更把纤夫之苦推向极端。为造成惊心动魄效果，作者更大书特书“磐石”之多之大，“石芒砀（广大貌）”三字形象地表明：这是采之不尽、输之难竭的，而纤夫之苦亦足以感伤千古矣。

全诗层层深入，处处以形象画面代替叙写。篇首“云阳”二字预作伏笔，结尾以“磐石芒砀”点明劳役性质，把诗情推向极致，有点睛的奇效。通篇无刻琢痕迹，由于所取形象集中典型，写来自觉“落笔沉痛，含意深远”，实为“李诗之近杜者”（清人所编《唐宋诗醇》）。

（周啸天）

静夜思

原文

床前明月光①，疑是地上霜。
举头望明月②，低头思故乡。

〔注〕

① 明月光：一作“看月光”。
② 望明月：一作“望山月”。

鉴赏

明胡应麟说：“太白诸绝句，信口而成，所谓无意于工而无不工者。”（《诗薮·内编》卷六）明王世懋认为：“（绝句）盛唐惟青莲（李白）、龙标（王昌龄）二家诣极。李更自然，故居王上。”（《艺圃撷餘》）怎样才算“自然”，才是“无意于工而无不工”呢？这首《静夜思》就是个样榜。所以胡氏特地把它提出来，说是“妙绝古今”。

这首小诗，既没有奇特新颖的想象，更没有精工华美的辞藻；它只是用叙述的语气，写远客思乡之情，然而它却意味深长，耐人寻绎，千百年来，如此广泛地吸引着读者。

一个作客他乡的人，大概都会有这样的感觉吧：白天倒还罢了，到了夜深人静的时候，思乡的情绪，就难免一阵阵地在心头泛起波澜；何况是月明之夜，更何况是明月如霜的秋夜！

月白霜清,是清秋夜景;以霜色形容月光,也是古典诗歌中所经常看到的。例如梁简文帝萧纲《玄圃纳凉》诗中就有“夜月似秋霜”之句;而稍早于李白的唐代诗人张若虚在《春江花月夜》里,用“空里流霜不觉飞”来写空明澄澈的月光,给人以立体感,尤见构思之妙。可是这些都是作为一种修辞的手段而在诗中出现的。这诗的“疑是地上霜”,是叙述,而非摹形拟象的状物之辞,是诗人在特定环境中一刹那间所产生的错觉。为什么会有这样的错觉呢?不难想象,这两句所描写的是客中深夜不能成眠、短梦初回的情景。这时庭院是寂寥的,透过窗户的皎洁月光射到屋里,带来了冷森森的秋宵寒意。诗人朦胧地乍一望去,在迷离恍惚的心情中,真好像是地上铺了一层白皑皑的浓霜;可是再定神一看,四周围的环境告诉他,这不是霜痕而是月色。月色不免吸引着他抬头一看,一轮娟娟素魄正挂在窗前,秋夜的太空是如此的明净!这时,他完全清醒了。

秋月是分外光明的,然而它又是清冷的。对孤身远客来说,最容易触动旅思秋怀,使人感到客况萧条,年华易逝。凝望着月亮,也最容易使人产生遐想,想到故乡的一切,想到家里的亲人。想着,想着,头渐渐地低了下去,完全浸入于沉思之中。

从“疑”到“举头”,从“举头”到“低头”,形象地揭示了诗人内心活动,鲜明地勾勒出一幅生动形象的月夜思乡图。

短短四句诗,写得清新朴素,明白如话。它的内容是单纯的,但同时却又是丰富的。它是容易理解的,却又是体味不尽的。诗人所没有说的比他已经说出来的要多得多。它的构思是细致而深曲的,但却又是脱口吟成、浑然无迹的。从这里,我们不难领会到李白绝句的“自然”“无意于工而无不工”的妙境。

(马茂元)

从军行

原文

百战沙场碎铁衣，
城南已合数重围。
突营射杀呼延将，
独领残兵千骑归。

鉴赏

这首诗以短短四句，刻画了一位无比英勇的将军形象。

首句写将军过去的戎马生涯。伴随他出征的铁甲都已碎了，留下了累累的刀瘢箭痕，以见他征战时间之长和所经历的战斗之严酷。这句虽是从铁衣着笔，却等于从总的方面对诗中的主人公作了最简要的交待。有了这一句作垫，紧接着写他面临一场新的严酷考验——“城南已合数重围”。战争在塞外进行，城南是退路。但连城南也被敌人设下了重围，全军已陷入可能彻底覆没的绝境。写被围虽只此一句，但却如千钧一发，使人为之悬心吊胆。

“突营射杀呼延将，独领残兵千骑归。”呼延，是匈奴四姓贵族之一，这里指敌军的一员悍将。诗中这位身经百战的英雄，正是选中他作为目标，在突营闯阵的时候，首先将他射杀，使敌军陷于慌乱，乘机杀开重围，独领残兵，夺路而出。

诗所要表现的是一位勇武过人的英雄，而所写的战争从全局上看，是一场败仗。但虽败却并不令人丧气，而是败中见出了豪气。“独领残兵千骑归”，“独”字几乎有千斤之力，压倒了敌方的千军万马，给人以顶天立地之感。诗没有对这位将军进行肖像描写，但通过紧张的战斗场景，把英雄的精神与气概表现得异常鲜明而突出，给人留下难忘的印象。将这场惊心动魄的突围战和首句“百战沙场碎铁衣”相对照，让人想到这不过是他“百战沙场”中的一仗。这样，就把刚才这一场突围战，以及英雄的整个战斗历程，渲染得格外威武壮烈，完全传奇化了。诗让人不觉得出现在眼前的是一批残兵败将，而让人感到这些血泊中拼杀出来的英雄凛然可敬。像这样在一首小诗里敢于去写严酷的斗争，甚至敢于去写败仗，而又从败仗中显出豪气，给人以鼓舞，如果不具备像盛唐诗人那种精神气概是写不出的。

（余恕诚）

春 思

原文

燕草如碧丝，秦桑低绿枝。
当君怀归日，是妾断肠时。
春风不相识，何事入罗帏？

鉴赏

李白有相当数量的诗作描摹思妇的心理，《春思》是其中著名的一首。在我国古典诗歌中，“春”字往往语带双关。它既指自然界的春天，又可以比喻青年男女之间的爱情。诗题“春思”之“春”，就包含着这样两层意思。

开头两句“燕草如碧丝，秦桑低绿枝”，可以视作“兴”。诗中的兴句一般是就眼前所见，信手拈起，这两句却以相隔遥远的燕、秦两地的春天景物起兴，颇为别致。“燕草如碧丝”，当是出于思妇的悬想；“秦桑低绿枝”，才是思妇所目睹。把目力达不到的远景和眼前近景配置在一幅画面上，并且都从思妇一边写出，从逻辑上说，似乎有点乖碍，但从“写情”的角度来看，却是可通的。试想：仲春时节，桑叶繁茂，独处秦地的思妇触景生情，终日盼望在燕地行役屯戍的丈夫早日归来；她根据自己平素与丈夫的恩爱相处和对丈夫的深切了解，料想远在燕地的丈夫此刻见到碧丝般的春草，也必然会萌生思归的念头。见春草而思归，语出《楚辞·招隐士》："王孙游兮不归，春草生兮萋萋！"首句化用《楚辞》语，浑成自然，不着痕迹。诗人巧妙地把握了思妇复杂的感情活动，用两处春光，兴两地相思，把想象与怀忆同眼前真景融合起来，据实构虚，造成诗的妙境。所以不仅起到了一般兴句所能起的烘托感情气氛的作用，而且还把思妇对于丈夫的真挚感情和他们夫妻之间心心相印的亲密关系传写出来了，这是一般的兴句所不易做到的。另外，这两句还运用了谐声双关。"丝"谐"思"，"枝"谐"知"，这恰和下文思归与"断肠"相关合，增强了诗句的音乐美与含蓄美。

三、四两句直承兴句的理路而来，故仍从两地着笔："当君怀归日，是妾断肠时。"丈夫及春怀归，足慰离人愁肠。按理说，诗中的女主人公应该感到欣喜才是，而下句竟以"断肠"承之，这又似乎违背了一般人的心理，但如果联系上面的兴句细细体会，就会发现，这样写对表现思妇的感情又进了一层。元代萧士赟注李白集曾加以评述道："燕北地寒，生草迟。当秦地柔桑低绿之时，燕草方生，兴其夫方萌怀归之志，犹燕草之方生。妾则思君之久，犹秦桑之已低绿也。"这一评述，揭示了兴句与所咏之词之间的微妙的关系。诗中看似于理不合之处，正是感情最为浓密所在。

诗的最后两句："春风不相识，何事入罗帏？"诗人捕捉了思妇在春风吹入闺房，掀动罗帐的一刹那的心理活动，表现了她对行役屯戍未归的丈夫的殷殷思念之情。从艺术上说，这两句让多情的思妇对着无情的春风发话，又仿佛是无理的，但用来表现独守春闺的特定环境中的思妇的情态，又令人感到真实可信。春风撩人，春思缠绵，申斥春风，正所以表达孤眠独宿的少妇对丈夫的思情，与南北朝《子夜四时歌·春歌》“春风复多情，吹我罗裳开”，正有异曲同工之妙。以此作结，恰到好处。

无理而妙是古典诗歌中一个常见的艺术特征。从李白的这首诗中不难看出，所谓无理而妙，就是指在看似违背常理、常情的描写中，反而更深刻地表现了各种复杂的感情。

（吴汝煜）

子夜吴歌

原文

秋　歌

长安一片月，万户捣衣声。
秋风吹不尽，总是玉关情。
何日平胡虏，良人罢远征？

冬　歌

明朝驿使发，一夜絮征袍。
素手抽针冷，那堪把剪刀。
裁缝寄远道，几日到临洮？

鉴赏

题一作《子夜四时歌》，共四首，写春夏秋冬四时。这里所选是第三、四首。六朝乐府《清商曲·吴声歌曲》即有《子夜四时歌》，为作者所承，因属吴声曲，故又称《子夜吴歌》。此体向作四句，内容多写女子思念情人的哀怨，作六句是诗人的创造，而用以写思念征夫的情绪更具有时代之新意。

先说《秋歌》。笼统而言，它的手法是先景语后情语，而情景始终交融。“长安一片月”，是写景同时又是紧扣题面写出“秋月扬明辉”的季节特点。而见月怀人乃古典诗歌传统的表现方法，加之秋来是赶制征衣的季节，故写月亦有兴义。此外，月明如昼，正好捣衣，而那“玉户帘中卷不去，捣衣砧上拂还来”的月光，对思妇是何等一种挑拨呵！制衣的布帛须先置砧上，用杵捣平捣软，是谓“捣衣”。这明朗的月夜，长安城就沉浸在一片此起彼落的砧杵声中，而这种特殊的“秋声”对于思妇又是何等一种挑拨呵！“一片”“万户”，写光写声，似对非对，措语天然而得咏叹味。秋风，也是撩人愁绪的，“秋风入窗里，罗帐起飘扬”（南北朝民歌《子夜四时歌·秋歌》），便是对思妇第三重挑拨。月朗风清，风送砧声，声声都是怀念玉关征人的深情。著“总是”二字，情思益见深长。这里，秋月秋声与秋风织成浑成的境界，见境不见人，而人物俨在，“玉关情”自浓。无怪清王夫之说：“前四句是天壤间生成好句，被太白拾得。”（《唐诗评选》）此情之浓，不可遏止，遂有末二句直表思妇心声：“何日平胡虏，良人罢远征？”过分偏爱“含蓄”的评家责难道：“余窃谓删去末二句作绝句，更觉浑含无尽。”（清田同之《西圃诗说》）其实未必然。“不知歌谣妙，声势出口心”（《大子夜歌》），慷慨天然，是民歌本色，原不必故作吞吐语。而从内容上看，正如清沈德潜指出，“本闺情语而忽冀罢征”（《说诗晬语》），使诗歌思想内容大大深化，更具社会意义，表现出古代劳动人民冀求过和平生活的善良愿望。全诗手法如同电影，有画面，有“画外音”。月照长安万户。风送砧声。化入玉门关外荒寒的月景。插曲：“何日平胡虏，良人罢远征。”……这是多么有意味的诗境呵！须知这俨然女声合唱的“插曲”决不多余，它是画面的有机组成部分，在画外亦在画中，它回肠荡气，激动人心。因此可以说，《秋歌》正面写到思情，而有不尽之情。

《冬歌》则全是另一种写法。不写景而写人叙事，通过一位女子“一夜絮征袍”的情事以表现思念征夫的感情。事件被安排在一个有意味的时刻——传送征衣的驿使即将出发的前夜，大大增强了此诗的情节性和戏剧味。一个“赶”字，不曾明写，但从“明朝驿使发”的消息，读者从诗中处处看到这个字，如睹那女子急切、紧张劳作的情景。关于如何“絮”、如何“裁”、如何“缝”等等具体过程，作者有所取舍，只写拈针把剪的感觉，突出一个“冷”字。素手抽针已觉很冷，还要握那冰冷的剪刀。“冷”便切合“冬歌”，更重要的是有助于情节的生动性。天气的严寒，使“敢将十指夸针巧”的女子不那么得心应手了，而时不我待，偏偏驿使就要出发，人物焦急情态宛如画出。“明朝驿使发”，分明有些埋怨的意思了。然而，“夫戍边关妾在吴，西风吹妾妾忧夫”（王嘉《古意》），她从自己的冷必然会想到“临洮”（在今甘肃临潭县西南，此泛指边地）那边的更冷，所以又巴不得驿使早发、快发。这种矛盾心理亦从无字处表出。读者似乎又看见她一边呵着手，一边赶裁、赶絮、赶缝。“一夜絮征袍”，言简而意足，看来大功告成，她应该大大松口气了。可是，“才下眉头，却上心头”，又情急起来，路是这样远，“寒到身边衣到无”呢？这回却是恐怕驿使行迟，盼望驿车加紧了。“裁缝寄远道，几日到临洮？”这迫不及待的一问，含多少深情呵。《秋歌》正面归结到怀思良人之意，而《冬歌》却纯从侧面落笔，通过形象刻画与心理描写结合，塑造出一个活生生的思妇形象，成功表达了诗歌主题。结构上一波未平，一波又起，起得突兀，结得意远，情节生动感人。

如果说《秋歌》是以间接方式塑造了长安女子的群像，《冬歌》则通过个体形象以表现出社会一般，二歌典型性均强。其语言的明转天然，形象的鲜明集中，音调的清越明亮，情感的委婉深厚，得力于民歌，彼此并无二致，真是“意愈浅愈深，词愈近愈远，篇不可以句摘，句不可以字求”（明胡应麟《诗薮·内编》卷二）的佳作。

（周啸天）

长相思

原文

长相思，在长安。
络纬秋啼金井阑，
微霜凄凄簟色寒。
孤灯不明思欲绝，
卷帷望月空长叹。
美人如花隔云端。
上有青冥之高天，
下有渌水之波澜。
天长路远魂飞苦，
梦魂不到关山难。
长相思，摧心肝。

鉴赏

开元十八年（730），李白自安陆（治所在今湖北云梦县）取道南阳（治所在今河南南阳市），西入长安（今陕西西安市），干谒玉真公主不遇。当年秋天，被安置于公主别馆。别馆距长安百里，当时已是一所荒园。诗人遭此冷遇，曾作《玉真公主别馆苦雨赠卫尉张卿二首》向驸马张垍陈情。本篇情景与之相近，当为同期之作。

"长相思"本汉代诗中语（如《古诗》："客从远方来，遗我一书札。上言长相思，下言久离别"），六朝诗人多以名篇（如陈后主、徐陵、江总等均有作），并以"长相思"发端，属乐府《杂曲歌辞》。现存歌辞多写思妇之怨。李白此诗即拟其格而别有寄寓。

诗大致可分两段。一段从篇首至“美人如花隔云端”，写诗中人“在长安”的相思苦情。诗中描绘的是一个孤栖幽独者的形象。他（或她）居处非不华贵——这从“金井阑”可以窥见，但内心却感到寂寞和空虚。作者是通过环境气氛层层渲染的手法，来表现这一人物的感情的。先写所闻——阶下纺织娘凄切地鸣叫。虫鸣则岁时将晚，孤栖者的落寞之感可知。其次写肌肤所感，正是“霜送晓寒侵被”时候，他更不能成眠了。“微霜凄凄”当是通过逼人寒气感觉到的。而“簟色寒”更暗示出其人已不眠而起。眼前是“罗帐灯昏”，益增愁思。一个“孤”字不仅写灯，也是人物心理写照，从而引起一番思念。“思欲绝”（犹言“想煞人”）可见其情之苦。于是进而写卷帷所见，那是一轮可望而不可即的明月呵。诗人心中想起什么呢？他发出了无可奈何的一声长叹。这就逼出诗中关键的一语：“美人如花隔云端。”“长相思”的题意到此方才具体表明。这个为诗中人想念的如花美人似乎很近，近在眼前；却到底很远，远隔云端。与月儿一样，可望而不可即。由此可知他何以要“空长叹”了。值得注意的是，这句是诗中惟一的单句（独立句），给读者的印象也就特别突出，可见这一形象正是诗人要强调的。

以下直到篇末便是第二段，紧承“美人如花隔云端”句，写一场梦游式的追求。这颇类战国楚屈原《离骚》中那“求女”的一幕。在诗人浪漫的幻想中，诗中人梦魂飞扬，要去寻找他所思念的人儿。然而“天长地远”，上有幽远难极的高天，下有波澜动荡的渌水，还有重重关山，尽管追求不已，还是“两处茫茫皆不见”。这里，诗人的想象诚然奇妙飞动，而诗句的音情也配合极好。“青冥”与“高天”本是一回事，写“波澜”似亦不必兼用“渌水”，写成“上有青冥之高天，下有渌水之波澜”颇有犯复之嫌。然而，如径作“上有高天，下有波澜”（歌行中可杂用短句），却大为减色，怎么读也不够味。而原来带“之”字、有重复的诗句却显得音调曼长好听，且能形成咏叹的语感，正《诗大序》所谓“嗟叹之不足，故永歌之”（“永歌”即拉长声调歌唱），能传达无限感慨。这种句式，为李白特别乐用，它如“蜀道之难难于上青天”（《蜀道难》）、“弃我去者，昨日之日不可留；乱我心者，今日之日多烦忧”（《宣州谢朓楼饯别校书叔云》）、“君不见黄河之水天上来”（《将进酒》）等等。句中“之难”“之日”“之水”，从文意看不必有，而从音情上看断不可无，而音情于诗是至关紧要的。再看下两句，从语意看，词序似应作：“天长路远关山难（度），梦魂不到（所以）魂飞苦。”写作“天长路远魂飞苦，梦魂不到关山难”，不仅是为趁韵，且运用连珠格形式，通过绵延不断之声音以状关山迢递之愁情，可谓辞清意婉，十分动人。由于这个追求是没有结果的，于是诗以沉重的一叹作结：“长相思，摧心肝！”“长相思”三字回应篇首，而“摧心肝”则是“思欲绝”在情绪上进一步的发展。结句短促有力，给人以执著之感，诗情虽则悲恸，但绝无萎靡之态。

此诗形式匀称，“美人如花隔云端”这个独立句把全诗分为篇幅均衡的两部分。前面由两个三言句发端，四个七言句拓展；后面由四个七言句叙写，两个三言句作结。全诗从“长相思”展开抒情，又于“长相思”一语收拢。在形式上颇具对称整饬之美，韵律感极强，大有助于抒情。诗中反复抒写的似乎只是男女相思，把这种相思苦情表现得淋漓尽致；但是，“美人如花隔云端”就不像实际生活的写照，而显有托兴意味。何况我国古典诗歌又具有以“美人”喻所追求的理想人物的传统，如《楚辞》“恐美人之迟暮”。

而“长安”这个特定地点更暗示这里是一种政治的托寓，表明此诗的意旨在抒写诗人追求政治理想不能实现的苦闷。就此而言，此诗诗意又深含于形象之中，隐然不露，具备一种蕴藉的风度。所以清王夫之赞此诗道：“题中偏不欲显，象外偏令有余。一以为风度，一以为淋漓。乌乎，观止矣。”(《唐诗评选》)

（周啸天）

襄阳歌

原文

落日欲没岘山[①]西，倒著接篱花下迷。

襄阳小儿齐拍手，拦街争唱《白铜鞮》[②]。

旁人借问笑何事，笑杀山公醉似泥。

鸬鹚杓，鹦鹉杯[③]。

百年三万六千日，一日须倾三百杯。

遥看汉水鸭头绿，恰似葡萄初酦醅[④]。

此江若变作春酒，垒曲便筑糟丘台。

千金骏马换小妾[⑤]，醉坐雕鞍歌《落梅》。

车旁侧挂一壶酒，凤笙龙管行相催[⑥]。

咸阳市中叹黄犬，何如月下倾金罍[⑦]？

君不见晋朝羊公一片石，龟头[⑧]剥落生莓苔。

泪亦不能为之堕，心亦不能为之哀。

清风朗月不用一钱买，玉山自倒非人推[⑨]。

舒州杓，力士铛，李白与尔同死生。

襄王云雨今安在？江水东流猿夜声。

〔注〕

① 岘(xiàn)山：一名岘首山，在今湖北襄阳南。
② 白铜鞮(dī)：南朝童谣名，流行于襄阳一带。
③ 鸬鹚杓(lú cí sháo)：形如长颈水鸟鸬鹚的长柄酒杓。鹦鹉杯：用一种形状和颜色像鹦鹉嘴的螺壳制成的酒杯。
④ 酦醅(pō pēi)：重酿而未滤过的酒。
⑤ 古乐府有《爱妾换马》诗题。三国魏时曹彰也曾用爱妾换马。这里李白是强调马的名贵。
⑥ 催：劝酒。
⑦ 罍(léi)：酒器。
⑧ 龟头：古时碑座石刻形状像龟，名叫赑屃(bì xì)。
⑨ 玉山自倒：三国魏嵇康风仪俊美，人家说他醉后如玉山将倒。

鉴赏

开元十三年(725)，李白从巴蜀东下。十五年，在湖北安陆和许圉师(高宗龙朔年间曾任左相)的孙女结婚。襄阳离安陆不远，这首诗可能写在这一时期。它是李白的醉歌，诗中用醉汉的心理和眼光看周围世界，实际上是用更带有诗意的眼光来看待一切，思索一切。

诗一开始用了晋朝山简的典故。山简镇守襄阳时，喜欢去习家花园喝酒，常常大醉骑马而回。当时的歌谣说他："日暮倒载归，酩酊无所知。复能骑骏马，倒着白接䍦。"接䍦(lí)，一种白色帽子。李白在这里是说自己像当年的山简一样，日暮归来，烂醉如泥，被儿童拦住拍手唱歌，引起满街的喧笑。

可是李白毫不在乎，说什么人生百年，一共三万六千日，每天都应该往肚里倒上三百杯酒。此时，他酒意正浓，醉眼蒙眬地朝四方看，远远看见襄阳城外碧绿的汉水，幻觉中就好像刚酿好的葡萄酒一样。啊，这汉江若能变作春酒，那么单是用来酿酒的酒曲，便能垒成一座糟丘台了。诗人醉骑在骏马雕鞍上，唱着《梅花落》的曲调，后面还跟着车子，车上挂着酒壶，载着乐队，奏着劝酒的乐曲。他洋洋自得，忽然觉得自己的纵酒生活，连历史上的王侯也莫能相比呢！秦丞相李斯不是被秦二世杀掉吗，临刑时对他儿子说："吾欲与若（你）复牵黄犬，俱出上蔡（李斯的故乡）东门，逐狡兔，岂可得乎！"还有晋朝的羊祜，镇守襄阳时常游岘山，曾对人说："由来贤达胜士登此远望，如我与卿者多矣，皆湮没无闻，使人悲伤。"祜死后，襄阳人在岘山立碑纪念。见到碑的人往往流泪，名为"堕泪碑"。但这碑到了今天又有什么意义呢？如今碑也已剥落，再无人为之堕泪了！一个生前即未得善终，一个身后虽有人为之立碑，但也难免逐渐湮没，哪有"月下倾金罍"这般快乐而现实呢！那清风朗月可以不花一钱尽情享用，酒醉之后，像玉山一样倒在风月中，该是何等潇洒、适意！

诗的尾声，诗人再次宣扬纵酒行乐，强调即使尊贵到能与巫山神女相接的楚襄王，亦早已化为子虚乌有，不及与伴自己喝酒的舒州杓、力士铛（chēng）同生共死更有乐趣。

这首诗为人们所爱读。因为诗人表现的生活作风虽然很放诞，但并不颓废，支配全诗的，是对他自己所过的浪漫生活的自我欣赏和陶醉。诗人用直率的笔调，给自己勾勒出一个天真烂漫的醉汉形象。诗里生活场景的描写非常生动而富有强烈戏剧色彩，达到了绘声绘影的程度，反映了盛唐社会生活中生动活泼的一面。

这首诗一方面让我们从李白的醉酒，从李白飞扬的神采和无拘无束的风度中，领受到一种精神舒展与解放的乐趣；另一方面，它通过围绕李白所展开的那种活跃的生活场面，能启发人想象生活还可能以另一种带喜剧的色彩出现，从而能加深人们对生活的热爱。全篇语言奔放，充分表现出富有个性的诗风。

（余恕诚）

江上吟

原文

木兰之枻沙棠[1]舟，玉箫金管坐两头。
美酒尊中置千斛，载妓随波任去留。
仙人有待乘黄鹤，海客无心随白鸥。
屈平词赋悬日月，楚王台榭空山丘。
兴酣落笔摇五岳，诗成笑傲凌沧洲。
功名富贵若长在，汉水亦应西北流。

〔注〕

① 枻(yì)：同“楫”，舟旁划水的工具。沙棠：木名。据《山海经·西山经》说，沙棠出昆仑山上，人吃了它的果实“入水不溺”。

鉴赏

诗题一作“江上游”，大约是李白三四十岁客游江夏(治所在今湖北武汉市)时所作。这首诗在思想上和艺术上，都是很能代表李白特色的篇章之一。

明人唐汝询讲这首诗的主题是“此因世途迫隘而肆志以行乐也”(《唐诗解》卷十三)。虽然讲得不够全面、准确，但他指出诗人因有感于“世途迫隘”的现实而吟出这诗，则是很中肯的。读着《江上吟》，很容易使人联想到《楚辞》的《远游》：“悲时俗之迫厄兮，愿轻举而远游。”

这首诗以江上的遨游起兴，表现了诗人对庸俗、局促的现实的蔑弃，和对自由、美好的生活理想的追求。

开头四句，虽是江上之游的即景，但并非如实的记叙，而是经过夸饰的、理想化的具体描写，展现出华丽的色彩，有一种超世绝尘的气氛。“木兰之枻沙棠舟”，是珍贵而神奇的木料制成的；“玉箫金管坐两头”，乐器的精美可以想象吹奏的不同凡响；“美酒尊中置千斛”，足见酒量之富，酒兴之豪；“载妓随波任去留”，极写游乐的酣畅恣纵。总之，这江上之舟是足以尽诗酒之兴，极声色之娱的，是一个超越了纷浊的现实的、自由而美好的世界。

中间四句两联，两两对比。“仙人”一联承上，对江上泛舟行乐，加以肯定赞扬；“屈平”一联启下，揭示出理想生活的历史意义。“仙人有待乘黄鹤”，即使修成神仙，仍然还有所待，黄鹤不来，也上不了天；而我之泛舟江上，“海客无心随白鸥”，乃已忘却机巧之心，物我为一，不知何者为物，何者为我，岂不是比那眼巴巴望着黄鹤的神仙还要神仙吗？到了这种境界，人世间的功名富贵，荣辱穷通，就更不在话下了。因此，俯仰宇宙，纵观古今，便得出了与“滔滔者天下皆是也”的庸夫俗子相反的认识：“屈平词赋悬日月，楚王台榭空山丘”！泛舟江汉之间，想到屈原与楚王，原是很自然的，而这一联的警辟，乃在于把屈原和楚王作为两种人生的典型，鲜明地对立起来。屈原尽忠爱国，反被放逐，终于自沉汨罗，他的辞赋，可与日月争光，永垂不朽；楚王荒淫无道，穷奢极欲，卒招亡国之祸，当年奴役人民建造的宫观台榭，早已荡然无存，只见满目荒凉的山丘。这一联形象地说明了：历史上属于进步的终归不朽，属于反动的必然灭亡；还有文章者不朽之大业，而势位终不可恃的这一层意思。

结尾四句，紧接“屈平”一联尽情发挥。“兴酣”二句承屈平辞赋说，同时也回应开头的江上泛舟，极其豪壮，活画出诗人自己兴会飚举，摇笔赋诗时藐视一切，傲岸不羁的神态。“摇五岳”，是笔力的雄健无敌；“凌沧洲”是胸襟的高旷不群。最末“功名富贵若长在，汉水亦应西北流”，承楚王台榭说，同时也把“笑傲”进一步具体化、形象化了。不正面说功名富贵不会长在，而是从反面说，把根本不可能的事情来一个假设，便加强了否定的力量，显出不可抗拒的气势，并带着尖锐的嘲弄的意味。

这首诗的思想内容，基本上是积极的。另一方面，诗人把纵情声色，恣意享乐，作为理想的生活方式而歌颂，则是不可取的。金管玉箫，携酒载妓，不也是功名富贵中人所迷恋的吗？这正是李白思想的矛盾。这个矛盾，在他的许多诗中都有明白的表现，成为很有个性特点的局限性。

全诗十二句，形象鲜明，感情激扬，气势豪放，音调浏亮。读起来只觉得它是一片神行，一气呵成。而从全诗的结构组织来看，它绵密工巧，独具匠心。开头是色彩绚丽的形象描写，把读者立即引入一个不寻常的境界。中间两联，属对精整，而诗意则正反相生，扩大了诗的容量，诗笔跌宕多姿。结尾四句，极意强调夸张，感情更加激昂，酣畅恣肆，显出不尽的力量。清王琦说：“似此章法，虽出自逸才，未必不少加惨淡经营，恐非斗酒百篇时所能构耳”（《李太白文集》卷七《江上吟》注）。这是经过细心体会后的符合创作实际的看法。（徐永年）

玉壶吟

原文

烈士击玉壶，壮心惜暮年。
三杯拂剑舞秋月，忽然高咏涕泗涟。
凤凰初下紫泥诏①，谒帝称觞登御筵。
揄扬九重万乘主，谑浪赤墀青琐贤②。
朝天数换飞龙马，敕赐珊瑚白玉鞭。
世人不识东方朔，大隐金门是谪仙。
西施宜笑复宜颦，丑女效之徒累身。
君王虽爱蛾眉好，无奈宫中妒杀人！

〔注〕

① 凤凰：这里是指皇帝的诏书。据《十六国春秋》记载，后赵武帝石虎在戏马观上设置一只能回转的木凤凰，口衔五色诏书，故后来称诏书为凤凰诏。紫泥：一种紫色的印泥，封诏书用。

② 赤墀（chí）：皇帝宫殿前的台阶涂成赤色，叫赤墀。青琐：皇帝宫殿的门雕刻成连锁文，涂以青色，叫青琐。“赤墀青琐贤”指臣僚。

鉴赏

清代刘熙载论李白的诗说:“太白诗虽若升天乘云,无所不之,然自不离本位,故放言实是法言。”(《艺概》卷二)所谓“不离本位”,就是指有一定的法度可寻,而不是任其横流,漫无边际。《玉壶吟》就是这样一首既有奔放的气势,又讲究法度的好诗。这首诗大约写于天宝三载(744)供奉翰林的后期,赐金还山的前夕。全诗充满着郁勃不平之气。按气韵脉络而论,诗可分为三段。

第一段共四句,主要写愤激的外在表现。开头两句居高临下,入手擒题,刻画了诗人的自我形象。他壮怀激烈,孤愤难平,像东晋王敦那样,敲击玉壶,诵吟三国曹操的名篇《步出夏门行》:“老骥伏枥,志在千里。烈士暮年,壮心不已。”“烈士”“壮心”“暮年”三个词都从曹诗中来,说明李白渴望建功立业,这一点正与曹操相同。但他想到,曹操一生毕竟干了一番轰轰烈烈的事业,而自己却至今未展素志,不觉悲从中来,愤气郁结。三杯浊酒,已压不住心中的悲慨,于是拔剑而起,先是对着秋月,挥剑而舞,忽又高声吟咏,最后眼泪夺眶而出,涕泗涟涟。“忽然”两字把诗人心头不可自已的愤激之情写得十分传神。四句一气倾泻,至此已是盛极难继。兵家有所谓“以正合,以奇胜”的说法。这一段四句正面书愤,可说是“以正合”;下面第二段八句别开一途,以流转之势写往事回忆,可说是“以奇胜”。

“凤凰初下紫泥诏,谒帝称觞登御筵”两句,如异峰突起,境界顿变。诗人一扫悲愤抑郁之气,而极写当初奉诏进京、皇帝赐宴的隆遇。李白应诏入京,原以为可施展抱负,因此他倾心酬主,急于披肝沥胆,输写忠才。“揄扬”两句具体描写了他在朝廷上的作为。前一句说的是“尊主”,是赞颂皇帝;后一句说的是“卑臣”,

是嘲弄权贵。“朝天数换飞龙马，敕赐珊瑚白玉鞭”，形象地写出了他受皇帝宠信的不同寻常。“飞龙马”是皇宫内六厩之一飞龙厩中的宝马。唐制：学士初入，例借飞龙马。但“数换飞龙马”，又赐珊瑚“白玉鞭”，则是超出常例的。以上六句字字从得意处着笔。“凤凰”两句写平步青云，“揄扬”两句写宏图初展，“朝天”两句写备受宠渥。得意之态，渲染得淋漓尽致。诗人骋足笔力，极写昔日的腾踔飞扬，正是为了衬托时下的冷落可悲，故以下便作跌势。

“世人不识东方朔，大隐金门是谪仙。”东方朔被汉武帝视作滑稽弄臣，内心很苦闷，曾作歌曰：“陆沉于俗，避世金马门，宫殿中可以避世全身，何必深山之中，蒿庐之下。”（《史记·滑稽列传》）后人有“小隐隐陵薮，大隐隐朝市”（晋王康琚《反招隐诗》）之语。李白引东方朔以自喻，又以谪仙自命，实是出于无奈。从无限得意，到大隐金门，这骤然突变，可以看出诗人内心是非常痛苦的。“世人不识”两句，郁郁之气，寄于言外，与开头四句的悲愤情状遥相接应。以上八句为第二段，通过正反相照，诗人暗示了在京横遭毁诬、备受打击的不幸。忠愤节气，负而未伸，这也许就是诗人所以要击壶舞剑、高咏涕涟的原因吧！

第三段四句写诗人自己坚贞傲岸的品格。“西施”两句是说自己执道若一，进退裕如，或笑或颦而处之皆宜，这种态度别人效之不得。辞气之间，隐隐流露出傲岸自信的个性特征。当然，诗人也很清楚他为什么不能施展宏图，因而对朝廷中那些妒贤害能之辈道：“君王虽爱蛾眉好，无奈宫中妒杀人！”这两句化用《离骚》旨趣，托言美人见妒，暗寓士有怀瑾握瑜而不见容于朝的意思，蕴藉含蓄，寄慨遥深。

明代诗论家徐祯卿说：“气本尚壮，亦忌锐逸。”（《谈艺录》）书愤之作如果一味逞雄使气，像灌夫骂座一般，便会流于粗野褊急一路。李白这首诗豪气纵横而不失之粗野，悲愤难平而不流于褊急。开头四句入手紧，起势高，抒写胸中愤激之状而不作悲酸语，故壮浪恣纵，如高山瀑流，奔泻而出，至第四句顿笔收住，如截奔马，文气陡然腾跃而起。第五句以"初"字回旋兜转，笔饱墨酣，以昂扬的格调极写得意，方以为有风云际会、鱼水顾合之美，笔势又急转直下，用"大隐金门"等语暗写遭谗之意。最后以蛾眉见妒作结，点明进谗之人，方恃宠贵盛，自己虽拂剑击壶，慷慨悲歌，终莫奈之何。诗笔擒纵结合，亦放亦收，波澜起伏，变化入神，文气浑灏流转，首尾呼应。明徐祯卿认为，一首好诗应该做到"气如良驷，驰而不轶"(《谈艺录》)。李白这首诗是当之无愧的。

（吴汝煜）

梁园吟

原文

我浮黄河去京阙，挂席欲进波连山。
天长水阔厌远涉，访古始及平台间。
平台为客忧思多，对酒遂作梁园歌。
却忆蓬池阮公咏，因吟“渌水扬洪波”。
洪波浩荡迷旧国，路远西归安可得！
人生达命岂暇愁，且饮美酒登高楼。
平头奴子摇大扇，五月不热疑清秋。
玉盘杨梅为君设，吴盐如花皎白雪。
持盐把酒但饮之，莫学夷齐事高洁。
昔人豪贵信陵君，今人耕种信陵坟。
荒城虚照碧山月，古木尽入苍梧云。
梁王宫阙今安在？枚马先归不相待。
舞影歌声散渌池，空余汴水东流海。
沈吟此事泪满衣，黄金买醉未能归。
连呼五白行六博，分曹赌酒酣驰晖。
歌且谣，意方远，
东山高卧时起来，欲济苍生未应晚。

鉴赏

这首诗一名《梁苑醉酒歌》，写于天宝三载（744）诗人游大梁（今河南开封一带）和宋州（州治在今河南商丘）的时候。梁园，一名梁苑，汉代梁孝王所建；平台，春秋时宋平公所建。这两个遗迹，分别在唐时的大梁和宋州。李白是离长安后来到这一带的。三年前，他得到唐玄宗的征召，满怀理想，奔向长安。结果不仅抱负落空，立脚也很艰难，终于被唐玄宗“赐金放还”（《新唐书》本传）。由希望转成失望，这在一个感情强烈的浪漫主义诗人心中所引起的波涛，是可以想见的。这首诗的成功之处，就是把这一转折中产生的激越而复杂的感情，真切而又生动形象地抒发出来。我们好像被带入唐天宝年代，亲耳聆听诗人的倾诉。

从开头到“路远”句为第一段，抒发作者离开长安后抑郁悲苦的情怀。离开长安，意味着政治理想的挫折，不能不使李白感到极度的苦闷和茫然。然而这种低沉迷惘的情绪，诗人不是直接叙述出来，而是融情于景，巧妙地结合登程景物的描绘，自然地流露出来。“挂席欲进波连山”，滔滔巨浪如群峰绵亘起伏，多么使人厌憎的艰难行程，然而这不也正是作者脚下坎坷不平的人生途程么！“天长水阔厌远涉”，万里长河直伸向缥缈无际的天边，多么遥远的前路，然而诗人的希望和追求不也正像这前路一样遥远和渺茫么！在这里，情即是景，景即是情，情景相生，传达出来的情绪含蓄而又强烈，一股失意厌倦的情绪扑人，我们几乎可以感觉到诗人沉重、疲惫的步履。这样的笔墨，使本属平铺直叙的开头，不仅不显得平淡，而且造成一种浓郁的气氛，笼罩全诗，奠定了基调，可谓起得有势。

接着诗笔层折而下。诗人访古以遣愁绪，而访古徒增忧思；作歌以抒积郁，心头却又浮现三国魏阮籍的哀吟：“徘徊蓬池上，还顾望大梁。渌水扬洪波，旷野莽茫茫。……羁旅无俦匹，俯仰怀哀伤。”（《咏怀诗》）今人古人，后先相望，遭遇何其相似！这更加触动诗人的心事，不禁由阮诗的蓬池洪波又转向浩荡的黄河，由浩荡的黄河又引向迷茫不可见的长安旧国。“路远西归安可得！”一声慨叹含着对理想破灭的无限惋惜，道出了忧思纠结的根源。短短六句诗，感情回环往复，百结千缠，表现出深沉的忧怀，为下文作好了铺垫。

从“人生”句到“分曹”句为第二段。由感情方面说，诗人更加激昂，苦闷之极转而为狂放。由诗的径路方面说，改从排解忧怀角度着笔，由低徊掩抑一变而为旷放豪纵，境界一新，是大开大阖的章法。诗人以“达命”者自居，对不合理的人生遭遇采取藐视态度，登高楼，饮美酒，遣愁放怀，高视一切。奴子摇扇，暑热成秋，环境宜人；玉盘鲜梅，吴盐似雪，饮馔精美。对此自可开怀，而不必像伯夷、叔齐那样苦苦拘执于“高洁”。夷齐以薇代粮，不食周粟，持志高洁，士大夫们常引以为同调。这里“莫学”两字，正可看出诗人理想破灭后极度悲愤的心情，他痛苦地否定了以往的追求，这就为下文火山爆发一般的愤激之情拉开了序幕。

“昔人”以下进入了情感上剧烈的矛盾冲突中。李白痛苦的主观根源来自对功业的执著追求，这里的诗意便像汹涌的波涛一般激愤地向功业思想冲刷过去。诗人即目抒怀，就梁园史事落墨。看一看吧，豪贵一时的魏国公子无忌，今日已经丘墓不保；一代名王梁孝王，宫室已成陈迹；昔日上宾枚乘、司马相如也已早作古人，不见踪影。一切都不耐时间的冲刷，烟消云散，功业又何足系恋！“荒城”二句极善造境，冷月荒城，高云古木，构成一种凄清冷寂的色调，为遗迹荒凉做了很好的烘托。“舞影”二句以蓬池、汴水较为永恒的事物，同舞影歌声人世易于消歇的事物对举，将人世飘忽之意点染得十分浓足。如果说开始还只是开怀畅饮，那么，随着感情的激越，到这里便已近于纵酒颠狂。呼五纵六，分曹赌酒，简单几笔便勾画出酣饮豪博的形象。"酣驰晖"三字写出一似在同时间赛跑，更使汲汲如不及的狂饮情态跃然纸上。

否定了人生积极的事物，自不免消极颓唐。但这显然是有激而然。狂放由苦闷而生，否定由执著而来，狂放和否定都是变态，而非本志。因此，愈写出狂放，愈显出痛苦之深；愈表现否定，愈见出系恋之挚。清人刘熙载说得好："太白诗言侠，言仙，言女，言酒，特借用乐府形体耳。读者或认作真身，岂非皮相。"（《艺概》卷二）正因为如此，诗人感情的旋律并没有就此终结，而是继续旋转升腾，导出末段四句的高潮：总有一天会像高卧东山的谢安一样，被请出山实现济世的宏愿。多么强烈的期望，多么坚定的信心！李白的诗常夹杂一些消极成分，但总体上并不使人消沉，就在于他心中永远燃烧着一团火，始终没有丢弃追求和信心。这是十分可贵的。

这首诗，善于形象地抒写感情。诗人利用各种表情手段，从客观景物到历史遗事以至一些生活场景，把它如触如见地勾画出来，使人感到一股强烈的感情激流。我们好像亲眼看到一个正直灵魂的苦闷挣扎，冲击抗争，从而感受到社会对他的无情摧残和压抑。

清人潘德舆说："长篇波澜贵层叠，尤贵陡变；贵陡变，尤贵自在。"（《养一斋诗话》卷二）这首长篇歌行体诗可说是一个典范。它随着诗人感情的自然奔泻，诗境不停地转换，一似夭矫的游龙飞腾云雾之中，不可捉摸。从抑郁忧思变而为纵酒狂放，从纵酒狂放又转而为充满信心的期望。波澜起伏，陡转奇兀，愈激愈高，好像登泰山，通过十八盘，跃出南天门，踏上最高峰头，高唱入云。

（孙　静）

横江词六首（其一）

原文

人道横江好，侬道横江恶。

猛风吹倒天门山①，白浪高于瓦官阁。

〔注〕

① 此句一作“一风三日吹倒山”。

鉴赏

李白早期创作的诗歌就焕发着积极浪漫主义的光彩，语言明朗真率。他这种艺术特色的形成得力于学习汉魏乐府民歌。这首诗，无论在语言运用和艺术构思上都深受南朝乐府吴声歌曲的影响。

“人道横江好，侬道横江恶。”开首两句，语言自然流畅，朴实无华，充满地方色彩。“侬”为吴人自称。“人道”“侬道”，纯用口语，生活气息浓烈。一抑一扬，感情真率，语言对称，富有民间文学本色。横江，即横江浦，在今安徽和县东南，位于长江西北岸，与东南岸的采石矶相对，形势险要。从横江浦观看长江江面，有时风平浪静，景色宜人，所谓“人道横江好”；然而，有时则风急浪高，“横江欲渡风波恶”，“如此风波不可行”，惊险可怖，所以“侬道横江恶”，引出下面两句奇语。

“猛风吹倒天门山”，“吹倒山”，这是民歌惯用的夸张手法。

天门山由东、西两梁山组成。西梁山位于和县以南，东梁山又名博望山，位于当涂县西南，“两山石状巉岩，东西相向，横夹大江，对峙如门”(《江南通志》)，形势十分险要。“猛风吹倒”，诗人描摹大风吹得凶猛：狂飙怒吼，呼啸而过，仿佛要刮倒天门山。

紧接一句，顺水推舟，形容猛风掀起洪涛巨浪的雄奇情景：“白浪高于瓦官阁。”猛烈的暴风掀起洪涛巨浪，激起雪白的浪花，从高处远远望去，“白浪如山那可渡”?“涛似连山喷雪来”(《横江词》其三、其四)。沿着天门山长江江面，排山倒海般奔腾而去，洪流浪峰，一浪高一浪，仿佛高过南京城外江边上的瓦官阁。诗中以“瓦官阁”收束结句，是画龙点睛的传神之笔。瓦官阁即瓦棺寺，又名昇元阁，“前瞰江面，后据重冈，……乃梁朝故物，高二百四十尺”(《方舆胜览》)。它在诗中好比一座航标，指示方向、位置、高度，诗人在想象中站在高处，从天门山这一角度纵目遥望，仿佛隐约可见。巨浪滔滔，一泻千里，向着瓦官阁铺天盖地奔去，那汹涌雄奇的白浪高高腾起，似乎比瓦官阁还要高，真是蔚为壮观。诗人描绘大风大浪的夸张手法，妙在似与不似之间。“猛风吹倒天门山”，显然是大胆夸张，然而，从摹状山势的险峻与风力的猛烈情景看，可以说是写得活龙活现，令人感到可信而不觉得虚妄离奇。“白浪高于瓦官阁”，粗看仿佛不似，但从近大远小的透视规律上看，站在高处远望，白浪好像高过远处的瓦官阁了。这样的夸张，合乎情理而不显得生硬造作。

诗人以浪漫主义的彩笔，驰骋丰富奇伟的想象，创造出雄伟壮阔的境界，读来使人精神振奋，胸襟开阔。语言也像民歌般自然流畅，明白如话。

（何国治）

横江词六首（其五）

原文

横江馆前津吏迎，
向余东指海云生，
“郎今欲渡缘何事？
如此风波不可行。”

鉴赏

我国的旧诗中，间有相互问答之词，如《诗经·齐风·鸡鸣》：“女曰：鸡鸣。士曰：昧旦。”又如汉乐府民歌《孔雀东南飞》中兰芝与使君的对白。但数量少得很，一般都是作者一人在作独白。尤其在一首绝句中，限于字数，要包括双方的问答，的确是不简单的。

李白这一首诗，不但有主客双方的对白，而且除了人、地以外，还辅以说话时的手势，奕奕如生，有声有色。第一句“横江馆前津吏迎”，写出李白与津吏（管渡口的小吏）在横江浦（位于今安徽和县东南）的驿馆前相逢。一个“迎”字点出津吏的社会地位与李白悬殊。第二句“向余东指海云生”形象写得极其活跃，几乎使人在纸上看到这一年老善良的津吏拉着少年李白的袖子，一手指向遥远的天空，在警告李白说：云生海上，暴风雨即将来临。津吏为什么这样说呢？当然为了李白先提出要渡江，否则决不会有对方尚未开口，来意未明之前，就先凑上去的。第三句中的“郎今欲渡”四字，就证实了津吏未举手东指以前，李白就先已提出了“欲渡”，这一手法就将李白所说的话，包括在津吏的话中，不必再加明写，而自然知道是对白，因此笔墨上就非常凝练，非常精约。

第三句以下纯是津吏的话。“郎今欲渡缘何事？”句中称李白为郎(郎在唐代除了女性称其爱人以外，一般也用来称呼少年)，可见那时李白年龄还不大，而津吏则已是老人。津吏问李白缘何事而渡江，言外之意，有可省即省之意，反映出李白当时急于渡江的那种神情。这个问题还没有等李白答复，接下来就从上句的“海云生”，下出了结论，说：“如此风波不可行”。“如此风波”四字好像风波已成为事实，其实海云初生，哪有江风江浪立即接天而来之理？这里，这样说法，一则可见津吏对于观察天象积有经验，颇具自信，二则显示老人的善良心情，如老长辈一般地用命令式来肯定他的“不可行”。

全诗虽则有如上所说那些特点，可是在表现形式上，却又那么地爽朗明快，简直是一气呵成。

（沈熙乾）

金陵城西楼月下吟

原文

金陵夜寂凉风发，
独上高楼望吴越。
白云映水摇空城，
白露垂珠滴秋月。
月下沉吟久不归，
古来相接眼中稀。
解道“澄江净如练”，
令人长忆谢玄晖。

鉴赏

金陵城西楼即“孙楚楼”，因西晋诗人孙楚曾来此登高吟咏而得名。楼在金陵城西北覆舟山上（见《舆地志》），蜿蜒的城垣，浩渺的长江，皆陈其足下，为观景的胜地。这首诗，李白写自己夜登城西楼所见所感。

“金陵夜寂凉风发，独上高楼望吴越。”诗人是在静寂的夜间，独自一人登上城西楼的。“凉风发”，暗示季节是秋天，与下文“秋月”相呼应。“吴越”，泛指江、浙一带；远望吴越，点出登楼的目的。从“夜寂”“独上”“望吴越”等词语中，隐隐地透露出诗人登楼时孤寂、抑郁、怅惘的心情。诗人正是怀着这种心情来写“望”中之景的。

“白云映水摇空城，白露垂珠滴秋月。”上句写俯视，下句写仰观。俯视白云和城垣的影子倒映在江面上，微波涌动，恍若白云、城垣在轻轻摇荡；仰观遥空垂落的露珠，在月光映照下，像珍珠般晶莹，仿佛是从月亮中滴出。十四个字，把秋月下临江古城特殊的夜景，描绘得多么逼真传神！两个“白”字，在色彩上分外渲染出月光之皎洁，云天之渺茫，露珠之晶莹，江水之明净。“空”字，在气氛上又令人感到古城之夜特别静寂。“摇”“滴”两个动词用得尤其神奇。城是不会“摇”的，但“凉风发”，水摇，影摇，给你的幻觉，城也摇荡起来。月亮是不会“滴”露珠的，但“独上高楼”，凝神仰望秋月皎洁如洗，好像露珠是从月亮上滴下似的。“滴”与“摇”，使整个静止的画面飞动起来，使本属平常的云、水、城、露、月诸多景物，一齐情态毕露，异趣横生，令人浮想联翩，为之神往。这样的描写，不仅反映出浪漫主义诗人想象的奇特，也充分显示出他对大自然敏锐的感觉和细致的观察力，故能捕捉住客观景物的主要特征，“着一字而境界全出”。

“月下沉吟久不归，古来相接眼中稀。”诗人伫立月下，沉思默想，久久不归。他苦苦思索什么？原来他是在慨叹人世混浊，知音难遇。“相接”，精神相通、心心相印的意思。一个“稀”字，吐露了诗人一生怀才不遇、愤世嫉俗的苦闷心情。“古来”“眼中”，又是诗人无可奈何的自我安慰。意思是说，不仅是我眼前知音稀少，自古以来有才华、有抱负的人当时也都是如此。知音者“眼中”既然“稀”，诗人很自然地怀念起他所敬慕的历史人物。这里“眼中”二字对最后一联，在结构上又起了“金针暗度”的作用，暗示底下将要写什么。

“解道‘澄江净如练’，令人长忆谢玄晖。”谢玄晖，即谢朓，南齐著名诗人，曾任过地方官和京官，后被诬陷，下狱死。李白一生对谢朓十分敬慕，这是因为谢朓的诗风清新秀逸，他的孤直、傲岸的性格和不幸遭遇同李白相似，用李白的话说，就叫做“今古一相接”（《谢公亭》）。谢朓在被排挤出京离开金陵时，曾写有《晚登三山还望京邑》的著名诗篇，描写金陵壮美的景色和抒发去国怀乡之愁。“澄江净如练”就是此诗中的一句，他把清澈的江水比喻成洁白的丝绸。李白夜登城西楼和谢朓当年晚登三山，境遇同样不幸，心情同样苦闷（李白写此诗是在他遭权奸谗毁被排挤离开长安之后），就很自然地会联想到当年谢朓笔下的江景，想到谢朓写此诗的心情，于是发出会心的赞叹：“解道‘澄江净如练’，令人长忆谢玄晖。”意思是说，谢朓能吟出“澄江净如练”这样的好诗，令我深深地怀念他。这两句，话中有“话”，其“潜台词”是，我与谢朓精神“相接”，他的诗我能理解；今日我写此诗，与谢朓当年心情相同，有谁能“解道”、能“长忆”呢？可见李白“长忆”谢朓，乃是感慨自己身处暗世，缺少知音，孤寂难耐。这正是此诗的命意，在结处含蓄地点出，与开头的“独上”相呼应，令人倍感“月下沉吟”的诗人是多么地寂寞和忧愁。

这首诗，诗人笔触所及，广阔而悠远，天上，地下，眼前，往古，飘然而来，忽然而去，有天马行空不可羁勒之势。表面看来，似乎信笔挥洒，未加经营；仔细玩味，则脉络分明，一线贯通。这根“线”，便是“愁情”二字。诗人时而写自己行迹或直抒胸臆（如一、三联），时而描绘客观景物或赞美古人（如二、四联），使这条感情线索时显时隐、一起一伏，像波浪推涌，节奏鲜明，又逐步趋向深化，由此可见诗人构思之精。这首诗中，词语的选用，韵律的变换，在色彩上，在声调上，在韵味上，都协调一致，给人以一种苍茫、悲凉、沉郁的感觉。这就格外突出了诗中的抒情主线，使得全诗浑然一体，愈见精美。

（何庆善）

白云歌送刘十六归山

原文

楚山秦山[①]皆白云，白云处处长随君。
长随君，君入楚山里，云亦随君渡湘水。
湘水上，女萝衣，白云堪卧君早归。

〔注〕

① 楚山：这里指今湖南地区，湖南古属楚疆。秦山：这里指唐都长安，古属秦地。

鉴赏

这首诗是唐玄宗天宝初年，李白在长安送刘十六归隐湖南时所作。诗八句四十二字，因为其中不少词语的重沓咏歌，便觉得声韵流转，情怀摇漾，含意深厚，意境超远，应当说是歌行中的上品。

这首诗的引人处首先在于一股真情扑人。诗人送刘十六归隐是饱含着自己的感情的，甚至不妨说，是借刘十六的酒杯浇自己的块垒。

天宝初年，李白怀着济世之志，奉召来到长安，然而长安"珠玉买歌笑，糟糠养贤才"(《古风》其十五)的政治现实，把他的期望击得粉碎，因此，不得不使他考虑到将来的去向和归宿。这时他送友人归山，不再是对待一般隐逸的感情，而是渗透着同腐败政治决裂的浓烈情绪，因而感情喷薄而出。

这首诗选用的表情途径，极为别致。诗命题为“白云歌”，诗中紧紧抓住白云这一形象，展开情怀的抒发。白云向来是和隐者联系在一起的。南朝时，陶弘景隐于句曲山，齐高帝萧道成有诏问他“山中何所有”，他作诗答说：“山中何所有？岭上多白云。只可自怡悦，不堪持赠君。”从此白云便与隐者结下不解之缘了。白云自由不羁，高举脱俗，洁白无瑕，是隐者品格的最好象征。李白这首诗直接从白云入手，不需费词，一下子便把人们带入清逸高洁的境界。

为了充分利用白云的形象和作用，这首送别诗不再从别的方面申叙离情，只择取刘十六自秦归隐于楚的行程落笔。从首句“楚山秦山皆白云”起，这朵白云便与他形影不离，随他渡湘水，随他入楚山里，直到末句“白云堪卧君早归”，祝愿他高卧白云为止，可以说全诗从白云始，以白云终。我们似乎只看到一朵白云的飘浮，而隐者的高洁，隐逸行动的高尚，尽在不言之中。明胡应麟说“诗贵清空”，又说“诗主风神”(《诗薮》)。这首诗不直写隐者，也不咏物式地实描白云，而只把它当做隐逸的象征。因此，是隐者，亦是白云；是白云，亦是隐者，真正达到清空高妙，风神潇洒的境界。方弘静说：“《白云歌》无咏物句，自是天仙语，他人稍有拟象，即属凡调。”是体会到了这一妙处的。

这首歌行运笔极为自然，而自然中又包含匠心。首句称地，不直言秦、楚，而称“楚山”“秦山”，不仅与归山相应，气氛谐调，增强隐逸色调；而且古人以为云触山石而生，自然地引出了白云。择字之妙，一笔双关。当诗笔触及湘水时，随事生情，点染上“女萝衣”一句。战国楚屈原《九歌・山鬼》云:“若有人兮山之阿,被薜荔兮带女萝。”“女萝衣”即代指山鬼。山鬼爱慕有善行好姿的人,“被石兰兮带杜衡,折芳馨兮遗所思”。汉代王逸注云:“所思,谓清洁之士若屈原者也。”这里借用这一故实,意谓湘水对洁身修德之人将以盛情相待,进一步渲染了隐逸地的可爱和归者之当归。而隐以屈原喻归者,又自在言外。末句一个“堪”字包含多少感慨!白云堪卧,也就是市朝不可居。有了这个“堪”字,“君早归”三字虽极平实,也含有无限坚定的意味了。诗意表现得含蓄深厚,平淡中有锋芒。

本诗采用了歌体形式来表达倾泻奔放的感情是十分适宜的。句式上又多用顶真格,即下一句之首重复上一句之尾的词语,具有民歌复沓歌咏的风味,增加了音节的流美和情意的缠绵,使内容和艺术形式达到和谐的统一。

（孙　静）

秋浦歌十七首（其十四）

原文

炉火照天地，红星乱紫烟。
赧郎明月夜，歌曲动寒川。

鉴赏

秋浦，在今安徽省池州市贵池区西，是唐代银和铜的产地之一。大约天宝十二载(753)，李白漫游到此，写了组诗《秋浦歌》。本篇是其中第十四首。这是一首正面描写和歌颂冶炼工人的诗歌，在我国浩如烟海的古典诗歌中较为罕见，因而极为可贵。

“炉火照天地，红星乱紫烟”，诗一开头，便呈现出一幅色调明亮、气氛热烈的冶炼场景：炉火熊熊燃烧，红星四溅，紫烟蒸腾，广袤的天地被红彤彤的炉火照得通明。诗人用了“照”“乱”两个看似平常的字眼，但一经炼入诗句，便使冶炼的场面卓然生辉。透过这生动景象，不难感受到诗人那种新奇、兴奋、惊叹之情。

接着两句“赧郎明月夜，歌曲动寒川”，转入对冶炼工人形象的描绘。诗人以粗犷的线条，略加勾勒，冶炼工人雄伟健壮的形象便跃然纸上。“赧郎”二字用词新颖，颇耐寻味。“赧（nǎn）”，原指因害羞而脸红；这里是指炉火映红人脸。从“赧郎”二字，可以联想到他们健美强壮的体魄和勤劳、朴实、热情、豪爽、乐观的性格。结句“歌曲动寒川”，关合了上句对人物形象的塑造。冶炼工人一边劳动，一边歌唱，那嘹亮的歌声使寒冷的河水都荡漾起来了。他们唱的什么歌？诗人未加明点，读者可以作出各式各样的补充和联想。歌声果真把寒川激荡了么？当然不会，这是诗人的独特感受，是夸张之笔，却极为传神。如果说，“赧郎”句只是描绘了明月、炉火交映下冶炼工人的面部肖像，那么，这一句则揭示出他们的内心世界，他们丰富的情感和优美的情操，字里行间饱含着诗人的赞美歌颂之情。

这是一幅瑰玮壮观的秋夜冶炼图。在诗人神奇的画笔下，光、热、声、色交织辉映，明与暗、冷与热、动与静烘托映衬，鲜明、生动地表现了火热的劳动场景，酣畅淋漓地塑造了古代冶炼工人的形象，确是古代诗歌宝库中放射异彩的艺术珍品。

（张秉戍）

秋浦歌十七首（其十五）

原文

白发三千丈，缘愁似个长。
不知明镜里，何处得秋霜！

鉴赏

这是一首抒愤诗。诗人以奔放的激情，浪漫主义的艺术手法，塑造了“自我”的形象，把积蕴极深的怨愤和抑郁宣泄出来，发挥了强烈感人的艺术力量。

“白发三千丈，缘愁似个长。”劈空而来，似大潮奔涌，似火山爆发，骇人心目。单看“白发三千丈”一句，真叫人无法理解，白发怎么能有“三千丈”呢？读到下句“缘愁似个长”，豁然明白，原来“三千丈”的白发是因愁而生，因愁而长！愁生白发，人所共晓，而长达三千丈，该有多少深重的愁思？十个字的千钧重量落在一个“愁”字上。以此写愁，匪夷所思！奇想出奇句，不能不使人惊叹诗人的气魄和笔力。

古典诗歌里写愁的取譬

很多。宋人罗大经《鹤林玉露》说："诗家有以山喻愁者，杜少陵云：'忧端如山来(按：当作"齐终南")，澒洞不可掇'；有以水喻愁者，李颀云：'请量东海水，看取浅深愁'。"李白独辟蹊径，以"白发三千丈"之长喻愁之深之重，"尤为新奇"，"兴中有比，意味更长"(同上)。人们不但不会因"三千丈"的无理而见怪诗人，相反会由衷赞赏这出乎常情而又入于人心的奇句，而且感到诗人的长叹疾呼实堪同情。

人看到自己头上生了白发以及白发的长短，是因为照镜而知。首二句暗藏照镜，三、四句就明白写出"不知明镜里，何处得秋霜"。秋霜色白，以代指白发，似重复又非重复，它并具忧伤憔悴的感情色彩，不是白发的"白"字所能兼带。上句的"不知"，不是真不知，不是因"不知"而发出"何处"之问。这两句不是问语，而是愤激语，痛切语。诗眼就在下句的一个"得"字上。如此浓愁，从何而"得"？"得"字直贯到诗人半生中所受到的排挤压抑；所志不遂，因此而愁生白发，鬓染秋霜，亲历亲感，何由不知！李白有"奋其志能，愿为辅弼"的雄心，有使"寰区大定，海县清一"的理想(均见《代寿山答孟少府移文书》)，尽管屡遭挫折，未能实现，但他的志向始终不泯。写这首诗时，他已经五十多岁了，壮志未酬，人已衰老，怎能不倍加痛苦！所以揽镜自照，触目惊心，发生"白发三千丈"的孤吟，使天下后世识其悲愤，并以此奇想奇句流传千古，可谓善作不平鸣者了。

(张秉戌　陈长明)

当涂赵炎少府粉图山水歌

原文

峨眉高出西极天，罗浮直与南溟连。
名公绎思挥彩笔，驱山走海置眼前。
满堂空翠如可扫，赤城霞气苍梧烟。
洞庭潇湘意渺绵，三江七泽情洄沿。
惊涛汹涌向何处，孤舟一去迷归年。
征帆不动亦不旋，飘如随风落天边。
心摇目断兴难尽，几时可到三山巅？
西峰峥嵘喷流泉，横石蹙水波潺湲。
东崖合沓蔽轻雾，深林杂树空芊绵。
此中冥昧失昼夜，隐几寂听无鸣蝉。
长松之下列羽客，对坐不语南昌仙。
南昌仙人赵夫子，妙年历落青云士。
讼庭无事罗众宾，杳然如在丹青里。
五色粉图安足珍？真仙可以全吾身。
若待功成拂衣去，武陵桃花笑杀人。

鉴赏

李白题画诗不多，此篇弥足珍贵。诗通过对一幅山水壁画的传神描叙，再现了画工创造的奇迹，再现了观画者复杂的情感活动。他完全沉入画的艺术境界中去，感受深切，并通过一枝惊风雨、泣鬼神的诗笔予以抒发，震荡读者心灵。

从“峨眉高出西极天”到“三江七泽情洄沿”是诗的第一段，从整体着眼，概略地描述出一幅雄伟壮观、森罗万象的巨型山水图，赞叹画家妙夺天工的本领。什么是名公“绎思”呢？绎，是蚕抽丝。这里的“绎思”或可相当于今日的所谓“艺术联想”。“搜尽奇峰打草稿”，艺术地再现生活，这就需要“绎思”的本领，挥动如椽巨笔，于是达到“驱山走海置眼前”的效果。这一段，对形象思维是一个绝妙的说明。峨眉的奇高，罗浮的灵秀，赤城的霞气，苍梧（九嶷）的云烟，南溟的浩瀚，潇湘洞庭的渺绵，三江七泽的纡回……几乎把天下山水之精华荟萃于一壁，这是何等壮观，何等有气魄！当然，这决不是一个山水的大杂烩，而是经过匠心经营的山水再造。这似乎也是李白自己山水诗创作的写照和经验之谈。

这里诗人用的是“广角镜头”，展示了全幅山水的大的印象。然后，开始摇镜头，调整焦距，随着读者的眼光朝画面推进，聚于一点：“惊涛汹涌向何处，孤舟一去迷归年。征帆不动亦不旋，飘如随风落天边。”这一叶“孤舟”，在整个画面中真是渺小了，但它毕竟是人事啊，因此引起诗人无微不至的关心：在这汹涌的波涛中，你想往哪儿去呢？你何时才回去呢？这是无法回答的问题。“征帆”两句写画船极妙。画中之船本来是“不动亦不旋”的，但诗人感到它的不动不旋，并非因为它是画船，而是因为它放任自由、听风浪摆布的缘故，是能动而不动的。宋苏轼写画船是“孤山久与船低昂”(《李思训画长江绝岛图》),从不动见动,令人称妙;李白此处写画船则从不动见能动,别是一种妙处。以下紧接一问:这样信船放流,可几时能达到那遥远的目的地——海上“三山”呢?那孤舟中坐的仿佛成了诗人自己,航行的意图也就是“五岳寻仙不辞远”的意图。“心摇目断兴难尽”,写出诗人对画的神往和激动。这时,画与真,物与我完全融合为一了。

镜头再次推远,读者的眼界又开廓起来:“西峰峥嵘喷流泉,横石蹙水波潺湲。东崖合沓蔽轻雾,深林杂树空芊绵。”这是对山水图景具体的描述,展示出画面的一些主要的细部,从“西峰”到“东崖”,景致多姿善变。西边,是参天奇峰夹杂着飞瀑流泉,山下石块隆起,绿水萦回,泛着涟漪,景色清峻;东边则山崖重叠,云树苍茫,气势磅礴,由于崖嶂遮蔽天日,显得比较幽深。“此中冥昧失昼夜,隐几寂听无鸣蝉。”一蝉不鸣,更显出空山的寂寥。但诗人感到,“无鸣蝉”并不因为这只是一幅画的原因;“隐几(凭着几案)寂听”,多么出神地写出山水如真,引人遐想的情状。这一神来之笔,写无声疑有声,与前“孤舟不动”二句异曲同工。以上是第二段,对画面作具体描述。

以下由景写到人,再写到作者的观感作结,是诗的末段。“长松之下列羽客,对坐不语南昌仙。”这里简直令人连写画写实都不辨了。大约画中的松树下默坐着几个仙人,诗人说,那怕是西汉时成仙的南昌尉梅福吧。然而紧接笔锋一掉,直指画主赵炎为“南昌仙人”:“南昌仙人赵夫子,妙年历落青云士。讼庭无事罗众宾,杳然如在丹青里。”赵炎为当涂少府(县尉的别称,管理一县的军事、治安),说他“讼庭无事”,谓其在任政清刑简,有谀美主人之意,但这不关宏旨。值得注意的倒是,赵炎与画中人合二而一了。清沈德潜批点道:“真景如画。”(《唐诗别裁集》)这其实又是“画景如真”所产生的效果。全诗到此止,一直给人似画非画、似真非真的感觉。最后,诗人从幻境中清醒过来,重新站到画外,产生出复杂的思想感情:“五色粉图安足珍,真仙可以全吾身。若待功成拂衣去,武陵桃花笑杀人。”他感到遗憾,这毕竟是画啊,在现实中要有这样的去处就好了。有没有呢?诗人认为有。于是,他想名山寻仙去。而且要趁早,如果等到像鲁仲连、张子房那样功成身退(天知道要等到什么时候),再就桃源归隐,是太晚了,不免会受到“武陵桃花”的奚落。这几句话对于李白,实在反常,因为他一向推崇鲁仲连一类人物,以功成身退为最高理想。这种自我否定,实在是愤疾之词。诗作于长安放还之后,安史之乱以前,带有那一特定时期的思想情绪。这样从画境联系到现实,固然赋予诗歌更深一层的思想内容,同时,这种思想感受的产生,却又正显示了这幅山水画巨大的艺术感染力量,并以优美艺术境界映照出现实的污浊,从而引起人们对理想的追求。

这首题画诗与作者的山水诗一样,表现大自然美的宏伟壮阔一面;从动的角度、从远近不同角度写来,视野开阔,气势磅礴;同时赋山水以诗人个性。其艺术手法对后来诗歌有较大影响。苏轼的《李思训画长江绝岛图》等诗,就可以看作是继承此诗某些手法而有所发展的。

(周啸天)

永王东巡歌十一首（其二）

原文

三川北虏乱如麻，
四海南奔似永嘉。
但用东山谢安石，
为君谈笑静胡沙。

鉴赏

天宝十四载(755)，安禄山在范阳(治所在今河北涿州市)起兵造反，第二年攻陷潼关(在今陕西潼关县东北)。京师震恐，唐玄宗仓皇出逃四川，途中命其第十六子永王李璘经营长江流域。十二月下旬，永王引水师顺江东下，途经九江时，三请李白出庐山，诗人应召，参加了李璘幕府。随军途中，写下《永王东巡歌》十一首，这是第二首。

“三川北虏乱如麻”，三川即黄河、洛河、伊河，这里指三水流经的河南郡(包括河南黄河两岸一带)。北虏指安禄山叛军。“乱如麻”喻叛军既多且乱。叛军到处烧杀抢掠，造成广大三川地区人烟断绝，千里萧条。“四海南奔似永嘉”，历史的惊人相似，使诗人回想起晋怀帝永嘉五年(311)时,前汉刘聪的相国刘曜,攻陷晋都洛阳,把人民推入水深火热之中。在诗人眼里,同为胡人,同起于北方,同样造成了天下大乱。这就从历史高度揭示了这场灾难的规模和性质,表明了鲜明的爱憎。

"但用东山谢安石,为君谈笑静胡沙",是本篇最精彩之笔。史载,前秦苻坚进攻东晋,领兵百万,声势浩大。谢安被孝武帝任为征讨大都督,却弈棋自若,破苻坚大军于淝水,创造了历史上以少胜多的著名战例。诗人自比"东山再起"的谢安,抒写自己出匡庐以佐王师之情。可以看出李白此时雄心勃勃,自负很高。前著"但用",后书"为君",笔势飞动,风度潇洒,一种豪迈的气概、乐观的情绪和必胜的信念跃然纸上。以"胡沙"喻叛军,形象而深刻。叛军之来,有如妖魔,飞沙走石,席卷大地,遮天蔽日。既写出它不可一世的嚣张气焰和暗无天日的残暴行径,又写出徒有声势的虚弱本质和为时不长的必然趋势。"静"字,凝练、概括,使人想见胡沙平息后的清平世界,朗朗乾坤;为君"静胡沙"又在"谈笑"之间,更见其成竹在胸,胜券在手,指挥若定,易如反掌之气概,读之心胸开拓,精神为之一振。

此诗的一个特色是用典精审,比拟切当。古人认为成功的用典应有三条:"易见事","易识事","易诵读"。(宋魏庆之《诗人玉屑·用事》)诗人连用二典,皆炼意传神,明白晓达,情境俱现,相映增辉,不愧为用典之上乘。全诗艺术构思,欲抑故扬,跌宕有致。诗人于前二句极写叛军之多且凶,国灾民难之甚且危,目的却在衬托后二句作者的宏图大略。局势写得越严重,就愈见其高昂的爱国热情和"一扫胡沙净"的雄心;气氛写得越紧张,就愈见其从容镇定地"挽狂澜于既倒"的气魄。这种反衬性的蓄势之笔,增强了诗的力量。

(傅经顺)

永王东巡歌十一首（其十一）

原文

试借君王玉马鞭，
指挥戎虏坐琼筵。
南风一扫胡尘静，
西入长安到日边。

鉴赏

李白到永王幕府以后，踌躇满志，以为可以一舒抱负，“奋其智能，愿为辅弼”，成为像谢安那样叱咤风云的人物。这首诗就透露出李白的这种心情。

诗人一开始就运用浪漫的想象，象征的手法，塑造了盖世英雄式的自我形象。“试借君王玉马鞭”，豪迈俊逸，可谓出语惊人，比起直向永王要求军权，又来得有诗味多了。这里超凡的豪迈，不仅表现在敢于毛遂自荐、当仁不让的举措上，也不仅表现在“平交诸侯”“不屈己不干人”的落落风仪上，还表现在“试借”二字上。诗人并不稀罕权力（“玉马鞭”）本身，不过借用一回，冀申铅刀一割之用。

有军权才能指挥战争，

原是极普通的道理。一到诗人笔下，就被赋予理想的光辉，一切都化为奇妙。“指挥戎虏坐琼筵”，就指挥战争的从容自信而言，诗意与“为君谈笑静胡沙”略同，但境界更奇。比较起来，连“运筹帷幄之中，决胜于千里之外”都变得平常了。能自如指挥三军已不失为高明统帅，而这里却能高坐琼筵之上，于觥筹交错之间“指挥戎虏”，赢得一场战争，那简直是不可思议的奇迹。写战争没有一丝“火药味”，还匪夷所思地用上“琼”“玉”字样，这就把战争浪漫化或诗化了。这又正是李白个性的自然流露。

那时不是“三川北虏乱如麻，四海南奔似永嘉”（《永王东巡歌十一首》其二），局面几乎不可收拾么？但有了这样的英才，一切都将变得轻而易举。“南风一扫胡尘静”，几乎转瞬之间，就“使寰区大定，海县清一”（《代寿山答孟少府移文书》）。以南风扫尘来比喻战争，不仅形象化，而且有所取义。盖古人认为南风是滋养万物之风，“南风”句也就含有复兴邦家之意。而永王军当时在南方，用“南风”设譬也贴切。

当完成如此伟大的统一事业之后，又该怎样呢？出将入相？否，那远非李白的志向。诗人一向崇拜的人物是鲁仲连，他的最高理想是功成身退。这一点诗人屡次提到，同期诗作《在水军宴赠幕府诸侍御》中的“所冀旄头灭，功成追鲁连”，就是此意。

这里，诗人再一次表达了这一理想，而且以此推及永王。“西入长安到日边”（“日”是皇帝的象征；而言长安在日边），这不但意味着“谈笑凯歌还”，还隐含功成弗居之意。诗人万没想到，永王璘广揽人物、招募壮士是别有用心。在他那过于浪漫的心目中，永王也被理想化了。

李白第二次从政活动虽然以悲惨的失败告终，但他燃烧着爱国热情的诗篇却并不因此减色。在唐绝句中，像《永王东巡歌》这样饱含政治热情，把干预现实和追求理想结合起来，运用浪漫主义手法创作的作品不可多得。此诗形象飞动，词气夸张，写得兴会淋漓，千载以下读之，仍凛凛有生气。

（周啸天）

峨眉山月歌

原文

峨眉山月半轮秋，影入平羌江水流。

夜发清溪向三峡，思君①不见下渝州。

〔注〕

① 一说“君”即指峨眉山月。清沈德潜《唐诗别裁集》：“月在清溪、三峡之间，半轮亦不复见矣。‘君’字即指月。”一说“君”指同住峨眉山的友人，则诗中山月兼为友情之象征。

鉴赏

这首诗是年轻的李白初离蜀地时的作品，意境明朗，语言浅近，音韵流畅。

诗从“峨眉山月”写起，点出了远游的时令是在秋天。“秋”字因入韵关系倒置句末。秋高气爽，月色特明（晋代民间歌谣《四时咏》：“秋月扬明辉”）。以“秋”字又形容月色之美，信手拈来，自然入妙。月只“半轮”，使人联想到青山吐月的优美意境。在峨眉山的东北有平羌江，即今青衣江，源出于四川芦山县，流至乐山市入岷江。次句“影”指月影，“入”和“流”两个动词构成连动式，意言月影映入江水，又随江水流去。生活经验告诉我们，定位观水中月影，任凭江水怎样流，月影却是不动的。“月亮走，我也走”，只有观者顺流而下，才会看到“影入江水流”的妙景。所以此句不仅写出了月映清江的美景，同时暗点秋夜行船之事。意境可谓空灵入妙。

次句境中有人，第三句中人已露面：他正连夜从清溪驿出发进入岷江，向三峡驶去。“仗剑去国，辞亲远游”的青年，乍离乡土，对故国故人不免恋恋不舍。江行见月，如见故人。然明月毕竟不是故人，于是只能“仰头看明月，寄情千里光”了。末句“思君不见下渝州”依依惜别的无限情思，可谓语短情长。

峨眉山——平羌江——清溪——渝州——三峡，诗境就这样渐次为读者展开了一幅千里蜀江行旅图。除“峨眉山月”而外，诗中几乎没有更具体的景物描写；除“思君”二字，也没有更多的抒情。然而“峨眉山月”这一集中的艺术形象贯串整个诗境，成为诗情的触媒。由它引发的意蕴相当丰富：山月与人万里相随，夜夜可见，使“思君不见”的感慨愈加深沉。明月可亲而不可近，可望而不可接，更是思友之情的象征。凡咏月处，皆抒发江行思友之情，令人陶醉。

本来，短小的绝句在表现时空变化上颇受限制，因此一般写法是不同时超越时空，而此诗所表现的时间与空间跨度真到了驰骋自由的境地。二十八字中地名凡五见，共十二字，这在万首唐人绝句中是仅见的。它“四句入地名者五，古今目为绝唱，殊不厌重”（明王世懋《艺圃撷馀》），其原因在于：诗境中无处不渗透着诗人江行体验和思友之情，无处不贯串着山月这一具有象征意义的艺术形象，这就把广阔的空间和较长的时间统一起来。其次，地名的处理也富于变化。“峨眉山月”“平羌江水”是地名附加于景物，是虚用；“发清溪”“向三峡”“下渝州”则是实用，而在句中位置亦有不同。读起来也就觉不着痕迹，妙入化工。

（周啸天）

清溪行

原文

清溪清我心，水色异诸水。
借问新安江，见底何如此？
人行明镜中，鸟度屏风里。
向晚猩猩啼，空悲远游子。

鉴赏

这是一首情景交融的抒情诗，是天宝十二载(753)秋后李白游池州(治所在今安徽贵池)时所作。池州是皖南风景胜地，而风景名胜又大多集中在清溪和秋浦沿岸。清溪源出石台县，像一条玉带，蜿蜒曲折，流经贵池城，与秋浦河汇合，出池口泻入长江。李白游清溪写下了好多有关清溪的诗篇。这首《清溪行》着意描写清溪水色的清澈，寄托诗人喜清厌浊的情怀。

“清溪清我心”，诗人一开始就描写了自己的直接感受。李白一生游览过多少名山秀川，独有清溪的水色给他以清心的感受，这就是清溪水色的特异之处。

接着，诗人又以衬托手法突出地表现清溪水色的清澈。新安江源出徽州，流入浙江，向以水清著称。南朝梁沈约就曾写过一首题为《新安江水至清浅深见底贻京邑游好》的诗："洞彻随深浅，皎镜无冬春。千仞写乔树，百丈见游鳞。"新安江水无疑是清澈的，然而，和清溪相比又将如何呢？"借问新安江，见底何如此？"新安江哪能比得上清溪这样清澈见底呢！这样，就以新安江水色之清衬托出清溪的更清。

然后，又运用比喻的手法来正面描写清溪的清澈。诗人以"明镜"比喻清溪，把两岸的群山比作"屏风"。你看，人在岸上行走，鸟在山中穿度，倒影在清溪之中，就如："人行明镜中，鸟度屏风里。"这样一幅美丽的倒影，使人如身入其境。宋胡仔云："《复斋漫录》云：山谷言：'船如天上坐，人似镜中行。'又云：'船如天上坐，鱼似镜中悬。'沈云卿诗也。……予以云卿之诗，原于王逸少《镜湖》诗所谓'山阴路上行，如坐镜中游'之句。然李太白《入青溪山》亦云：'人行明镜中，鸟度屏风里。'虽有所袭，然语益工也。"（《苕溪渔隐丛话》）

最后，诗人又创造了一个情调凄凉的清寂境界。诗人离开混浊的帝京，来到这水清如镜的清溪畔，固然感到"清心"，可是这对于我们这位胸怀济世之才的诗人，终不免有一种心灵上的孤寂。所以入晚时猩猩的一声声啼叫，在诗人听来，仿佛是在为自己远游他乡而悲切，流露出诗人内心一种落寞悒郁的情绪。

（郑国铨）

临路歌

原文

大鹏飞兮振八裔，中天摧兮力不济。

余风激兮万世，游扶桑兮挂石[1]袂。

后人得之传此，仲尼亡兮谁为出涕？

〔注〕

① 石：清王琦辑注《李太白文集》云：当作“左”。

鉴赏

这首诗题中的“路”字，可能有误。根据诗的内容，联系唐代李华在《故翰林学士李君墓铭序》中说：“年六十有二不偶，赋临终歌而卒。”则“临路歌”的“路”字当与“终”字因形近而致误，“临路歌”即“临终歌”。

“大鹏飞兮振八裔，中天摧兮力不济。”打开《李太白全集》，开卷第一篇就是《大鹏赋》。这篇赋的初稿，写于青年时代。可能受了庄子《逍遥游》中所描绘的大鹏形象的启发，李白在赋中以大鹏自比，抒发他要使“斗转而天动，山摇而海倾”的远大抱负。后来李白在长安，政治上虽遭到挫折，被唐玄宗“赐金还山”，但并没有因此志气消沉，大鹏的形象，仍然一直激励着他努力奋飞。他在《上李邕》诗中说：“大鹏一日同风起，扶摇直上九万里。假令风歇时下来，犹能簸却沧溟水。”也是以大鹏自比的。大鹏在李白的眼里是一个带着浪漫色彩的、非凡的英雄形象。李白常把它看作自己精神的化身。他有时甚至觉得自己就真像一只大鹏正在奋飞，或正准备奋飞。但现在，他觉得自己这样一只大鹏已经飞到不能再飞的时候了，他便要为大鹏唱一支悲壮的《临路歌》。

歌的头两句是说：大鹏展翅远举啊，振动了四面八方；飞到半空啊，翅膀摧折，无力翱翔。两句诗概括了李白的生平。“大鹏飞兮振八裔”，可能隐含有李白受诏入京一类事情在里面。“中天摧兮”则指他在长安受到挫折，等于飞到半空伤了翅膀。结合诗人的实际遭遇去理解，这两句就显得既有形象和气魄，又不空泛。它给人的感觉，有点像秦末项羽《垓下歌》开头的“力拔山兮气盖世，时不利兮骓不逝”。那无限苍凉而又感慨激昂的意味，着实震撼人心。

“余风激兮万世，游扶桑兮挂石袂。”“激”是激荡、激励，意谓大鹏虽然中天摧折，但其遗风仍然可以激荡千秋万世。这实质是指理想虽然幻灭了，但自信他的品格和精神，仍然会给世世代代的人们以巨大的影响。扶桑，是神话传说中的大树，生在太阳升起的地方。古代把太阳作为君主的象征，这里“游扶桑”即指到了皇帝身边。“挂石袂”的“石”当是“左”字之误。汉严忌《哀时命》中有“左袪（袖）挂于扶桑”的话，李白此句在造语上可能受严忌的启发。不过，普通的人不可能游到扶桑，也不可能让衣袖给树高千丈的扶桑挂住。而大鹏又只应是左翅，而不是“左袂”。挂住的究竟是谁呢？在李白的意识中，大鹏和自己有时原是不分的，正因为如此，才有这样的奇句。

“后人得之传此，仲尼亡兮谁为出涕?”前一句说后人得到大鹏半空夭折的消息，以此相传。后一句用孔子泣麟的典故。传说麒麟是一种象征祥瑞的异兽。哀公十四年，鲁国猎获一只麒麟，孔子认为麒麟出非其时而被猎获，非常难受。但如今孔子已经死了，谁肯像他当年痛哭麒麟那样为大鹏的夭折而流泪呢？这两句一方面深信后人对此将无限惋惜，一方面慨叹当今之世没有知音，含意和杜甫总结李白一生时说的“千秋万岁名，寂寞身后事”(《梦李白》)非常相近。

《临路歌》发之于声是李白的长歌当哭；形之于文，可以看作李白自撰的墓志铭。李白一生，既有远大的理想，而又非常执著于理想，为实现自己的理想追求了一生。这首《临路歌》让我们看到，他在对自己一生回顾与总结的时候，流露的是对人生无比眷念和未能才尽其用的深沉惋惜。读完此诗，掩卷而思，恍惚间会觉得诗人好像真化成了一只大鹏在九天奋飞，那渺小的树杈，终究是挂不住它的，它将在永恒的天幕上翱翔，为后人所瞻仰。

（余恕诚）

赠孟浩然

原文

吾爱孟夫子，风流天下闻。
红颜弃轩冕，白首卧松云。
醉月频中圣，迷花不事君。
高山安可仰，徒此揖清芬。

鉴赏

本诗大致写在李白寓居湖北安陆时期(727—736)，此时他常往来于襄汉一带，与比他长十二岁的孟浩然结下了深厚友谊。诗的风格自然飘逸，描绘了孟浩然风流儒雅的形象，同时也抒发了李白与他思想感情上的共鸣。

李白的律诗，不屑为格律所拘束，而是追求古体的自然流走之势，直抒胸臆，透出一股飘逸之气。前人称："太白于律，犹为古诗之遗，情深而词显，又出乎自然，要其旨趣所归，开郁宣滞，特于风骚为近焉。"(《李诗纬》)本诗就有这样的特色。

首先看其章法结构。首联即点题，开门见山，抒发了对孟浩然的钦敬爱慕之情。一个"爱"字是贯串全诗的抒情线索。"风流"指浩然潇洒清远的风度人品和超然不凡的文学才华。这一联提纲挈领，总摄全诗。到底如何风流，就要看中间二联的笔墨了。

中二联好似一幅高人隐逸图，勾勒出一个高卧林泉、风流自赏的诗人形象。"红颜"对"白首"，概括了从少壮到晚岁的生涯。一边是达官贵人的车马冠服，一边是高人隐士的松风白云，浩然宁弃仕途而取隐遁。通过这一弃一取的对比，突出了他的高风亮节。"白首"句着一"卧"字，活画出人物风神散朗、寄情山水的高致。如果说颔联是从纵的方面写浩然的生平，那么颈联则是在横的方面写他的隐居生活。在皓月当空的清宵，他把酒临风，往往至于沉醉，有时则于繁花丛中，流连忘返。颔联采取由反而正的写法，即由弃而取；颈联则自正及反，由隐居写到不事君：纵横正反，笔姿灵活。

中二联是在形象描写中蕴含敬爱之情，尾联则又回到了直接抒情，感情进一步升华。浩然不慕荣利、自甘淡泊的品格已写得如此充分，在此基础上将抒情加深加浓，推向高潮，就十分自然，如水到渠成。仰望高山的形象使敬慕之情具体化了，但这座山太巍峨了，因而有"安可仰"之叹，只能在此向他纯洁芳馨的品格拜揖。这样写比一般地写仰望又翻进了一层，是更高意义上的崇仰，诗就在这样的赞语中结束。

其次诗在语言上也有自然古朴的特色。首联看似平常，但格调高古，萧散简远。它以一种舒展的唱叹语调来表达诗人的敬慕之情，自有一种风神飘逸之致，疏朗古朴之风。尾联也具有同样风调。中二联不斤斤于对偶声律，对偶自然流走，全无板滞之病。如由"红颜"写至"白首"，像流水淌泻，其中运用"互体"，耐人寻味："弃轩冕""卧松云"是一个事情的两个方面。这样写，在自然流走之中又增加了摇曳错落之美。诗中用典，融化自然，不见斧凿痕迹。如"中圣"用曹魏时徐邈的故事，他喜欢喝酒，将清酒叫作圣人，浊酒叫作贤人，"中圣"就是喝醉酒之意，与"事君"构成巧妙的对偶。"高山"一句用了《诗经・小雅・车舝》中"高山仰止，景行行止"的典故，后来司马迁又在《孔子世家》中用来赞美孔子。这里既是用典，又是形象描写，即使不知其出处，也仍能欣赏其形象与诗情之美。而整个诗的结构采用抒情——描写——抒情的方式。开头提出"吾爱"之意，自然地过渡到描写，揭出"可爱"之处，最后归结到"敬爱"。依感情的自然流淌结撰成篇，所以像行云流水般舒卷自如，表现出诗人率真自然的感情。

（黄宝华）

江夏赠韦南陵冰

原文

胡骄马惊沙尘起，胡雏饮马天津水。
君为张掖近酒泉，我窜三巴九千里。
天地再新法令宽，夜郎迁客带霜寒。
西忆故人不可见，东风吹梦到长安。
宁期此地忽相遇，惊喜茫如堕烟雾。
玉箫金管喧四筵，苦心不得申长句。
昨日绣衣倾绿樽，病如桃李竟何言。
昔骑天子大宛马，今乘款段诸侯门。
赖遇南平豁方寸，复兼夫子持清论。
有似山开万里云，四望青天解人闷。
人闷还心闷，苦辛长苦辛。
愁来饮酒二千石，寒灰重暖生阳春。
山公醉后能骑马，别是风流贤主人。
头陀云月多僧气，山水何曾称人意。
不然鸣笳按鼓戏沧流，呼取江南女儿歌棹讴。
我且为君捶碎黄鹤楼，君亦为吾倒却鹦鹉洲。
赤壁争雄如梦里，且须歌舞宽离忧。

鉴赏

唐肃宗乾元二年(759),李白在长流夜郎(治所在今贵州正安西北)途中遇赦放还,在江夏(治所在今湖北武汉市武昌)逗留的日子里,遇见了长安故人、当时任南陵(今属安徽)县令的韦冰。在唐肃宗和永王李璘的夺权内讧中,李白成了牺牲品,蒙受奇冤大屈。如今刚遇大赦,又骤逢故人,使他惊喜异常,满腔悲愤,不禁迸发,便写成了这首沉痛激烈的政治抒情诗。

诗一开始,便是一段倒叙。这是骤遇后对已往的追忆。安史乱起,你远赴张掖,我避地三巴,地北天南,无缘相见。而当叛乱初平,肃宗返京,我却锒铛入狱,披霜带露,长流夜郎,自觉将凄凉了却残生。想起长安旧交,此时必当随驾返朝,东风得意,而自己大约只能在梦中会见他们了。谁料想,我有幸遇赦,竟然又遇见无望相会的长安故人。这实在令人喜出望外,惊讶不已,简直不可思议,茫然如堕烟雾。李白是遇赦的罪人,韦冰显系被贬的官员,在那相逢的宴会上,人众嘈杂,彼此的遭遇怎能说得了、道得清啊！从开头到"苦心"句为一段,在概括追叙骤遇的惊喜之中,诗人寄托着自己和韦冰两人的不幸遭遇和不平情绪;在抒写迷惑不解的思绪之中,蕴含着对肃宗和朝廷的皮里阳秋的讥刺。这恍如梦魂相见的惊喜描述,其实是大梦初醒的痛心自白。爱国的壮志,济世的雄图,竟成为天真的迷梦,真实的悲剧。

诗人由衷感激故人的解慰。昨天的宴会上,衣绣的贵达为自己斟酒,礼遇殊重。但是,他们只是爱慕我的才名,并不真正理解我,而我"病如桃李",更有什么可讲的呢?当然,"桃李不言,下自成蹊",世人终会理解我的,我的今昔荣辱,就得到故人的了解。前些时听到了南平太守李之遥一番坦率的真心话,使人豁开胸襟;今日在这里又得闻你的清正的言论,真好像深山拨开云雾,使人看到晴朗的天空，驱散了心头的苦闷。从“昨日”句到“四望”句这一段，诗人口气虽然比较平缓，然而却使人强烈感受到他内心无从排遣的郁结，有似大雷雨来临之前的沉闷。

最后一段，笔势奔放恣肆，强烈的悲愤，直泻而出，仿佛心头压抑的山洪，暴发了出来，猛烈冲击这现实的一切。人闷，心闷，苦痛，辛酸，接连不断，永远如此。我只有借酒浇愁，痛饮它二千石。汉代韩安国身陷囹圄，自信死灰可以复燃，我为什么不能呢？晋朝山简镇守襄阳时，常喝得酩酊大醉，“复能乘骏马，倒著白接䍦”（《世说新语·任诞》），别是一番贤主人的风流倜傥之举。而李白喝的是苦闷之酒，孤独一人，自然没有那份闲适之情了，所以酒醉也不能遣闷。还是去遨游山水吧，但又觉得山山水水都像江夏附近著名古刹头陀寺一样，充斥那苦行的僧人气，毫无乐趣，不称人意。那么，哪里是出路，何处可解闷呢？倒不如乘船飘游，招唤乐妓，鸣笳按鼓，歌舞取乐。把那曾经向往、追求的一切都铲除掉，不留痕迹；把那纷争逞雄的政治现实看作一场梦幻，不足介怀；就让歌舞来宽解离愁吧！诗人排斥了自己以往自适的爱好，并非自暴自弃，而是极度苦闷的暴发，激烈悲愤的反抗。这最后十四句，情调愈转越激烈。矛头针对黑暗的政治，冷酷的现实。

“我且为君捶碎黄鹤楼，君亦为吾倒却鹦鹉洲”，是本篇感情最激烈的诗句，也是历来传诵的名句。“黄鹤楼”因神仙骑鹤上天而闻名，“鹦鹉洲”因东汉末年作过《鹦鹉赋》的祢衡被黄祖杀于此洲而得名。一个令人向往神仙，一个触发不遇的感慨，虽然是传说和历史，却寄托了韦冰和李白的情怀遭际。游仙不是志士的理想，而是失志的归宿；不遇本非明时的现象，却是自古而然的常情。李白以知己的情怀，对彼此的遭际表示极大的激愤，因而要

"捶碎黄鹤楼""倒却鹦鹉洲",不再怀有梦想,不再自寻苦闷。然而黄鹤楼捶不碎,鹦鹉洲倒不了,诗人极大的愤怒中包含着无可奈何的悲伤。

这诗抒写的是真情实感,然而构思浪漫奇特。诗人抓住在江夏意外遇见韦冰的机缘,敏锐觉察这一意外相遇的喜剧中隐含着悲剧内容,浪漫地夸张地把它构思和表现为如梦觉醒。它从遇赦骤逢的惊喜如梦,写到在冷酷境遇中觉醒,而以觉醒后的悲愤作结;从而使诗人及韦冰的遭遇具有典型意义,真实地反映出造成悲剧的时代特点。诗人是怨屈悲愤的,又是痛心绝望的,他不堪回首而又悲慨激昂,因而感情起伏转换,热烈充沛,使人清楚地看到他那至老未衰的"不干人、不屈己"的性格,"大济苍生""四海清一"的抱负。这是诗人暮年作品,较之前期作品,思想更成熟,艺术更老练,而风格依旧,傲岸不羁,风流倜傥,个性突出,笔调豪放,有着强烈的感情色彩。

(倪其心)

赠钱征君少阳

原文

白玉一杯酒，绿杨三月时。
春风余几日，两鬓各成丝。
秉烛惟须饮，投竿也未迟。
如逢渭水猎，犹可帝王师。

鉴赏

此诗大致是作者晚年的作品。征君，指曾被朝廷征聘而不肯受职的隐士。钱少阳其时年已八十余，李白在另一首诗《赠潘侍御论钱少阳》中说他是“眉如松雪齐四皓”，对他很推重。这首赠诗，赞扬钱少阳年老而仍怀出仕建功的抱负，同时也反映了诗人晚年壮心不已的气概。

“白玉一杯酒，绿杨三月时。”诗一上来就写“酒”，然后再交待时间，起势突兀。两句诗，画出主人公在风光明媚、景色秀丽的暮春季节独自饮酒的图景，设置了一个恬淡闲静的隐居氛围，紧扣住钱的征君身份。“三月”，暮春，点明季节，为颔联写感慨作伏笔。

“春风余几日，两鬓各成

丝。”此联上承第二句。前句词意双关，既说春光将尽，余日无多，又暗示钱已风烛残年。这样，后面的嗟老感慨就一点不使人感到意外。第四句的“各成丝”，和杜甫《赠卫八处士》“少壮能几时，鬓发各已苍”的“各已苍”词意相似，是说钱和自己的鬓发都已斑白。一个“各”字，不动声色地把两者联系起来。自此而下，诗意既是写人之志，又是述己之怀，浑然而不可分了。三、四两句抒发了由暮春和暮年触发的无限感慨，而感慨之余又怎么办呢？于是引出下面五、六两句：“秉烛惟须饮，投竿也未迟。”第五句近承颔联，远接首句，诗意由古诗“昼短苦夜长，何不秉烛游”演化而来，带有更多的无可奈何、不得已饮酒避世的味道。这是欲扬先抑的写法，为后面写钱的抱负作铺垫。第六句和第五句相对，句意也相似，都是写典型的隐居生活，渲染及时寻求闲适之乐。更重要的是后句写水边钓鱼，牵引出诗末有关吕尚的典故，为诗歌最后出现高潮蓄势。这说明作者写诗是很重视呼应转折之法的。

尾联“如逢渭水猎，犹可帝王师”。如果钱少阳也像吕尚一样，在垂钓的水边碰到思贤若渴的明君，也还能成为帝王之师，辅助国政，建立功勋。此处的“如”字和“犹”字很重要，说明收竿而起，从政立功还不是事实，而是一种设想愿望，是虚写，不是实指。惟其虚写，才合钱的征君身份，又表现出颂钱的诗旨。而在这背后，则隐藏着诗人暮年的雄心壮志。全诗款款写来，以暮春暮年蓄势，至此题旨全出，收得雄奇跌宕，令人回味不尽。

这首五律，不拘格律，颔联不对，首联却对仗。李白是不愿让自己豪放不羁的情思为严密的格律所束缚。正如清代赵翼所说：“盖才气豪迈，全以神运，自不屑束缚于格律对偶，与雕绘者争长。然有对仗处仍自工丽，且工丽中别有一种英爽之气，溢出行墨之外。”（《瓯北诗话》）此诗任情而写，自然流畅，毫无滞涩之感；同时又含蓄蕴藉，余意深长，没有浅露平直的弊病，可以说在思致绵邈、音情顿挫之中透出豪放雄奇的气势，兼有古诗和律诗两方面的长处，是一首别具风格的好诗。

（吴小林）

赠汪伦

原文

李白乘舟将欲行，
忽闻岸上踏歌声。
桃花潭水深千尺，
不及汪伦送我情！

鉴赏

天宝十四载(755)，李白从秋浦(今安徽贵池)前往泾县(今属安徽)游桃花潭，当地人汪伦常酿美酒款待他。临走时，汪伦又来送行，李白作了这首诗留别。

诗的前半是叙事：先写要离去者，继写送行者，展示一幅离别的画面。起句"乘舟"表明是循水道；"将欲行"表明是在轻舟待发之时。这句使我们仿佛见到李白在正要离岸的小船上向人们告别的情景。

送行者是谁呢？次句却不像首句那样直叙，而用了曲笔，只说听见歌声。一群村人踏地为节拍，边走边唱前来送行了。这似出乎李白的意料，所以说"忽闻"而不用"遥闻"。这句诗虽说得比较含蓄，只闻其声，不见其人,但人已呼之欲出。

诗的后半是抒情。第三句遥接起句,进一步说明放船地点在桃花潭。“深千尺”既描绘了潭的特点,又为结句预伏一笔。

桃花潭水是那样的深湛,更触动了离人的情怀,难忘汪伦的深情厚意,水深情深自然地联系起来。结句迸出“不及汪伦送我情”,以比物手法形象性地表达了真挚纯洁的深情。潭水已“深千尺”,那么汪伦送李白的情谊更有多少深呢?耐人寻味。清沈德潜很欣赏这一句,他说:“若说汪伦之情比于潭水千尺,便是凡语。妙境只在一转换间。”(《唐诗别裁集》)显然,妙就妙在“不及”二字,好就好在不用比喻而采用比物手法,变无形的情谊为生动的形象,空灵而有余味,自然而又情真。

这首小诗,深为后人赞赏,“桃花潭水”就成为后人抒写别情的常用语。由于这首诗,使桃花潭一带留下许多优美的传说和供旅游访问的遗迹,如东岸题有“踏歌古岸”门额的踏歌岸阁,西岸彩虹罔石壁下的钓隐台等等。

(宛敏灏　宛新彬)

沙丘城下寄杜甫

原文

我来竟何事？高卧沙丘城。
城边有古树，日夕连秋声。
鲁酒不可醉，齐歌空复情。
思君若汶水，浩荡寄南征。

鉴赏

李白与杜甫的交谊是中国文学史上珍贵的一页。现存的李白诗歌中，公认的直接为杜甫而写的只有两首，一是《鲁郡东石门送杜二甫》，另一首就是这首诗。

沙丘城，位于山东汶水之畔，是李白在鲁中的寄寓之地。这首诗可能是天宝四载(745)秋，李白在鲁郡送别杜甫、南游江东之前，回到沙丘寓所写。从天宝三载春夏之交，到天宝四载秋，两人虽然也有过短暂的分别，但相处的日子还是不少的。现在，诗人送别了杜甫，从那种充满着友情与欢乐的生活中，独自一人回到沙丘，自然倍感孤寂，倍觉友谊的可贵。此诗就是抒发了这种情境之下的无法排遣的"思君"之情。不过，值得注意的是，诗人一开始用很多的笔墨写“我”——“我”的生活，“我”的周围环境，以及“我”的心情。诗的前六句没有一个“思”字，也没有一个“君”字，读来大有山回路转、莫知所至的感觉。直到诗的结尾才豁然开朗，说出“思君”二字。当我们明白了这个主旨之后，再回过头去细味前六句，便又觉得无一句不是写“思君”之情，而且是一联强似一联，以至最后不能不直抒其情。可以说前六句之烟云，都成了后二句之烘托。这样的构思，既能从各个角度，用各种感受，为诗的主旨蓄势，同时也赋予那些日常生活的情事以浓郁的诗味。

诗劈头就说：“我来竟何事？”这是诗人自问，其中颇有几分难言的恼恨和自责的意味。这自然会引起读者的关注，并造成悬念。“高卧沙丘城”，高卧，实际上就是指自己闲居乏味的生活。这句话一方面描写了眼下的生活，一方面也回应了提出上述问题的原因。诗人不来沙丘“高卧”又会怎样呢？联系诗题（“寄杜甫”），联系来沙丘之前和杜甫相处的那些日子，答案就不言而喻了。这凌空而来的开头，正是把诗人那种友爱欢快的生活消失之后的复杂、苦闷的感情，以一种突发的方式迸发出来了。

一、二句偏于主观情绪的抒发，三、四句则转向客观景物的描绘。“城边有古树，日夕连秋声”。眼前的沙丘城对于诗人来说，像是别无所见，别无所闻，只有城边的老树，在秋风中日夜发出瑟瑟之声。“夜深风竹敲秋韵，万叶千声皆是恨”（宋欧阳修《木兰花》）。这萧瑟的秋风，凄寂的气氛，更令人思念友人，追忆往事，更叫人愁思难解。怎么办呢？“别离有相思，瑶瑟与金樽”（《别韦少府》）。然而，此时此地，此情此景，非比寻常，酒也不能消愁，歌也无法忘忧。鲁、齐，是指当时诗人所在的山东。“不可醉”，即没有那个兴趣去痛饮酣醉。“空复情”，因为自己无意欣赏，歌声也只能徒有其情。这么翻写一笔，就大大地加重了抒情的分量，同时也就逼出下文。

汶水，发源于山东莱芜，西南流向。杜甫在鲁郡告别李白欲去长安，长安也正位于鲁地的西南。所以诗人说：我的思君之情犹如这一川浩荡的汶水，日夜不息地紧随着你悠悠南行。诗人寄情于流水，照应诗题，点明了主旨，那流水不息、相思不绝的意境，更造成了语尽情长的韵味。这种绵绵不绝的思情，和那种“天边看绿水，海上见青山。兴罢各分袂，何须醉别颜”（《广陵赠别》）的开阔洒脱的胸襟，显示了诗人感情和格调的丰富多彩。

在中国古代诗歌的发展中，古体先于律体。但是，我们也会看到当律体盛行的时候，对于古诗的写作也不无影响。例如李白的这首五古，全诗八句，中间四句虽非工整的对仗，但其中部分词语的对仗以及整个的格式，却可以见到律诗的痕迹。这种散中有对、古中有律的章法和句式，更好地抒发了诗人纯真而深沉的感情，也使得全诗具有一种自然而凝重的风格。

（赵其钧）

闻王昌龄左迁龙标，遥有此寄

原文

杨花落尽子规啼，闻道龙标过五溪①。
我寄愁心与明月，随风直到夜郎西。

〔注〕

① 五溪：雄溪、樠溪、酉溪、沅溪、辰溪之总称，均在今湖南省西部。

鉴赏

《新唐书·文艺传》载王昌龄左迁（古人尚右，故称贬官为左迁）龙标（今湖南洪江）尉，是因为“不护细行”，也就是说，他的得罪贬官，并不是由于什么重大问题，而只是由于生活小节不够检点。在《芙蓉楼送辛渐》中，王昌龄也对他的好友说：“洛阳亲友如相问，一片冰心在玉壶。”即沿用南朝宋鲍照《白头吟》中“清如玉壶冰”的比喻，来表明自己的纯洁无辜。李白在听到他不幸的遭遇以后，写了这一首充满同情和关切的诗篇，从远道寄给他，是完全可以理解的。

首句写景兼点时令，而于景物独取漂泊无定的杨花，啼叫着“不如归去”的子规，即含有飘零之感、离别之恨在内，切合当时情事，也就融情入景。因此句已于景中见情，所以次句便直叙其事。

“闻道”，表示惊惜。“过五溪”，见迁谪之荒远，道路之艰难。不着悲痛之语，而悲痛之意自见。

后两句抒情。人隔两地，难以相从，而月照中天，千里可共，所以要将自己的愁心寄与明月，随风飘到龙标。这里的夜郎，并不是指位于今贵州省桐梓县的古夜郎国，而是指位于今湖南省沅陵县的夜郎县。沅陵正在黔阳的南方而略偏西。有人由于将夜郎的位置弄错了，所以定此诗为李白流夜郎时所作，那是不对的。

这两句诗所表现的意境，已见于前此的一些名作中。如南朝宋谢庄《月赋》：“美人迈兮音尘缺，隔千里兮共明月。临风叹兮将焉歇，川路长兮不可越。”三国魏曹植《杂诗》：“愿为南流景，驰光见我君。”张若虚《春江花月夜》：“此时相望不相闻，愿逐月华流照君。”都与之相近。而细加分析，则两句之中，又有三层意思：一是说自己心中充满了愁思，无可告诉，无人理解，只有将这种愁心托之于明月；二是说惟有明月分照两地，自己和朋友都能看见她；三是说，因此，也只有依靠她才能将愁心寄与，别无他法。

通过诗人丰富的想象，本来无知无情的明月，竟变成了一个了解自己，富于同情的知心人，她能够而且愿意接受自己的要求，将自己对朋友的怀念和同情带到辽远的夜郎之西，交给那不幸的迁谪者。她，是多么地多情啊！

这种将自己的感情赋予客观事物，使之同样具有感情，也就是使之人格化，乃是形象思维所形成的巨大的特点之一和优点之一。当诗人们需要表现强烈或深厚的情感时，常常用这样一种手段来获得预期的效果。

（沈祖棻）

忆旧游寄谯郡元参军

原文

忆昔洛阳董糟丘，为余天津桥南造酒楼。

黄金白璧买歌笑，一醉累月轻王侯。

海内贤豪青云客，就中与君心莫逆。

回山转海不作难，倾情倒意无所惜。

我向淮南攀桂枝，君留洛北愁梦思。

不忍别，还相随。

相随迢迢访仙城，三十六曲水回萦。

一溪初入千花明，万壑度尽松风声。

银鞍金络到平地，汉东太守来相迎。

紫阳之真人，邀我吹玉笙。

餐霞楼上动仙乐，嘈然宛似鸾凤鸣。

袖长管催欲轻举，汉东太守醉起舞。

手持锦袍覆我身，我醉横眠枕其股。

当筵意气凌九霄，星离雨散不终朝，分飞楚关山水遥。

余既还山寻故巢，君亦归家渡渭桥。

君家严君勇貔虎，作尹并州遏戎虏。
五月相呼渡太行，摧轮不道羊肠苦。
行来北京岁月深，感君贵义轻黄金。
琼杯绮食青玉案，使我醉饱无归心。
时时出向城西曲，晋祠流水如碧玉。
浮舟弄水箫鼓鸣，微波龙鳞莎草绿。
兴来携妓恣经过，其若杨花似雪何！
红妆欲醉宜斜日，百尺清潭写翠娥。
翠娥婵娟初月辉，美人更唱舞罗衣。
清风吹歌入空去，歌曲自绕行云飞。
此时行乐难再遇，西游因献《长杨赋》。
北阙青云不可期，东山白首还归去。
渭桥南头一遇君，酂台之北又离群。
问余别恨今多少，落花春暮争纷纷。
言亦不可尽，情亦不可及。
呼儿长跪缄此辞，寄君千里遥相忆。

鉴赏

这首“忆旧游”的诗是作者写寄给好友元演的，演时为亳州（即谯郡，州治在今安徽亳州市）参军。诗曾收入唐殷璠《河岳英灵集》，其中又提到长安失意之事，故当作于天宝三载至十二载间（744—753）。诗中历叙与元演四番聚散的经过，于入京前游踪最为详明，是了解作者生平及思想的重要作品。乍看来，此诗不过写作者青年时代裘马轻狂的生活，至涉及纵酒挟妓、与道士交游等内容，似乎并无多少积极的思想意义。其实不然。须知它是写于作者“曳裾王门不称情”，政治遭遇失意，对于社会现实与世态人情均有深入的体验之后。因此，“忆旧游”便不仅有怀旧而且有非今的意味。诗人笔下那恣意行乐的生活，是作为“使我不得开心颜”的污浊官场生活的对立面来写的；其笔下那脱略形迹的人物，又是作为上层社会虚伪与势利的对立面来写的，自有言外之意在。

诗篇的组织，以与元演的离合为经纬，共分四段。前三段依次给读者展现出许多美好的情事。

第一段从“忆昔洛阳董糟丘”到“君留洛北愁梦思”，追忆诗人在洛阳时的放诞生活及与元演的第一番聚散。这里最引人注目的是诗人鲜明的自我形象。从洛阳一酒家（“董糟丘”）说起，这个引子就是李白个性特征的表现。“为余天津桥（在洛阳西南之洛水上）南造酒楼”，是一个何等主观的夸张！在自称“酒中仙”的诗人面前，简直就没有一个配称能饮酒的人。少年李白生活豪纵，充满进取精神，饮酒是追求一种精神上的解放：“黄金白璧买歌笑，一醉累月轻王侯。”“一醉”而至于“累月”，又是一个令人惊讶、令人叫绝的夸张，在这样的人面前真正是“万户侯何足道哉”！至于他的交游，尽是“海内贤豪青云客”，而其中最称“莫逆”之交的又是谁呢？以下自然带出元参军。随即只用简短两句形容其交谊：彼此“倾情倒意”到可以为对方牺牲一切（“无所惜”）的地步，以至“回山转海”也算不得什么（“不为难”）了。既叙得峻洁，又深蕴真情笃意。刚开这样一个头，以下就说分手了，那时李白旋赴淮南（“攀桂枝”指隐居访道事，语出汉淮南小山《招隐士》），而元“留洛北”。不过这开头已给读者留下深刻的印象。

一、二段之间有两个过渡句。“不忍别”承上“君留洛北愁梦思”，写二人分手的依依不舍；“还相随”又引起下文第二番相会。有此二句上下衔接极为自然。

第二段从“相随迢迢访仙城”到“君亦归家渡渭桥”，追忆偕元演同游汉东郡即随州（州治在今湖北随州市），与汉东太守及道士胡紫阳游乐情事。先写二人访仙城山，泛舟赏景，后换马陆行来到汉东。“相随”六句写风光，写行程，简洁入妙，路“迢迢”“水回萦”“初入”“度尽”，使人应接不暇。然后，与远道出迎的汉东太守见面了。汉东太守的形象在此段中最生动可爱，他没有半点专城而居的官架子。他与紫阳真人固然是老朋友，对李白也是倾盖如故。这几位忘形之交在随州苦竹院——“餐霞楼”饮酒作乐，道士与诗人一同伴奏，汉东太守则起舞弄影。没有尊卑，毫无拘束，本来就洒脱的诗人举措更随便了，不但喝得烂醉，甚而忘形到“我醉横眠枕其股”了。然而太守对此则不以为忤，还脱下锦袍给他盖上。这一幕“解衣衣我”的场面写来感人肺腑。此段环境氛围描写亦妙，与道院相称。“餐霞”的楼名，如“凤鸣”的仙乐，都造成一种飘飘然非人世间的感觉。欢会如此高兴（“当筵意气凌九霄”），而分手又显得多么容易啊（“星离雨散不终朝”）。诗人与元演又作劳燕分飞，“余既还山寻故巢，君亦归家渡渭桥”，真是天下没有不散的筵席。

至此，诗情出现一个跳跃，直接进入第三段（从“君家严君勇貔虎”到“歌曲自绕行云飞”），追忆诗人在并州受元演及其父亲热情款待的情况。从“五月相呼”句看，诗人是应元演的盛意邀请，离开安陆，同经太行山到太原府（并州）去的。三国曹操诗云：“北上太行山，艰哉何巍巍！羊肠坂诘屈，车轮为之摧。”（《苦寒行》）然而诗人兴致很高，时令也很好，所以“摧轮不道羊肠苦”。这一段写人，以元参军为主。先从其“严君”（父亲）写起，不仅引进一个陪衬人物，同时也在于显示元演将家子的身份。李白在元演那里真是惬意极了：“行来北京（太原）岁月深，感君贵义轻黄金。琼杯绮食青玉案，使我醉饱无归心。”他们还时常游览城西的名胜古迹晋祠。晋水从这儿发源，风光极美。浮舟弄水，击鼓吹箫，真是快乐。以下六句专写欣赏女伎的歌舞，“其若杨花似雪何”一句大有“行乐须及春”之慨。玩乐直到傍晚，他们还不想归去。“斜日”的红光与歌女们的红妆醉颜相乱，特别迷人；美人的倩影倒映清清的潭水中，风光绮丽。这时新月初上，美人的面容像月色般皎洁，她们轮番歌唱、起舞，歌声悠扬，随风远去，追逐行云……这里，“黄金白璧买歌笑”已化为生动鲜明的图景，可谓尽态极妍了。

第四段从“此时行乐难再遇”到篇末。“此时”一句收束前文，然后写到长安失意时与元又一度相逢。与前三段都不同，这里没有情事的追忆，只用“渭桥南头一遇君，酂台（在谯郡）之北又离群”一笔带过，是说关中一面，元即赴谯郡，似乎是握手已违。大约那时诗人身不自由，心亦不自在吧！关于诗人在长安的境遇，也只有含蓄的两句话：“北阙青云不可期，东山白首还归去。”然而它包含多少人事感慨啊。一向旷达的诗人，竟也发出了“问余别恨今多少"的感喟，而暮春落花景象更增添了这种别恨。这种心境是"言亦不可尽，情亦不可及"，诗人只有通过怀旧("遥相忆")的方式来排遣了。当其"呼儿长跪缄此辞"拟以寄远时，心头该是怎样一种滋味！

此诗提到"北阙青云不可期"，显然是含着牢骚的。但它在写法上与《行路难》《答王十二寒夜独酌有怀》《赠从弟南平太守之遥》等等直抒旨意、嬉笑怒骂的长篇不同。它对现实的愤懑几乎没有正面的叙写，而对往日旧梦重温却写得恣肆快畅、笔酣墨饱。通过对故人往事的理想化、浪漫化，突出了现实的缺恨。因此它既有李白歌行通常所有的纵横奔放的优点，又兼有深沉含蓄的特点。这是此诗艺术上的优长之一。

关于此诗的结构，清人所编《唐宋诗醇》说得好："此篇最有纪律可循。历数旧游，纯用叙事之法。以离合为经纬，以转折为节奏。结构极严而神气自畅。至于奇情胜致，使览者应接不暇，又其才之独擅者耳。"这是说，此诗与李白七古通常那种"纵逸"的、无法而法的作风不同，而是按实有的经历如实写出，娓娓道来，层次分明，结构严谨，写法却又极富变化，颇多淋漓兴会之笔。通篇以七言句为主，间出三、五、九字句，且偶尔出现奇数句(如"当筵意气"以下三句成一意群)，于整饬中见参差，终能"神气自畅"。这是此诗艺术上另一个优长。

(周啸天)

寄东鲁[①]二稚子

原文

吴地桑叶绿，吴蚕已三眠[②]。
我家寄东鲁，谁种龟阴[③]田？
春事已不及，江行复茫然。
南风吹归心，飞堕酒楼前。
楼东一株桃，枝叶拂青烟。
此树我所种，别来向三年。
桃今与楼齐，我行尚未旋。
娇女字平阳，折花倚桃边。
折花不见我，泪下如流泉。
小儿名伯禽，与姊亦齐肩。
双行桃树下，抚背复谁怜？
念此失次第，肝肠日忧煎。
裂素[④]写远意，因之汶阳川。

〔注〕

① 东鲁：李白大约在开元二十四年(736)从湖北安陆移家到东鲁衮州任城，即今山东济宁市。
② 三眠：是说春蚕将老。蚕在蜕皮时卧而不食称眠，一般四眠就老熟结茧。
③ 龟阴：即指龟山以北地区，是李白家庭所在。龟山在山东新泰西南。
④ 素：指绢素，古代作书画用的白绢。

鉴赏

天宝三载(744)，李白因在朝中受权贵排挤，怀着抑郁不平之气离开长安，开始了生平第二次漫游时期，历时十一年。这一时期，他以梁园(今河南开封)、东鲁为中心，广泛地游览了大江南北的许多地方。这首诗，就是他在游览金陵(今南京)期间写的，可能是作于天宝七载。

这是一首情深意切的寄怀诗，诗人以生动真切的笔触，抒发了思念儿女的骨肉深情。诗以景发端，在我们面前展示了“吴地桑叶绿，吴蚕已三眠”的江南春色，把自己所在的“吴地”(这里指南京)桑叶一片碧绿，春蚕快要结茧的情景，描绘得清新如画。接着，即景生情，想到东鲁家中春天的农事，感到自己浪迹江湖，茫无定止，那龟山北面的田园由谁来耕种呢？思念及此，不禁心忧如煎，焦虑万分。诗人对离别了将近三年的远在山东的家庭、田地、酒楼、桃树、儿女，等等一切，无不一往情深，尤其是对自己的儿女更倾注了最深挚的感情。“双行桃树下，抚背复谁怜？”他想象到了自己一双小儿女在桃树下玩耍的情景，他们失去了母亲(李白的第一个妻子许氏此时已经去世），现在有谁来抚摩其背，爱怜他们呢？想到这里，又不由得心烦意乱，肝肠忧煎。怎么办呢？那就取出一块洁白的绢素，写上自己无尽的怀念，寄给远在汶阳川（今山东泰安西南一带）的家人吧！诗篇洋溢着一个慈父对儿女所特有的抚爱、思念之情。

这首诗一个最引人注目的艺术特色，就是充满了奇警华赡的想象。

“南风吹归心，飞堕酒楼前”，诗人的心一下子飞到了千里之外的虚幻境界，想象出一连串生动的景象，犹如运用电影镜头，在我们眼前依次展现出一组优美、生动的画面：山东任城的酒楼；酒楼东边一棵枝叶葱茏的桃树；女儿平阳在桃树下折花；折花时忽然想念起父亲，泪如泉涌；小儿子伯禽，和姐姐平阳一起在桃树下玩耍。

诗人把所要表现的事物的形象和神态都想象得细致入微，栩栩如生。“折花倚桃边”，小女娇娆娴雅的神态惟妙惟肖；“泪下如流泉”，女儿思父伤感的情状活现眼前；“与姊亦齐肩”，竟连小儿子的身长也未忽略；“双行桃树下，抚背复谁怜？”一片思念之情，自然流泻。其中最妙的是“折花不见我”一句，诗人不仅想象到儿女的体态、容貌、动作、神情，甚至连女儿的心理活动都一一想到，一一摹写，可见想象之细密，思念之深切。

紧接下来，诗人又从幻境回到了现实。于是，在艺术画面上我们又重新看到诗人自己的形象，看到他“肝肠日忧煎”的模样和“裂素写远意”的动作。诚挚而急切的怀乡土之心、思儿女之情跃然纸上，凄楚动人。

毋庸置疑，诗人情景并茂的奇丽想象，是这首诗神韵飞动、感人至深的重要原因。过去有人说:"想象必须是热的。"(艾迪生《旁观者》)意思大概是说,艺术想象必须含有炽热的感情。我们重温这一连串生动逼真、情韵盎然的想象,就不难体会到其中充溢着怎样炽热的感情了。如果说,"真正的创造就是艺术想象的活动"(黑格尔语),那么,李白这首充满奇妙想象的作品,是无愧于真正的艺术创造的。

(贾文昭)

庐山谣寄卢侍御虚舟

原文

我本楚狂人，凤歌笑孔丘。

手持绿玉杖，朝别黄鹤楼。

五岳寻仙不辞远，一生好入名山游。

庐山秀出南斗旁，屏风九叠云锦张，影落明湖青黛光。

金阙前开二峰长，银河倒挂三石梁。

香炉瀑布遥相望，回崖沓嶂凌苍苍。

翠影红霞映朝日，鸟飞不到吴天长。

登高壮观天地间，大江茫茫去不还。

黄云万里动风色，白波九道流雪山。

好为庐山谣，兴因庐山发。

闲窥石镜清我心，谢公行处苍苔没。

早服还丹无世情，琴心三叠道初成。

遥见仙人彩云里，手把芙蓉朝玉京。

先期汗漫九垓上，愿接卢敖游太清。

鉴赏

李白流放夜郎途中遇赦后，于上元元年(760)从江夏(今湖北武汉)往浔阳(今江西九江)游庐山时作了这首诗。卢虚舟，字幼真，范阳(今北京大兴区)人，肃宗时任殿中侍御史，相传“操持有清廉之誉”(见清王琦注引李华《三贤论》)，曾与李白同游庐山。

“我本楚狂人，凤歌笑孔丘。”起句即用典，开宗明义表达胸襟：我本来就像楚狂接舆，高唱凤歌嘲笑孔丘。孔子曾去楚国，游说楚王。接舆在他车旁唱道：“凤兮凤兮，何德之衰？往者不可谏，来者犹可追！已而！已而！今之从政者殆而！”(《论语·微子》)嘲笑孔子迷于做官。李白以楚狂自比，表示了对政治前途的失望，暗示出要像楚狂那样游诸名山去过隐居生活。“凤歌”一典，用语精警，内容深刻，饱含身世之感。接着诗人写他离开武昌到庐山：“手持绿玉杖，朝别黄鹤楼。五岳寻仙不辞远，一生好入名山游。”诗人以充满神话传说的色彩表述他的行程：拿着仙人所用的嵌有绿玉的手杖，于晨曦中离开黄鹤楼。为什么到庐山来呢？是因为“好入名山游”。后两句诗，既可说是李白一生游踪的形象写照，同时也透露出诗人寻仙访道的隐逸之心。

以上是第一段，可谓序曲。然后转入第二段，诗人以浓墨重彩，正面描绘庐山和长江的雄奇风光。先写山景鸟瞰：“庐山秀出南斗旁，屏风九叠云锦张，影落明湖青黛光。”古人认为天上星宿指配地上州域，庐山一带正是南斗的分野。屏风九叠，指庐山五老峰东北的九叠云屏。三句意谓：庐山秀丽挺拔，高耸入云；树木青翠，山花烂熳，九叠云屏像锦绣云霞般展开；湖光山影，相互映照，烘托得分外明媚绮丽。以上是粗绘，写出庐山的雄奇瑰丽；下面，则是细描："金阙前开二峰长，银河倒挂三石梁。香炉瀑布遥相望，回崖沓嶂凌苍苍。"金阙、三石梁、香炉、瀑布，都是庐山绝景。这四句是从仰视的角度来描写：金阙岩前矗立着两座高峰，三石梁瀑布有如银河倒挂，飞泻而下，和香炉峰瀑布遥遥相对，那里峻崖环绕，峰峦重叠，上凌苍天。接着，笔姿忽又宕起，总摄全景："翠影红霞映朝日，鸟飞不到吴天长。"旭日初升，满天红霞与苍翠山色相辉映；山势峻高，连鸟也飞不到；站在峰顶东望吴天，真是寥廓无际。诗人用笔错综变化，迂回别致，层层写来，把山的瑰玮和秀丽，写得淋漓尽致，引人入胜。

然后，诗人登高远眺，以如椽大笔，彩绘长江雄伟气势："登高壮观天地间，大江茫茫去不还。黄云万里动风色，白波九道流雪山。"九道，古谓长江流至浔阳分为九条支流。雪山，形容白波汹涌，堆叠如山。这几句意谓：登临庐山高峰，放眼纵观，只见长江浩浩荡荡，直泻东海，一去不返；万里黄云飘浮，天色瞬息变幻；茫茫九派，白波汹涌奔流，浪高如雪山。诗人豪情满怀，笔墨酣畅，将长江景色写得境界高远，气象万千。何等雄伟，何等壮美！大自然之美激发了大诗人的无限诗情："好为庐山谣，兴因庐山发。闲窥石镜清我心，谢公行处苍苔没。"石镜，传说在庐山东面有一圆石悬岩，明净能照人形。谢公，南朝宋谢灵运，尝入彭蠡湖口，登庐山，有"攀崖照石镜"诗句（《入彭蠡湖口》）。李白经过永王璘事件的挫折后，重登庐山，不禁感慨万千。这四句意思是：爱作庐山歌谣，诗兴因庐山而激发。从容自得地照照石镜，心情为之清爽；谢灵运走过的地方，如今已为青苔所覆盖。人生无常，盛事难再。李白不禁油然产生寻仙访道思想，希望超脱现实，以求解决内心的矛盾。

“早服还丹无世情，琴心三叠道初成。”还丹，道家所谓服后能“白日升天”的仙丹。琴心三叠，指道家修炼的功夫很深，达到心和神悦的境界。这两句表明诗人想象着自己有一天能早服仙丹，修炼升仙，以摆脱世俗之情，到那虚幻的神仙世界：“遥见仙人彩云里，手把芙蓉朝玉京。”玉京，道教谓元始天尊居处。诗人仿佛远远望见神仙在彩云里，手拿着莲花飞向玉京。诗人多么向往这样自由自在的世界：“先期汗漫九垓上，愿接卢敖游太清。”《淮南子·道应训》载，卢敖游北海，遇见一怪仙，想同他做朋友而同游，怪仙笑道：“吾与汗漫期于九垓之外，吾不可以久驻。”遂入云中。汗漫，意谓不可知，这里比喻神。九垓，九天。太清，最高的天空。李白在这诗里反用其意，以怪仙自比；卢敖借指卢虚舟，邀卢共作神仙之游。两句意谓：我李白已预先和不可知之神在九天之外约会，并愿接待卢敖共游仙境。诗人浮想联翩，仿佛随仙人飘飘然凌空而去。全诗戛然而止，余韵悠然。

此诗思想内容比较复杂，既有对儒家孔子的嘲弄，也有对道家的崇信；一面希望摆脱世情，追求神仙生活，一面又留恋现实，热爱人间风物。诗的感情豪迈开朗，磅礴着一种震撼山岳的气概。想象丰富，境界开阔，给人以雄奇的美感享受。诗的韵律随诗情变化而显得跌宕多姿。开头一段抒怀述志，用尤侯韵，自由舒展，音调平稳徐缓。第二段描写庐山风景，转唐阳韵，音韵较前提高，昂扬而圆润。写长江壮景则又换删山韵，音响慷慨高亢。随后，调子陡然降低，变为入声月没韵，表达归隐求仙的闲情逸致，声音柔弱急促，和前面的高昂调子恰好构成鲜明的对比，极富抑扬顿挫之妙。最后一段表现美丽的神仙世界，转换庚清韵，音调又升高，悠长而舒畅，余音袅袅，令人神往。前人对这首诗的艺术性评价颇高："太白天仙之词，语多率然而成者，故乐府歌词咸善。……《庐山谣》等作，长篇短韵，驱驾气势，殆与南山秋气并高可也。"（见明高棅《唐诗品汇》七言古诗叙目第三卷《正宗》）

（何国治）

秋日鲁郡尧祠亭上宴别杜补阙范侍御

原文

我觉秋兴逸，谁云秋兴悲？
山将落日去，水与晴空宜。
鲁酒白玉壶，送行驻金羁。
歇鞍憩古木，解带挂横枝。
歌鼓川上亭，曲度神飙吹。
云归碧海夕，雁没青天时。
相失各万里，茫然空尔思。

鉴赏

这是一首送别诗。宴送的杜补阙、范侍御均为李白友人。

诗一开头紧扣题中“秋日”，抒发时令感受。自战国楚宋玉在《九辩》中以“悲哉秋之为气也”句开篇，后来的文人墨客都是一片悲秋之声，李白却偏说“我觉秋兴逸”，格调高昂，不同凡响。“我觉”“谁云”都带有强烈的主观抒情色彩，富有李白的艺术个性；两句对照鲜明，反衬出诗人的豪情逸致。一、二句定下基调，别宴的帷幕便徐徐拉开。

三、四两句写别宴的具体时间和场景：傍晚，绵延的群山带走了落日；尧祠亭上下，清澈的水流同万里晴空相映成趣。诗人抓住群山、落日、水流、晴空等景物，赋予自己的想象，用“将”“与”二字把它们连成一体，既使这些自然景色获得了个性和活力，为首句的“秋兴逸”作注脚，又进一步烘托了诗人欢乐的心情。接着，正面描写别宴：席上已摆好玉壶美酒，主宾们已止步下马，有的正在安置马匹休息，有的解下衣带挂在横生的树枝上，大家开怀畅饮，并且歌唱的歌唱，奏曲的奏曲，欢快的乐曲声疾风似地飘荡在尧祠亭的四周，响彻云霄。诗人的感情同各种富有特征的物件、动作和音响效果等交融在一起，气氛一句比一句浓烈，感情一层比一层推进，表现出诗人和友人们异乎寻常的乐观、旷达，一扫一般送别诗那种常见的哀婉、悲切之情，而显得热烈、奔放。

宴席到这时，显然已是高潮。时近黄昏，白云飘向碧海，大雁从晴空飞逝。这两句既同“山将落日去，水与晴空宜”相照应，又隐隐衬托出诗人和友人们临别之际相依相恋的深厚情谊。宴席从高潮自然过渡到尾声。最后，全诗以“相失各万里，茫然空尔思”作结，酒酣席散，各奔一方，留下的是无尽的离情别绪。

李白这首诗，既是送别，又是抒情。把主观的情感融注到被描写的各种对象之中，语言自然而夸张，层次分明而有节奏，增强了全诗的艺术感染力量。尤其可贵的是，诗的格调高昂、明快、豪放，读来令人神思飞越，心胸开阔。

（赵孝思）

梦游天姥吟留别

原文

海客谈瀛洲，烟涛微茫信难求。

越人语天姥，云霓明灭或可睹。

天姥连天向天横，势拔五岳掩赤城。

天台四万八千丈，对此欲倒东南倾。

我欲因之梦吴越，一夜飞度镜湖月。

湖月照我影，送我至剡溪。

谢公宿处今尚在，渌水荡漾清猿啼。

脚著谢公屐[①]，身登青云梯。

半壁见海日，空中闻天鸡。

千岩万转路不定，迷花倚石忽已暝。

熊咆龙吟殷岩泉，慄深林兮惊层巅。

云青青兮欲雨，水澹澹兮生烟。

列缺霹雳，丘峦崩摧。

洞天石扉，訇然中开。

青冥浩荡不见底，日月照耀金银台。

霓为衣兮风为马，云之君兮纷纷而来下。

虎鼓瑟兮鸾回车，仙之人兮列如麻。
忽魂悸以魄动，恍惊起而长嗟。
惟觉时之枕席，失向来之烟霞。
世间行乐亦如此，古来万事东流水。
别君去兮何时还，且放白鹿青崖间，须行即骑访名山。
安能摧眉折腰事权贵，使我不得开心颜！

〔注〕

① 谢公屐：指南朝宋谢灵运特制的登山木屐。据《南史·谢灵运传》："寻山陟岭，必造幽峻，岩嶂数十重，莫不备尽登蹑。常着木屐，上山则去其前齿，下山则去其后齿。"

鉴赏

这是一首记梦诗，也是一首游仙诗。意境雄伟，变化惝怳莫测，缤纷多彩的艺术形象，新奇的表现手法，向来为人传诵，被视为李白的代表作之一。

这首诗的题目一作《别东鲁诸公》，作于出翰林之后。天宝三载(744)，李白被唐玄宗赐金放还，这是李白政治上的一次大失败。离长安后，曾与杜甫、高适游梁、宋、齐、鲁，又在东鲁家中居住过一个时期。这时东鲁的家已颇具规模，尽可在家中怡情养性，以度时光。可是李白没有这么做，他有一个不安定的灵魂，他有更高更远的追求，于是离别东鲁家园，又一次踏上漫游的旅途。这首诗就是他告别东鲁诸公时所作。虽然出翰林已有年月了，而政治上遭受挫折的愤怨仍然郁结于怀，所以在诗的最后发出那样激越的呼声。

李白一生徜徉山水之间，热爱山水，达到梦寐以求的境地。此诗所描写的梦游，也许并非完全虚托，但无论是否虚托，梦游就更适于超脱现实，更便于发挥他的想象和夸张的才能了。

“海客谈瀛洲，烟涛微茫信难求。越人语天姥，云霓明灭或可睹。”诗一开始先说古代传说中的海外仙境——瀛洲，虚无缥缈，不可寻求；而现实中的天姥山在浮云彩霓中时隐时现，真是胜似仙境。以虚衬实，突出了天姥胜景，暗蕴着诗人对天姥山的向往，写得富有神奇色彩，引人入胜。

天姥山临近剡溪，传说登山的人听到过仙人天姥的歌唱，因此得名。天姥山与天台山相对，峰峦峭峙，仰望如在天表，冥茫如堕仙境，容易引起游者想入非非的幻觉。浙东山水是李白青年时代就向往的地方，初出川时曾说“此行不为鲈鱼鲙，自爱名山入剡中”(《秋下荆门》)，入翰林前曾不止一次往游。他对这里的山水不但非常热爱，也是非常熟悉的。

天姥山号称奇绝，是越东灵秀之地。但比之其他崇山峻岭，如我国的五大名山——五岳，在人们心目中的地位，仍有小巫见大巫之别。可是李白却在诗中夸说它“势拔五岳掩赤城”，比五岳还更挺拔，有名的天台山则倾斜着如拜倒在天姥的足下一样。这天姥山，被写得耸立天外，直插云霄，巍巍然非同凡比。这座梦中的天姥山，应该说是李白平生所经历的奇山峻岭的幻影，它是现实中的天姥山在李白笔下夸大了的影子。

接着展现出的是一幅一幅瑰丽变幻的奇景:天姥山隐于云霓明灭之中,引起了诗人探求的想望。诗人进入了梦幻之中,仿佛在月夜清光的照射下,他飞度过明镜一样的镜湖。明月把他的影子映照在镜湖之上,又送他降落在谢灵运当年曾经歇宿过的地方。他穿上谢灵运当年特制的木屐,登上谢公当年曾经攀登过的石径——青云梯。只见:“半壁见海日,空中闻天鸡。千岩万转路不定,迷花倚石忽已暝。熊咆龙吟殷岩泉,慄深林兮惊层巅。云青青兮欲雨,水澹澹兮生烟。”继飞度而写山中所见,石径盘旋,深山中光线幽暗,看到海日升空,天鸡高唱,这本是一片曙色;却又于山花迷人、倚石暂憩之中,忽觉暮色降临,旦暮之变何其倏忽。暮色中熊咆龙吟,震响于山谷之间,深林为之战栗,层巅为之惊动。不止有生命的熊与龙以咆、吟表示情感,就连层巅、深林也能战栗、惊动,烟、水、青云都满含阴郁,与诗人的情感协成一体,形成统一的氛围。前面是浪漫主义地描写天姥山,既高且奇;这里又是浪漫主义地抒情,既深且远。这奇异的境界,已经使人够惊骇的了,但诗人并未到此止步,而诗境却由奇异而转入荒唐,全诗也更进入高潮。在令人惊悚不已的幽深暮色之中,霎时间“丘峦崩摧”,一个神仙世界“訇然中开”,“青冥浩荡不见底,日月照耀金银台。霓为衣兮风为马,云之君兮纷纷而来下”。洞天福地,于此出现。“云之君”披彩虹为衣,驱长风为马,虎为之鼓瑟,鸾为之驾车,皆受命于诗人之笔,奔赴仙山的盛会来了。这是多么盛大而热烈的场面。“仙之人兮列如麻”!群仙好像列队迎接诗人的到来。金台、银台与日月交相辉映,景色壮丽,异彩缤纷,何等地惊心炫目,光耀夺人!仙山的盛会正是人世间生活的反映。这里除了有他长期漫游经历过的万壑千山的印象、古代传说、屈原诗歌的启发与影响，也有长安三年宫廷生活的迹印。这一切通过浪漫主义的非凡想象凝聚在一起，才有这般辉煌灿烂、气象万千的描绘。

值得注意的是，这首诗写梦游奇境，不同于一般游仙诗，它感慨深沉，抗议激烈，并非真正依托于虚幻之中，而是在神仙世界虚无缥缈的描述中，依然着眼于现实。神游天上仙境，而心觉"世间行乐亦如此"。

仙境倏忽消失，梦境旋亦破灭，诗人终于在惊悸中返回现实。梦境破灭后，人，不是随心所欲地轻飘飘地在梦幻中翱翔了，而是沉甸甸地躺在枕席之上。"古来万事东流水"，其中包含着诗人对人生的几多失意和深沉的感慨。此时此刻诗人感到最能抚慰心灵的是"且放白鹿青崖间，须行即骑访名山"。徜徉山水的乐趣，才是最快意的，也就是在《春夜宴从弟桃花园序》中所说："古人秉烛夜游，良有以也。"本来诗意到此似乎已尽，可是最后却愤愤然加添了两句："安能摧眉折腰事权贵，使我不得开心颜！"一吐长安三年的郁闷之气。天外飞来之笔，点亮了全诗的主题：对于名山仙境的向往，是出之于对权贵的抗争，它唱出封建社会中多少怀才不遇的人的心声。在等级森严的封建社会中，多少人屈身权贵，多少人埋没无闻！唐朝比之其他朝代是比较开明的，较为重视人才，但也只是比较而言。人才在当时仍然摆脱不了"臣妾气态间"的屈辱地位。"折腰"一词出之于东晋的陶渊明，他曾说："吾不能为五斗米折腰，向乡里小人！"（《晋书·陶潜传》）由于不愿忍辱而赋"归去来"。李白虽然受帝王优宠，也不过是个词臣，在宫廷中所受到的屈辱，大约可以从这两句诗中得到一些消息。

封建君主把自己称“天子”，君临天下，把自己升高到至高无上的地位，却抹煞了一切人的尊严。李白在这里所表示的决绝态度，是向封建统治者所投过去的一瞥蔑视。在封建社会，敢于这样想、敢于这样说的人并不多。李白说了，也做了，这是他异乎常人的伟大之处。

这首诗的内容丰富、曲折、奇谲、多变，它的形象辉煌流丽，缤纷多彩，构成了全诗的浪漫主义华赡情调。它的主观意图本来在于宣扬“古来万事东流水”这样颇有消极意味的思想，可是它的格调却是昂扬振奋的，潇洒出尘的，有一种不卑不屈的气概流贯其间，并无消沉之感。

（乔象钟）

金陵酒肆留别

原文

风吹柳花满店香，
吴姬压酒劝客尝。
金陵子弟来相送，
欲行不行各尽觞。
请君试问东流水，
别意与之谁短长？

鉴赏

杨花飘絮的时节，江南水村山郭的一家小酒店里，即将离开金陵的诗人，满怀别绪，独坐小酌。骀荡的春风，卷起了垂垂欲下的杨花，轻飞乱舞，扑满店中；当垆的姑娘，捧出新压榨出来的美酒，劝客品尝。这里，柳絮蒙蒙，酒香郁郁，扑鼻而来，也不知是酒香，还是柳花香。这么一幅令人陶醉的春光春色的画面，该用多少笔墨来表现！只“风吹柳花满店香”七字，就将风光的骀荡，柳絮的精神，以及酒客沉醉东风的情调，生动自然地浮现在纸面之上；而且又极洒脱超逸，不费半分气力，脱口而出，纯任直观。于此，不能不佩服李白的才华。

“风吹柳花满店香”时，店中简直就是柳花的世界。

柳花本来无所谓香，这里何以用一个“香”字呢？一则“心清闻妙香”，任何草木都有它微妙的香味；二则这个“香”字代表了春之气息，同时又暗暗勾出下文的酒香。这里的“店”，初看不知何店，凭仗下句始明了是指酒店。实在也惟有酒店中的柳花才会香，不然即使是最雅致的古玩书肆，在情景的协调上，恐怕也还当不起“风吹柳花满店香”这七个字。所以这个“香”字初看似觉突兀，细味却又感到是那么的妥帖。

首句是阒无一人的境界，第二句“吴姬压酒劝客尝”，当垆红粉遇到了酒客，场面上就出现人了。等到“金陵子弟”这批少年一涌而至时，酒店中就更热闹了。别离之际，本来未必有心饮酒，而吴姬一劝，何等有情，加上“金陵子弟”的前来，更觉情长，谁能舍此而去呢？可是偏偏要去，“来相送”三字一折，直是在上面热闹场面上泼了一盆冷水，点出了从来热闹繁华就是冷寂寥落的前奏。李白要离开金陵了。但是，如此热辣辣的诀舍，总不能跨开大步就走吧？于是又转为“欲行不行各尽觞”。欲行的诗人固陶然欲醉，而不行的相送者也各尽觞。情意如此之长，于是落出了“请君试问东流水，别意与之谁短长”的结句，以含蓄的笔法，悠然无尽地结束了这一首抒情的短歌。

清沈德潜说此诗“语不必深，写情已足”(《唐诗别裁集》)。因为诗人留别的不是一两个知己，而是一群青年朋友，所以诗中把惜别之情写得饱满酣畅，悠扬跌宕，唱叹而不哀伤，表现了诗人青壮年时代丰采华茂、风流潇洒的情怀。

（沈熙乾）

黄鹤楼送孟浩然之广陵

原文

故人西辞黄鹤楼，
烟花三月下扬州。
孤帆远影碧空尽，
唯见长江天际流。

鉴赏

这首送别诗有它自己特殊的情味。它不同于王勃《送杜少府之任蜀川》那种少年刚肠的离别，也不同于王维《渭城曲》那种深情体贴的离别。这首诗，可以说是表现一种充满诗意的离别。其所以如此，是因为这是两位风流潇洒的诗人的离别。还因为这次离别跟一个繁华的时代、繁华的季节、繁华的地区相联系，在愉快的分手中还带着诗人李白的向往，这就使得这次离别有着无比的诗意。

李白与孟浩然的交往，是在他刚出四川不久，正当年轻快意的时候，他眼里的世界，还几乎像黄金一般美好。比李白大十多岁的孟浩然，这时已经诗名满天下。他给李白的印象是陶醉在山水之间，自由而愉快，所以李白在《赠孟浩然》诗中说："吾爱孟夫子，风流天下闻。红颜弃轩冕，白首卧松云。"再说这次离别正是开元盛世，太平而又繁荣，季节是烟花三月、春意最浓的时候，从黄鹤楼到扬州，这一路都是繁花似锦。而扬州呢？更是当时整个东南地区最繁华的都会。李白是那样一个浪漫、爱好游览的人，所以这次离别完全是在很浓郁的畅想曲和抒情诗的气氛里进行的。李白心里没有什么忧伤和不愉快，相反地认为孟浩然这趟旅行快乐得很，他向往扬州，又向往孟浩然，所以一边送别，一边心也就跟着飞翔，胸中有无穷的诗意随着江水荡漾。

"故人西辞黄鹤楼"，这一句不光是为了点题，更因为黄鹤楼乃天下名胜，可能是两位诗人经常流连聚会之所。因此一提到黄鹤楼，就带出种种与此处有关的富于诗意的生活内容。而黄鹤楼本身呢？又是传说仙人飞上天空去的地方，这和李白心目中这次孟浩然愉快地去扬州，又构成一种联想，增加了那种愉快的、畅想曲的气氛。

"烟花三月下扬州"，在"三月"上加"烟花"二字，把送别环境中那种诗的气氛涂抹得尤为浓郁。烟花者，烟雾迷蒙，繁花似锦也；给人的感觉决不是一片地、一朵花，而是看不尽、看不透的大片阳春烟景。三月，固然是烟花之时，而开元时代繁华的长江下游，又何尝不是烟花之地呢？"烟花三月"，不仅再现了那暮春时节、繁华之地的迷人景色，而且也透露了时代气氛。此句意境优美，文字绮丽，清人孙洙誉为"千古丽句"（《唐诗三百首》）。

"孤帆远影碧空尽，唯见长江天际流。"诗的后两句看起来似乎是写景，但在写景中包含着一个充满诗意的细节。李白一直把朋友送上船，船已经扬帆而去，而他还在江边目送远去的风帆。

李白的目光望着帆影，一直看到帆影逐渐模糊，消失在碧空的尽头，可见目送时间之长。帆影已经消逝了，然而李白还在翘首凝望，这才注意到一江春水，在浩浩荡荡地流向远远的水天交接之处。"唯见长江天际流"，是眼前景象，可是谁又能说是单纯写景呢？李白对朋友的一片深情，李白的向往，不正体现在这富有诗意的神驰目注之中吗？诗人的心潮起伏，不正像浩浩东去的一江春水吗？

总之，这一场极富诗意的、两位风流潇洒的诗人的离别，对李白来说，又是带着一片向往之情的离别，被诗人用绚烂的阳春三月的景色，用放舟长江的宽阔画面，用目送孤帆远影的细节，极为传神地表现出来了。

（余恕诚）

渡荆门送别

原文

渡远荆门外，来从楚国游。
山随平野尽，江入大荒流。
月下飞天镜，云生结海楼。
仍怜故乡水，万里送行舟。

鉴赏

这首诗是李白出蜀时所作。荆门，即荆门山，位于今湖北宜都西北，长江南岸，与北岸虎牙山隔江对峙，形势险要，自古即有楚蜀咽喉之称。

李白这次出蜀，由水路乘船远行，经巴渝，出三峡，直向荆门山之外驶去，目的是到湖北、湖南一带楚国故地游览。“渡远荆门外，来从楚国游”，指的就是这一壮游。这时候的青年诗人，兴致勃勃，坐在船上沿途纵情观赏巫山两岸高耸云霄的峻岭。一路看来，眼前景色逐渐变化，船过荆门一带，已是平原旷野，视域顿然开阔，别是一番景色：

山随平野尽，江入大荒流。

前句形象地描绘了船出

三峡、渡过荆门山后长江两岸的特有景色：山逐渐消失了，眼前是一望无际的低平的原野。它好比用电影镜头摄下的一组活动画面，给人以流动感与空间感，将静止的山岭摹状出活动的趋向来。

“江入大荒流”，写出江水奔腾直泻的气势，从荆门往远处望去，仿佛流入荒漠辽远的原野，显得天空寥廓，境界高远。后句着一“入”字，力透纸背，用语贴切。景中蕴藏着诗人喜悦开朗的心情和青春的蓬勃朝气。

写完山势与流水，诗人又以移步换景手法，从不同角度描绘长江的近景与远景：

月下飞天镜，云生结海楼。

长江流过荆门以下，河道迂曲，流速减缓。晚上，江面平静时，俯视月亮在水中的倒影，好像天上飞来一面明镜似的；日间，仰望天空，云彩兴起，变幻无穷，结成了海市蜃楼般的奇景。这正是从荆门一带广阔平原的高空中和平静的江面上所观赏到的奇妙美景。如在崇山峻岭的三峡中，自非亭午夜分，不见曦月，夏水襄陵，江面水流湍急汹涌，那就很难有机会看到“月下飞天镜”的水中影像；在隐天蔽日的三峡空间，也无从望见“云生结海楼”的奇景。这一联以水中月明如圆镜反衬江水的平静，以天上云彩构成海市蜃楼衬托江岸的辽阔，天空的高远，艺术效果十分强烈。颔颈两联，把生活在蜀中的人，初次出峡，见到广大平原时的新鲜感受极其真切地写了出来。李白在欣赏荆门一带风光的时候，面对那流经故乡的滔滔江水，不禁起了思乡之情：

仍怜故乡水，万里送行舟。

诗人从“五岁诵六甲”起，直至二十五岁远渡荆门，一向在四川生活，读书于戴天山上，游览峨眉，隐居青城，对蜀中的山山水水怀有深挚的感情。江水流过的蜀地也就是曾经养育过他的故乡，初次离别，他怎能不无限留恋，依依难舍呢？但诗人不说自己思念故乡，而说故乡之水恋恋不舍地一路送我远行，怀着深情厚意，万里送行舟，从对面写来，越发显出自己思乡深情。诗以浓重的怀念惜别之情结尾，言有尽而情无穷。诗题中的"送别"应是告别故乡而不是送别朋友，诗中并无送别朋友的离情别绪。清沈德潜认为"诗中无送别意，题中二字可删"(《唐诗别裁集》)，这并不是没有道理的。

这首诗意境高远，风格雄健，形象奇伟，想象瑰丽。"山随平野尽，江入大荒流"，写得逼真如画，有如一幅长江出峡渡荆门长轴山水图，成为脍炙人口的佳句。如果说优秀的山水画"咫尺应须论万里"，那么，这首形象壮美瑰玮的五律也可以说能以小见大，以一当十，容量丰富，包涵长江中游数万里山势与水流的景色，具有高度集中的艺术概括力。

（何国治）

南陵别儿童入京

原文

白酒新熟山中归，
黄鸡啄黍秋正肥。
呼童烹鸡酌白酒，
儿女嬉笑牵人衣。
高歌取醉欲自慰，
起舞落日争光辉。
游说万乘苦不早，
著鞭跨马涉远道。
会稽愚妇轻买臣，
余亦辞家西入秦。
仰天大笑出门去，
我辈岂是蓬蒿人！

鉴赏

李白素有远大的抱负，他立志要“申管晏之谈，谋帝王之术，奋其智能，愿为辅弼，使寰区大定，海县清一”（《代寿山答孟少府移文书》）。但在很长时间里都没有得到实现的机会。天宝元年（742），李白已四十二岁，得到唐玄宗召他入京的诏书，异常兴奋。他满以为实现自己政治理想的时机到了，立刻回到南陵（今属安徽）家中，与儿女告别，并写下了这首激情洋溢的七言古诗。

诗一开始就描绘出一派丰收的景象：“白酒新熟山中归，黄鸡啄黍秋正肥。”这不仅点明了归家的时间是秋熟季节，而且，白酒新熟，黄鸡啄黍，显示一种欢快的气氛，衬托出诗人兴高采烈的情绪，为下面的描写作了铺垫。

接着，诗人摄取了几个似乎是特写的“镜头”，进一步渲染欢愉之情。李白素爱饮酒，这时更是酒兴勃然，一进家门就“呼童烹鸡酌白酒”，神情飞扬，颇有欢庆奉诏之意。显然，诗人的情绪感染了家人，“儿女嬉笑牵人衣”，此情此态真切动人。饮酒似还不足以表现兴奋之情，继而又“高歌取醉欲自慰，起舞落日争光辉”，一边痛饮，一边高歌，表达快慰之情。酒酣兴浓，起身舞剑，剑光闪闪与落日争辉。这样，通过儿女嬉笑，开怀痛饮，高歌起舞几个典型场景，把诗人喜悦的心情表现得活灵活现。在此基础上，又进一步描写自己的内心世界。

“游说万乘苦不早，著鞭跨马涉远道”。这里诗人用了跌宕的表现手法，用“苦不早”反衬诗人的欢乐心情，同时，在喜悦之时，又有“苦不早”之感，正是诗人曲折复杂的心情的真实反映。正因为恨不在更早的时候见到皇帝，表达自己的政治主张，所以跨马扬鞭巴不得一下跑完遥远的路程。“苦不早”和“著鞭跨马”表现出诗人的满怀希望和急切之情。

“会稽愚妇轻买臣，余亦辞家西入秦”。诗从“苦不早”又很自然地联想到晚年得志的朱买臣。据《汉书·朱买臣传》记载：朱买臣，会稽人，早年家贫，以卖柴为生，常常担柴走路时还念书。他的妻子嫌他贫贱，离开了他。后来朱买臣得到汉武帝的赏识，做了会稽太守。诗中的“会稽愚妇”，就是指朱买臣的妻子。李白把那些目光短浅轻视自己的世俗小人比作“会稽愚妇”，而自比朱买臣，以为像朱买臣一样，西去长安就可青云直上了。真是得意之态溢于言表！

诗情经过一层层推演，至此，感情的波澜涌向高潮。“仰天大笑出门去，我辈岂是蓬蒿人”。“仰天大笑”，多么得意的神态；“岂是蓬蒿人”，何等自负的心理，诗人踌躇满志的形象表现得淋漓尽致。

这首诗因为描述了李白生活中的一件大事，对了解李白的生活经历和思想感情具有特殊的意义。而在艺术表现上也有其特色。诗善于在叙事中抒情。诗人描写从归家到离家，有头有尾，全篇用的是直陈其事的赋体，而又兼采比兴，既有正面的描写，而又间之以烘托。诗人匠心独运，不是一条大道直通到底，而是由表及里，有曲折，有起伏，一层层把感情推向顶点。犹如波澜起伏，一波未平，又生一波，使感情酝蓄得更为强烈，最后喷发而出。全诗跌宕多姿，把感情表现得真挚而又鲜明。

（郑国铨）

金乡送韦八之西京

原文

客从长安来，还归长安去。
狂风吹我心，西挂咸阳树。
此情不可道，此别何时遇？
望望不见君，连山起烟雾。

鉴赏

这首诗写于天宝八载(749)。这年春天，李白从兖州出发，东游齐鲁，在金乡(今属山东)遇友人韦八回长安，写了这首送别诗。

从诗的首两句来看，韦八似是暂来金乡做客的，所以说“客从长安来，还归长安去”。这两句诗像说家常话一样自然、朴素，好似随手拈来，毫不费力。三、四两句，平空起势，想象奇特，形象鲜明，可谓神来莫测之笔，而且带有浪漫主义的艺术想象。诗人因送友人归京，故思及长安。他把思念长安的心情表现得神奇、别致、新颖、奇特，写出了送别时的心潮起伏。“狂风吹我心”，不一定是送别时真有大风伴行，而主要是状写送别时心情激动，如狂飙吹心。至于“西挂咸阳树”，把我们常说的“挂心”，用虚拟的方法，形象地表现出来了。“咸阳”实指长安，因上两句连用两个“长安”，故此处用“咸阳”代之，避免了辞语的重复使用过多。这两句诗虽因送别联类而及，但也表达出诗人的心已经追逐友人而去，很自然地流露出依依惜别的心情。“此情不可道”二句，话少情多，离别时的千种风情，万般思绪，仅用“不可道”三字带过，犹如“满怀心腹事，尽在不言中”。最后两句，写诗人伫立凝望，目送友人归去的情景。当友人愈去愈远，最后连影子也消失时，诗人看到的只是连山的烟雾，在这烟雾迷蒙中，寄寓着诗人与友人别后的怅惘之情。“望”字重叠，显出伫望之久和依恋之深。

这首诗语言平易、通俗，没有一点斧凿痕迹。其中“狂风吹我心”二句，是脍炙人口的名句，在整首诗中，如奇峰壁立，因而使此诗“平中见奇”（清刘熙载《艺概》）。正是这种“想落天外”的艺术构思，显示出诗人杰出的艺术才能。

（刘文忠）

鲁郡东石门送杜二甫

原文

醉别复几日，登临遍池台。
何时石门路，重有金樽开？
秋波落泗水①，海色明徂徕②。
飞蓬各自远，且尽手中杯！

〔注〕

① 泗水：古河名，在今山东省西南部，源出山东泗水县蒙山南麓，四源并发，故名。
② 徂徕（cú lái）：山名，在今山东省泰安市东南。

鉴赏

李白于天宝三载（744）被诏许还乡，驱出朝廷后，在洛阳与杜甫相识，两人一见如故，来往密切。天宝四载，李杜重逢，同游齐鲁。深秋，杜甫西去长安，李白再游江东，两人在鲁郡东石门分手，临行时李白写了这首送别诗。题中的“二”，是杜甫的排行。

“醉别复几日”，没有几天便要离别了，那就痛快地一醉而别吧！两位大诗人在即将分手的日子里舍不得离开。“醉眠秋共被，携手日同行”（杜甫《与李十二同寻范十隐居》），鲁郡一带的名胜古迹，亭台楼阁几乎都登临游览遍了，“登临遍池台”说的就是这个意思。李白多么盼望这次分别后还能再次重会，同游痛饮：“何时石门路，重有金樽开？”石门，山名，在山东曲阜东北，是一座风景秀丽的山峦。山有寺院，泉水潺潺，李杜经常在这幽雅隐逸的胜地游览。这两句诗也就是杜甫所说的“何时一樽酒，重与细论文”（《春日忆李白》）的意思。“重有金樽开”这一“重”字，热烈地表达了李白希望重逢欢叙的迫切心情；又说明他们生活中有共同的乐趣，富有浓烈的生活气息，读来令人感到亲切。

李杜同嗜酒，同爱游山玩水。他们是在秋高气爽、风景迷人的情景中分别的：“秋波落泗水，海色明徂徕。”这里形容词“明”用如动词，赋予静态的自然色彩以运动感。不说徂徕山色本身如何青绿，而说苍绿色彩主动有意地映照徂徕山，和宋王安石的诗句“两山排闼送青来”（《书湖阴先生壁》）所采用的拟人化手法相似。这就把山色写活，显得生气勃勃而富有气势。“明”字是这句诗的“诗眼”，写得传神而生动。在这山清水秀、风景如画的背景中，两个知心朋友正难舍难分，依依惜别：“飞蓬各自远，且尽手中杯！”好友离别，仿佛转蓬随风飞舞，各自飘零远逝，令人难过。语言不易表达情怀，言有尽而意无穷，那么，就倾尽手中杯，以酒抒怀，来一个醉别吧！感情是多么豪迈而爽朗。结句干脆有力，李白对杜甫的深厚友情，不言而喻而又倾吐无遗。

这首送别诗以“醉别”开始，干杯结束，首尾呼应，一气呵成，充满豪放不羁和乐观开朗的感情，给人以鼓舞和希望而毫无缠绵哀伤的情调。诗中的山水形象，隽美秀丽，明媚动人，自然美与人情美——真挚的友情，互相衬托；纯洁无邪、胸怀坦荡的友谊和清澄的泗水秋波、明净的徂徕山色交相辉映，景中寓情，情随景现，给人以深刻的美感享受。这首诗以情动人，以美感人，充满诗情画意，是脍炙人口的佳作。

（何国治）

灞陵行送别

原文

送君灞陵亭，灞水流浩浩。
上有无花之古树，下有伤心之春草。
我向秦人问路岐，云是王粲南登之古道。
古道连绵走西京，紫阙落日浮云生。
正当今夕断肠处，骊歌愁绝不忍听。

鉴赏

长安东南三十里处，原有一条灞水，汉文帝葬于此，遂称灞陵。唐代，人们出长安东门相送亲友，常常在这里分手。因此，灞上、灞陵、灞水等，在唐诗里经常是和离别联系在一起的。这些词本身就带有离别的色彩。“送君灞陵亭，灞水流浩浩。”“灞陵”“灞水”重复出现，烘托出浓郁的离别气氛。写灞水水势“流浩浩”，固然是实写，但诗人那种惜别的感情，不也如浩浩的灞水吗？这是赋，而又略带比兴。

“上有无花之古树，下有伤心之春草。”这两句一笔宕开，大大开拓了诗的意境，不仅展现了灞陵道边的古树春草，而且在写景中透露了朋友临别时不忍分手，上下顾盼、瞩目四周的情态。春草萋萋，自不必说会增加离别的惆怅意绪，令人伤心不已；而古树枯而无花，对于春天似无反映，那种历经沧桑、归于默然的样子，不是比多情的芳草能引起更深沉的人生感慨吗？这样，前面四句，由于点到灞陵、古树，在伤离、送别的环境描写中，已经潜伏着怀古的情绪了。于是五、六句的出现就显得自然。

“我向秦人问路岐，云是王粲南登之古道。”王粲，建安时代著名诗人。汉献帝初平三年(192)，董卓的部将李傕、郭汜等在长安作乱，他避难荆州，作了著名的《七哀诗》，其中有“南登灞陵岸，回首望长安”的诗句。这里说朋友南行之途，乃是当年王粲避乱时走过的古道，不仅暗示了朋友此行的不得意，而且隐括了王粲《七哀诗》中“回首望长安”的诗意。不用说，友人在离开灞陵、长别帝都时，也会像王粲那样，依依不舍地翘首回望。

“古道连绵走西京，紫阙落日浮云生。”这是回望所见。漫长的古道，世世代代负载过多少前往长安的人，好像古道自身就飞动着直奔西京。然而今日的西京，巍巍紫阙之上，日欲落而浮云生，景象黯淡。这当然也带有写实的成分，灞上离长安三十里，回望长安，暮霭笼罩着宫阙的景象是常见的。但在古诗中，落日和浮云联系在一起时，往往有指喻“谗邪害公正”的寓意。这里便是用落日浮云来象征朝廷中邪佞蔽主，谗毁忠良，透露朋友离京有着令人不愉快的政治原因。

由此看来，行者和送行者除了一般的离情别绪之外，还有着对于政局的忧虑。理解了这种心情，对诗的结尾两句的内涵，也就有了较深切的体会。“正当今夕断肠处，骊歌愁绝不忍听。”骊歌，指逸诗《骊驹》，是一首离别时唱的歌，因此骊歌也就泛指离歌。骊歌之所以愁绝，正因为今夕所感受的，并非单纯的离别，而是由此触发的更深广的愁思。

诗是送别诗，真正明点离别的只收尾两句，但读起来却觉得围绕着送别，诗人抒发的感情绵长而深厚。从这首诗的语言节奏和音调，能感受出诗人欲别而不忍别的绵绵情思和内心深处相应的感情旋律。诗以两个较短的五言句开头，但“灞水流浩浩”的后面三字，却把声音拖长了，仿佛临歧欲别时感情如流水般地不可控制。随着这种“流浩浩”的情感和语势，以下都是七言长句。三句、四句和六句用了三个“之”字，一方面造成语气的贯注，一方面又在句中把语势稍稍煞住，不显得过分流走，则又与诗人送之而又欲留之的那种感情相仿佛。诗的一、二句之间，有“灞陵”和“灞水”相递连；三、四句“上有无花之古树，下有伤心之春草”，由于排比和用字的重叠，既相递连，又显得回荡。五、六句和七、八句，更是顶针直递而下，这就造成断而复续、回环往复的音情语气，从而体现了别离时内心深处的感情波澜。围绕离别，诗人笔下还展开了广阔的空间和时间：古老的西京，绵绵的古道，紫阙落日的浮云，怀忧去国、曾在灞陵道上留下足迹的前代诗人王粲……由于思绪绵绵，向着历史和现实多方面扩展，因而给人以世事浩茫的感受。

李白的诗，妙在不着纸。像这首诗无论写友情，写朝局，与其说是用文字写出来的，不如说更多地是在语言之外暗示的。诗的风格是飘逸的，但飘逸并不等于缥缈空泛，也不等于清空。其思想内容和艺术形象却又都是丰满的。诗中展现的西京古道、暮霭紫阙、浩浩灞水，以及那无花古树、伤心春草，构成了一幅令人心神激荡而几乎目不暇接的景象，这和清空缥缈便迥然不同。像这样随手写去，自然流逸，但又有浑厚的气象，充实的内容，是别人所难以企及的。

（余恕诚）

送裴十八图南归嵩山二首

原文

其 一

何处可为别，长安青绮门。
胡姬招素手，延客醉金樽。
临当上马时，我独与君言。
风吹芳兰折，日没鸟雀喧。
举手指飞鸿，此情难具论。
同归无早晚，颍水有清源。

其 二

君思颍水绿，忽复归嵩岑。
归时莫洗耳，为我洗其心。
洗心得真情，洗耳徒买名。
谢公终一起，相与济苍生。

鉴赏

天宝二年(743)，李白在翰林。唐玄宗无意重用他，更加上杨贵妃、高力士、张垍等屡进谗言，于是，他初到长安怀抱的希望终于破灭，打算离开长安。本诗正作于此时。

诗的开头，点明送别的地点。“长安青绮门”，是东去的行人辞别京城的起点，自然会使人想起种瓜的召平；再往前走，便是折柳分袂的灞桥。这个地方原本就蕴蓄着历史的感慨，加上酒店里胡姬殷勤招呼，举杯在手，更觉得思绪万千，别情无极。在朋友临当上马，相别即在顷刻之际，诗人含蓄地倾诉了他的肺腑之言：“风吹芳兰折，日没鸟雀喧”。这看起来似是写眼前易见之景，但实是暗喻心中难显之情。芳兰摧折，贤能之士偏偏遭遇不幸；鸟雀喧嚣，奸佞之臣得志猖狂；风吹、日没，则是政治黑暗，国势渐衰的写照。在知友临别之际，道出这么两句，彼此都很了然，然而却包含着多么深广的忧愤呵！现实既是如此，诗人又怎样考虑他们彼此的出处行藏呢？“举手指飞鸿，此情难具论。”手指飞鸿，并不一定是送别时实有之景，也是暗喻心中欲言之志。“鸿飞冥冥，弋人何慕焉”（汉扬雄《法言·问明》）。像鸿鸟一样高飞，离开长安，固然是对政治污浊的深恶痛绝，同时也还有出于实际的全身远祸的考虑。“同归无早晚，颍水有清源”，表明两人对现实的认识很清醒，归趋也正相同。“颍水有清源”，既是地理的，堪为归隐之地；又是历史的，更符归隐之情，许由的流风未歇，也正似颍水的清源不竭。这也就暗含着对裴十八归隐的赞赏和慰藉。

这个诗题下的两首诗，虽可相对独立，若就思想内容而言，前一首有待后一首才更高，后一首则须有前一首才完足。如果诗意仅止于同归颍水，追踪许由，那还只是一般诗人的手笔，而到了第二首把诗意翻进一层，才是李白所独到的境界。

第二首起二句便好：“君思颍水绿，忽复归嵩岑。”“您想念着碧绿清澄的颍水”，这一句把归隐的愿望写得多么形象。这里在诗人笔下，抽象的思想、意念化成了具体的、美好的、能够感触的形象。“忽复归嵩岑”，“忽复”两字现出人的个性和情态，何等洒落，何等爽快，敝屣功名富贵自在不言之中了。“归时莫洗耳，为我洗其心。洗心得真情，洗耳徒买名。”许由洗耳的典故，用得灵活入妙。诗人在这里把许由这位上古的高士，临时拉来指桑骂槐，这是因为唐代以隐居为手段达到向上爬的目的者，大有其人。李白很鄙视这种假隐士，所以他说不洗心而徒事洗耳，则是矫情作伪，欺世盗名。诗人认为不论是进是退，或隐或显，惟真正有经世济民的抱负和才干的人，才是超越流俗的大贤。李白平生最仰慕的古人之一——谢安，正是这种典型。“谢公终一起，相与济苍生”。结末是诗人与友人临别赠言，相互劝勉、慰藉之词，洋溢着积极向上的精神。

清王夫之在《唐诗评选》中说这首诗：“只写送别事，托体高，著笔平。”所谓“托体高”，即以立意为胜；“著笔平”，即无句可摘。这种写法，质朴自然，不事藻饰，直抒胸臆，实为汉魏风骨的继承。它不在于一字一句的奇警，而在于全篇的浑成，即全篇作为一个整体，铸成一个完整的艺术形象，使读者想象和体会到其人的胸襟气度、思想感情。由于诗的概括力很强，把丰富的思想感情紧缩在具体的形象之中，所以读来醰然有味。这种艺术造境，决不是那些铺锦列绣、雕绘满眼之作所能比拟的。

（徐永年）

送杨山人归嵩山

原文

我有万古宅，嵩阳玉女峰。
长留一片月，挂在东溪松。
尔去掇仙草，菖蒲花紫茸①。
岁晚或相访，青天骑白龙②。

〔注〕

① 紫茸：指紫色的菖蒲花。茸，形容花娇嫩美好。此二句亦作“君行到此峰，餐霞驻衰容”。

② 骑白龙：飞升成仙的意思。

鉴赏

这首诗写作于天宝初年。杨山人大约是李白早年“访道”嵩山时结识的朋友。李白《驾去温泉宫后赠杨山人》一诗云：“王公大人借颜色，金章紫绶来相趋。当时结交何纷纷，片言道合唯有君。待吾尽节报明主，然后相携卧白云。”在朱紫盈门的境遇里，与之言行契合的只有这位杨山人，可见两人情谊之深。如今这位道合者就要离去，诗人抚今忆昔，感慨倍增。

全诗分三个层次。前四句为第一层，写嵩山的景色，抒发了诗人对嵩山以及对昔日遁迹山林、寻仙访道生活的眷念之情。

首联写峰峦，起句豪迈。一个“我”字颇有“万物皆备于我”的气概。“万古宅”似即指嵩阳县境内的玉女峰。李白当年访道嵩山，未必就栖身于此。这里选用“玉女”的峰名，是为了与上句的“万古宅”相对应。“玉女”为天上的仙女，“万古宅”就暗含仙人居所的意思，使神异的气氛更加浓厚，也更加令人向往。

三、四句展示的境界更加美丽神奇。月不可留，而要“长留”，并且使它处在最恰当、最美好的位置上。晶莹的月亮悬挂在苍翠挺拔的松树之上，下面是长流不断的溪水。它不只生动地显现了嵩山秀丽的景色，而且寄托着隐居者高洁的情怀。

五、六句为第二层，写杨山人归山后的活动。诗人想象杨山人归去后将采摘仙草，而嵩山玉女峰一带就散布着开满紫花的菖蒲。这种菖蒲“一寸九节，服之长生”（晋葛洪《神仙传》），正可满足他求仙的欲望。这联上句写人，下句写山。人之于山，犹鱼之于水，显然有“得其所哉”的寓意。“尔”字又和前面的“我”字呼应，渲染出浓郁的别离气氛。

末二句为第三层，诗人向好友表示“岁晚或相访”，要和他一起去过求仙访道、啸傲山林的生活。结句把这种思想情绪化为具体的形象：仿佛在湛蓝的天空中，一条白龙在向前蜿蜒游动，龙身上骑坐着风度潇洒的诗人，他那仙风道骨与“青天”“白龙”相表里，构成了美丽和谐的意境。

这是一首送别诗，但从头至尾不写离愁别恨。写景的部分清幽高远，写杨山人归山后的生活，恬静安适。结尾骑龙相访的神奇画面，又显得豪放飘逸。通篇紧扣诗题，通过色彩鲜明的画面，把送别之意、惜别之情表达出来。借用前人的话说，就是用景语代替情语。它所写的“景”，既为外在的景物，也为内在的感情，是

"情与景偕，思与境共"的统一体。例如描绘嵩山秀丽的景色，抒发了诗人对它的爱慕之情，就寓有怀念杨山人和向往栖隐生活的思想感情在内。三者叠合在一起，惜别的情意，就显得十分浓烈。惜别而不感伤，一往情深，而又表现得超奇旷达，这样的送别诗是非常罕见的。它构思新奇，如镜花水月，亦真亦幻，不受通常的时空观念的束缚，不为常人的思想感情所左右，更不因袭模仿，落入前人的窠臼，表现了诗作者惊人的创造力。

李白写诗还常常运用夸张的艺术手腕使描绘的对象理想化、神奇化，以引起读者想象与思慕的情趣。例如，"宅"为常见事物，并无新奇之处，可是在前面加上"万古"二字，就变得神奇、空灵而耐人寻味了。又如，一轮明月挂在溪边的松树上，景物固然迷人，但若仅仅如此，诗味并不很多；诗人别出心裁，在前面冠以"长留"二字，突出意志的力量，这样人和物都发生了"超凡入圣"的变化，涂上一层神奇瑰丽的色彩，从而引人遐想，逗人情思。唐人张碧曾用"天与俱高，青且无际"（宋计有功《唐诗纪事》）评价李白的诗，这八个字形象地表现了李白诗歌神奇超迈而又质朴自然的特色，确乎是知音者的评判。

（朱世英）

送友人

原文

青山横北郭，白水绕东城。
此地一为别，孤蓬[1]万里征。
浮云游子意，落日故人情。
挥手自兹去，萧萧班马鸣。

〔注〕

① 孤蓬：飞蓬，枯后根易折，随风飞旋，诗里借喻远行的朋友。

鉴赏

这是一首充满诗情画意的送别诗，诗人与友人策马辞行，情意绵绵，动人肺腑。

首联“青山横北郭，白水绕东城”，点出告别的地点。诗人已经送友人来到了城外，然而两人仍然并肩缓辔，不愿分离。只见远处，青翠的山峦横亘在外城的北面，波光粼粼的流水绕城东潺潺而过。这两句，“青山”对“白水”，“北郭”对“东城”，首联即写成工丽的对偶句，确是别开生面；而且“青”“白”相间，色彩明丽。“横”字勾勒青山的静姿，“绕”字描画白水的动态。诗笔挥洒自如，描摹出一幅寥廓秀丽的图景。

中间两联切题，写离别的深情。颔联“此地一为别，孤蓬万里征”。此地一别，离人就要像蓬草那样随风飞转，到万里之外去了。此二句表达了对朋友飘泊生涯的深切关怀。落笔如行云流水，舒畅自然，不拘泥于对仗，别具一格。颈联“浮云游子意，落日故人情”，却又写得十分工整，“浮云”对“落日”，“游子意”对“故人情”。同时，诗人又巧妙地用“浮云”“落日”作比，来表明心意。天空中一抹白云，随风飘浮，象征着友人行踪不定，任意东西；远处一轮红彤彤的夕阳徐徐而下，似乎不忍遽然离开大地，隐喻诗人对朋友依依惜别的心情。在这山明水秀、红日西照的背景下送别，特别令人留恋而感到难舍难分。这里既有景，又有情，情景交融，扣人心弦。

尾联两句，情意更切。“挥手自兹去，萧萧班马鸣。”送君千里，终须一别。“挥手”，是写分离时的动作，那么内心的感觉如何呢？诗人没有直说，只写了“萧萧班马鸣”的动人场景。这一句出自《诗经·车攻》“萧萧马鸣”。班马，离群的马。诗人和友人马上挥手告别，频频致意。那两匹马仿佛懂得主人心情，也不愿脱离同伴，临别时禁不住萧萧长鸣，似有无限深情。马犹如此，人何以堪！李白化用古典诗句，著一“班”字，便翻出新意，烘托出缱绻情谊，可谓鬼斧神工。

这首送别诗写得新颖别致，不落俗套。诗中青翠的山岭，清澈的流水，火红的落日，洁白的浮云，相互映衬，色彩璀璨。班马长鸣，形象新鲜活泼。自然美与人情美交织在一起，写得有声有色，气韵生动。诗的节奏明快，感情真挚热诚而又豁达乐观，毫无缠绵悱恻的哀伤情调。这正是评家深为赞赏的李白送别诗的特色。

（何国治）

送友人入蜀

原文

见说蚕丛路[1]，崎岖不易行。
山从人面起，云傍马头生。
芳树笼秦栈，春流绕蜀城[2]。
升沉应已定，不必问君平。

〔注〕

① 蚕丛路：蚕丛，是传说中蜀国的开国君王。蚕丛路，代称入蜀的道路。

② 春流：泛指春天水涨，江水奔流。一说指流经成都的都江堰内江。蜀城：指成都。一说泛指蜀中城市。

鉴赏

这是一首以描绘蜀道山川的奇美著称的抒情诗。天宝二年(743)李白在长安送友人入蜀时所作。

全诗从送别和入蜀这两方面落笔描述。首联写入蜀的道路，先从蜀道之难开始：

见说蚕丛路，崎岖不易行。

临别之际，李白亲切地叮嘱友人：听说蜀道崎岖险阻，路上处处是层峦叠嶂，不易通行。语调平缓自然，恍若两个好友在娓娓而谈，感情显得诚挚而恳切。它和《蜀道难》以饱含强烈激情的感叹句“噫吁嚱，危乎高哉，蜀道之难难于上青天”开始，写法迥然不同，这里只是平静地叙述，而且还是“见说”，显得很委婉，浑然无迹。首联入题，提出送别意。颔联就“崎岖不易行”的蜀道作进一步的具体描画：

山从人面起，云傍马头生。

蜀道在崇山峻岭上迂回盘绕，人在栈道上走，山崖峭壁宛如迎面而来，从人的脸侧重叠而起，云气依傍着马头而升起翻腾，像是腾云驾雾一般。“起”“生”两个动词用得极好，生动地表现了栈道的狭窄、险峻、高危，想象诡异，境界奇美，写得气韵飞动。

蜀道一方面显得峥嵘险阻，另一方面也有优美动人的地方，瑰丽的风光就在秦栈上：

芳树笼秦栈，春流绕蜀城。

此联中的“笼”字是评家所称道的“诗眼”，写得生动、传神，含意丰满，表现了多方面的内容。它包含的第一层意思是：山岩峭壁上突出的林木，枝叶婆娑，笼罩着栈道。这正是从远处观看到的景色。秦栈便是由秦（今陕西省）入蜀的栈道，在山岩间凿石架木建成，路面狭隘，道旁不会长满树木。“笼”字准确地描画了栈道林荫是由山上树木朝下覆盖而成的特色。第二层的意思是：与前面的“芳树”相呼应，形象地表达了春林长得繁盛芳茂的景象。最后，“笼秦栈”与对句的“绕蜀城”，字凝语炼，恰好构成严密工整的对偶句。前者写山上蜀道景致，后者写山下春江环绕成都而奔流的美景。远景与近景上下配合，相互映衬，风光旖旎，有如一幅瑰玮的蜀道山水画。诗人以浓彩描绘蜀道胜景，这对入蜀的友人来说，无疑是一种抚慰与鼓舞。尾联忽又翻出题旨：

升沉应已定，不必问君平。

李白了解他的朋友是怀着追求功名富贵的目的入蜀，因而临别赠言，便意味深长地告诫：个人的官爵地位，进退升沉都早有定局，何必再去询问善卜的君平呢！西汉严遵，字君平，隐居不仕，曾在成都卖卜为生。李白借用君平的典故，婉转地启发他的朋友不要沉迷于功名利禄之中，可谓谆谆善诱，凝聚着深挚的情谊，而其中又不乏自身的身世感慨。这一联写得含蓄蕴藉，语短情长。

这首诗，风格清新俊逸，曾被前人推崇为“五律正宗”（《唐宋诗醇》卷一）。诗的中间两联对仗非常精工严整，而且，颔联语意奇险，极言蜀道之难，颈联忽描写纤丽，又道风景可乐，笔力开阖顿挫，变化万千。最后，以议论作结，突现主旨，更富有韵味。清人赵翼曾指出李白所写的五律，“盖才气豪迈，全以神运，自不屑束缚于格律对偶，与雕绘者争长。然有对偶处，仍自工丽；且工丽中别有一种英爽之气，溢出行墨之外”（《瓯北诗话》卷一）。这一评语很精确，正好道出了这首五律在对偶上的艺术特点。

（何国治）

宣州谢脁楼饯别校书叔云

原文

弃我去者昨日之日不可留，
乱我心者今日之日多烦忧。
长风万里送秋雁，对此可以酣高楼。
蓬莱文章建安骨，中间小谢又清发。
俱怀逸兴壮思飞，欲上青天揽明月。
抽刀断水水更流，举杯销愁愁更愁。
人生在世不称意，明朝散发弄扁舟。

鉴赏

这是天宝末年李白在宣城期间饯别秘书省校书郎李云之作。谢脁楼，系南齐著名诗人谢脁任宣城太守时所创建，又称北楼、谢公楼。诗题一作《陪侍御叔华登楼歌》。

发端既不写楼，更不叙别，而是陡起壁立，直抒郁结。“昨日之日”与“今日之日”，是指许许多多个弃我而去的“昨日”和接踵而至的“今日”。也就是说，每一天都深感日月不居，时光难驻，心烦意乱，忧愤郁悒。这里既蕴含了“功业莫从就，岁光屡奔迫”(《淮南卧病书怀寄蜀中赵征君蕤》)的精神苦闷，也融铸着诗人对污浊的政治现实的感受。他的“烦忧”既不自“今日”始，他所“烦忧”

者也非止一端。不妨说，这是对他长期以来政治遭遇和政治感受的一个艺术概括。忧愤之深广、强烈，正反映出天宝以来朝政的愈趋腐败和李白个人遭遇的愈趋困窘。理想与现实的尖锐矛盾所引起的强烈精神苦闷，在这里找到了适合的表现形式。破空而来的发端，重叠复沓的语言（既说“弃我去”，又说“不可留”；既言“乱我心”，又称“多烦忧”），以及一气鼓荡、长达十一字的句式，都极生动形象地显示出诗人郁结之深、忧愤之烈、心绪之乱，以及一触即发、发则不可抑止的感情状态。

三、四两句突作转折：面对着寥廓明净的秋空，遥望万里长风吹送鸿雁的壮美景色，不由得激起酣饮高楼的豪情逸兴。这两句在读者面前展现出一幅壮阔明朗的万里秋空画图，也展示出诗人豪迈阔大的胸襟。从极端苦闷忽然转到朗爽壮阔的境界，仿佛变化无端，不可思议。但这正是李白之所以为李白。正因为他素怀远大的理想抱负，又长期为黑暗污浊的环境所压抑，所以时刻都向往着广大的可以自由驰骋的空间。目接“长风万里送秋雁”之境，不觉精神为之一爽，烦忧为之一扫，感到一种心、境契合的舒畅，“酣饮高楼”的豪情逸兴也就油然而生了。

下两句承高楼饯别写纵酒高谈的内容。东汉时学者称东观（政府的藏书机构）为道家蓬莱山，这里用“蓬莱文章”借指汉代文章。建安骨，指刚健遒劲的“建安风骨”，其文章风格刚健，下句则提及“小谢”（即谢朓）诗清新秀发的风格。李白非常推崇谢朓，在谢朓楼谈到谢朓正是“本地风光”。这两句自然地关合了题目中的谢朓楼。

七、八两句就“酣高楼”进一步渲染双方的意兴，说彼此都怀有豪情逸兴、雄心壮志，酒酣兴发，更是飘然欲飞，想登上青天揽取明月。前面方写晴昼秋空，这里却说到“明月”，可见后者当非实景。“欲上”云云，也说明这是诗人酒酣兴发时的豪语。豪放与天真，在这里得到了和谐的统一。这正是李白的性格。上天揽月，固然是一时兴到之语，未必有所寓托，但这飞动健举的形象却让我们分明感觉到诗人对高洁理想境界的向往追求。这两句笔酣墨饱，淋漓尽致，把面对“长风万里送秋雁”的境界所激起的昂扬情绪推向最高潮，仿佛现实中一切黑暗污浊都已一扫而光，心头的一切烦忧都已丢到了九霄云外。

然而诗人的精神尽管可以在幻想中遨游驰骋，诗人的身体却始终被羁束在污浊的现实之中。现实中并不存在“长风万里送秋雁”这种可以自由飞翔的天地，他所看到的只是“夷羊满中野，绿葹盈高门”（《古风》五十一）这种可憎的局面。因此，当他从幻想中回到现实里，就更强烈地感到了理想与现实的矛盾不可调和，更加重了内心的烦忧苦闷。“抽刀断水水更流，举杯销愁愁更愁”，这一落千丈的又一大转折，正是在这种情况下必然出现的。“抽刀断水水更流”的比喻是奇特而富于独创性的，同时又是自然贴切而富于生活气息的。谢朓楼前，就是终年长流的宛溪水，不尽的流水与无穷的烦忧之间本就极易产生联想，因而很自然地由排遣烦忧的强烈愿望中引发出“抽刀断水”的意念。由于比喻和眼前景的联系密切，从而使它多少具有“兴”的意味，读来便感到自然天成。尽管内心的苦闷无法排遣，但“抽刀断水”这个细节却生动地显示出诗人力图摆脱精神苦闷的要求，这就和沉溺于苦闷而不能自拔者有明显区别。

“人生在世不称意，明朝散发弄扁舟。”李白的进步理想与黑暗现实的矛盾，在当时历史条件下，是无法解决的，因此，他总是陷于“不称意”的苦闷中，而且只能找到“散发弄扁舟”这样一条摆脱苦闷的出路。这结论当然不免有些消极，甚至包含着逃避现实的成分。但历史与他所代表的社会阶层都规定了他不可能找到更好的出路。

李白的可贵之处在于，尽管他精神上经受着苦闷的重压，但并没有因此放弃对进步理想的追求。诗中仍然贯注豪迈慷慨的情怀。"长风"二句，"俱怀"二句，更像是在悲怆的乐曲中奏出高昂乐观的音调，在黑暗的云层中露出灿烂明丽的霞光。"抽刀"二句，也在抒写强烈苦闷的同时表现出倔强的性格。因此，整首诗给人的感觉不是阴郁绝望，而是忧愤苦闷中显现出豪迈雄放的气概。这说明诗人既不屈服于环境的压抑，也不屈服于内心的重压。

思想感情的瞬息万变，波澜迭起，和艺术结构的腾挪跌宕，跳跃发展，在这首诗里被完美地统一起来了。诗一开头就平地突起波澜，揭示出郁积已久的强烈精神苦闷；紧接着却完全撇开"烦忧"，放眼万里秋空，从"酣高楼"的豪兴到"揽明月"的壮举，扶摇直上九霄，然后却又迅即从九霄跌入苦闷的深渊。直起直落，大开大合，没有任何承转过渡的痕迹。这种起落无端、断续无迹的结构，最适宜于表现诗人因理想与现实的尖锐矛盾而产生的急遽变化的感情。

自然与豪放和谐结合的语言风格，在这首诗里也表现得相当突出。必须有李白那样阔大的胸襟抱负、豪放坦率的性格，又有高度驾驭语言的能力，才能达到豪放与自然和谐统一的境界。这首诗开头两句，简直像散文的语言，但其间却流注着豪放健举的气势。"长风"二句，境界壮阔，气概豪放，语言则高华明朗，仿佛脱口而出。这种自然豪放的语言风格，也是这首诗虽极写烦忧苦闷，却并不阴郁低沉的一个原因。

（刘学锴）

山中问答

原文

问余何意栖碧山，笑而不答心自闲。
桃花流水窅然[①]去，别有天地非人间。

〔注〕

① 窅(yǎo)然：远去貌。

鉴赏

这是一首诗意淡远的七言绝句。

诗的前两句“问余何意栖碧山，笑而不答心自闲”，前句起得突兀，后句接得迷离。这首诗的诗题一作《山中答俗人》，那么“问”的主语即所谓“俗人”；“余”，诗人自指；“何意”，一作“何事”。“碧山”即指山色的青翠苍绿。诗以提问的形式领起，突出题旨，唤起读者的注意，当人们正要倾听答案时，诗人笔锋却故意一晃，“笑而不答”。“笑”字值得玩味，它不仅表现出诗人喜悦而矜持的神态，造成了轻松愉快的气氛；而且这“笑而不答”，还带有几分神秘的色彩，造成悬念，以诱发人们思索的兴味。“心自闲”三个字，既是山居心境的写照，更表明这“何意栖碧山”的问题，对于诗人来说，既不觉得新鲜，也不感到困惑，只不过是“悠然心会，妙处难与君说”罢了。第二句接得迷离，妙在不答，使诗增添了变幻曲折，自有摇曳生姿、引人入胜的魅力。

后两句“桃花流水窅然去，别有天地非人间”，是写“碧山”之景，其实也就是“何意栖碧山”的答案。这种“不答”而答、似断实连的结构，加深了诗的韵味。诗虽写花随溪水，窅然远逝的景色，却无一点“流水落花春去也”的衰飒情调，而是把它当作令人神往的美来渲染、来赞叹。何以见得？因为上面写的“笑而不答”的神态，以及末句的议论都流露出这种感情。“山花如绣颊”固然是美的，桃花随流水也是美的，它们都是依照自然的法则，在荣盛和消逝之中显示出不同的美，这不同的美却具有共同之点——即“天然”二字。这种美学观点反映了诗人酷爱自由、天真开朗的性格。“碧山”之中这种不汲汲于荣、不寂寂于逝，充满着天然、宁静之美的“天地”，实非“人间”所能比！那么“人间”究竟怎样呢？这一回诗人真的不说了。然而只要稍稍了解一下当时黑暗的现实和李白的不幸遭遇，诗人“栖碧山”、爱“碧山”便不难理解了。可见，这“别有天地非人间”，隐含了诗人心中多少伤和恨！所以，要说这首诗是抒写李白超脱现实的闲适心情，恐怕未必贴切。诗中用一“闲”字，就是要暗示出“碧山”之“美”，并以此与“人间”形成鲜明的对比。因而诗在风格上确有一种“寓庄于谐”的味道，不过这并非“超脱”。愤世嫉俗与乐观浪漫往往就是这么奇妙地统一在他的作品之中。

全诗虽只四句，但是有问，有答，有叙述，有描绘，有议论，其间转接轻灵，活泼流利。用笔有虚有实，实处形象可感，虚处一触即止，虚实对比，蕴意幽邃。明代李东阳曾说：“诗贵意，意贵远不贵近，贵淡不贵浓；浓而近者易识，淡而远者难知。……李太白‘桃花流水窅然去，别有天地非人间’，……皆淡而愈浓，近而愈远,可与知者道,难与俗人言。”(《麓堂诗话》)这段话对于我们读这首诗倒是颇有启发的。诗押平声韵,采用不拘格律的古绝形式,显得质朴自然,悠然舒缓,更有助于传达出诗的情韵。

(赵其钧)

答王十二寒夜独酌有怀

原文

昨夜吴中雪，子猷佳兴发。

万里浮云卷碧山，青天中道流孤月。

孤月沧浪河汉清，北斗错落长庚明。

怀余对酒夜霜白，玉床金井冰峥嵘。

人生飘忽百年内，且须酣畅万古情。

君不能狸膏金距[①]学斗鸡，坐令鼻息吹虹霓。

君不能学哥舒，横行青海夜带刀，西屠石堡取紫袍。

吟诗作赋北窗里，万言不值一杯水。

世人闻此皆掉头，有如东风射马耳。

鱼目亦笑我，谓与明月同。

骅骝拳跼不能食，蹇驴得志鸣春风。

《折杨》《黄华》合流俗，晋君听琴枉《清角》[②]。

《巴人》谁肯和《阳春》，楚地犹来贱奇璞。

黄金散尽交不成，白首为儒身被轻。

一谈一笑失颜色，苍蝇贝锦喧谤声。

曾参岂是杀人者？谗言三及慈母惊。

与君论心握君手，荣辱于余亦何有？

孔圣犹闻伤凤麟，董龙[3]更是何鸡狗！

一生傲岸苦不谐，恩疏媒劳志多乖。

严陵高揖汉天子，何必长剑拄颐事玉阶。

达亦不足贵，穷亦不足悲。

韩信羞将绛灌比，祢衡耻逐屠沽儿。

君不见李北海，英风豪气今何在！

君不见裴尚书，土坟三尺蒿棘居！

少年早欲五湖去，见此弥将钟鼎疏。

〔注〕

① 狸膏：狐狸油。狸善捕食鸡，以狸膏涂鸡头，能使对方的鸡闻而胆怯。金距：距为鸡爪，鸡爪上装以金属芒刺，使之锋利。

② 清角：相传为黄帝所制曲调，其声悲壮，只能演奏给有才德的人听。《韩非子·十过》载，春秋时晋平公德薄，却强迫师旷为他演奏，结果风雨大作，裂帏破幕，平公受惊得病，晋国大旱三年。

③ 董龙：前秦主苻生的宠臣董荣，小字龙，奸诈凶狠。

鉴赏

李白的朋友王十二写了一首题为《寒夜独酌有怀》的诗赠给李白，李白便写了这首答诗，酣畅淋漓地抒发情怀。

诗的前八句叙事，设想王十二怀念自己的情景。诗人没有正面点明，而是巧妙地借用了东晋王子猷访戴的典故来暗示。王十二与王子猷同姓，前者是寒夜怀友，后者是雪夜怀友，情境相似。戴安道与王子猷都是当时的名士，用这个典故，也有表明诗人自己与王十二品格高洁的意思。

为了衬托王十二对朋友的美好感情，诗人把王十二怀友时的环境也描绘得很美。本来万里天空布满了浮云，等到王十二怀友的"佳兴"一发，那碧山似的浮云就突然收卷起来，孤月悬空，银河清澄，北斗参差，清明的夜色给人以夜凉如水之感。在皎皎月光下，满地夜霜，一片晶莹明净，井边的栏杆成了"玉床"，井成了"金井"，连四周的冰也嶙峋奇突，气象不凡。

这是诗人凭借丰富的想象创造出来的美好境界，佳境佳兴，景真情真，好像王十二就出现在面前，诗人怎能不倾心吐胆，畅叙情怀呢？

"人生飘忽百年内，且须酣畅万古情"是过渡句，它既承上文的"怀余对酒"，又启下文的抒怀。下面，诗分三个层次，洋洋洒洒地抒写诗人的万古情怀。

第一层，"君不能狸膏金距学斗鸡"至"楚地犹来贱奇璞"，感慨贤愚颠倒、是非混淆的现实。

一开始，诗人写佞幸小人得势，连用两个"君不能……"，感情喷薄而出，鄙夷之情难以遏止。写斗鸡徒，用"狸膏金距"四字，写出他们为了投皇帝所好，挖空心思，出奇争胜的丑恶行径。"坐令鼻息吹虹霓"，用漫画式的笔法，描绘得宠鸡童骄横愚蠢的丑态。

李白也反对那种以武力屠杀来邀功的人，“横行青海夜带刀，西屠石堡取紫袍”，仅仅两句，一个凶悍的武人形象就跃然纸上。

接着写志士才人受压的情景。以学识济天下，这是诗人所向往的。可是他们的才能往往不能为世所用，“世人闻此皆掉头，有如东风射马耳”，形象地描绘出才志之士不被理解、不被重视的处境。

诗人对这种社会现实十分愤慨。他用了两个通俗的典故作比喻。一个是鱼目混珠。用“笑”字把“鱼目”拟人化了，“鱼目”把才高志雄的诗人比作明月珠，然后又进行嘲笑，小人得志的蠢态，被刻画得淋漓尽致。二是以骅骝和蹇驴比喻贤人与庸才。这也是很常见的。贾谊《吊屈原赋》云：“腾驾罢牛，骖蹇驴兮；骥垂两耳，服盐车兮。”李白在这里却进一步用“拳跼”二字写出了良马压抑难伸的情状，用“鸣春风”写出了跛脚驴子的得意神态，两相对照，效果分外鲜明。寻常俗典，一经诗人手笔，便能焕发出奇馨异彩。

最后写造成这种现实生活中贤愚颠倒的原因，是统治集团无德无识。写他们目不明，用了和氏璧的典故。写他们耳不聪，用了听乐的典故。《阳春白雪》之曲、《清角》之调，他们不仅听不懂，而且像德薄的晋平公一样，不配听。

第二层，“黄金散尽交不成”至“谗言三及慈母惊”，写自己受谗遭谤的境遇。

李白很想通过广泛交游，来施展自己的才能和抱负。可是“黄金散尽交不成”，尝尽了世态的炎凉，还时时受到苍蝇一类小人花言巧语的诽谤。谗言之可畏，就像曾母三次听到“曾参杀人”的谣言，也信以为真那样。

第三层,“与君论心握君手”以下,写诗人所持的态度和今后的打算。

“与君论心握君手”,诗人以对老朋友谈心的方式披露了自己的胸怀。面对现实,他决定置荣辱于度外,而羞与小人为伍。这时诗人的感情也由前面的揶揄嘲讽,转为愤激不平,诗意起伏跌宕,奇突转折。“孔圣犹闻伤凤麟”,像孔子这样的圣人,尚不能遭逢盛世实现他的理想,何况我呢?“董龙更是何鸡狗”,如董龙之辈的李林甫、杨国忠这些宠臣又算什么东西!诗人的心情抑郁难平,因而发出了“一生傲岸苦不谐,恩疏媒劳志多乖”的声声慨叹。接着,诗人又以严陵、韩信、祢衡这些才志之士作比,表现出傲岸不屈、不为苟合的高洁人格和豁达大度的胸怀。诗人任凭感情自由奔泻,如长江大河,有一种浪涛奔涌的自然美。可以说,诗人是嬉笑怒骂皆成文章,英风豪气溢于笔端。

最后写今后的打算:浪迹江湖,远离污秽的朝廷。连用两个“君不见……”的句式,与前面的“君不能……”“与君论心……”相呼应,使畅叙衷肠的气氛更浓。这里提到的与李白同时代的李邕和裴敦复,被当朝宰相杀害了,李白把他们的遭遇作为贤愚颠倒、是非混淆的例证提出来,愤慨地表示:“见此弥将钟鼎疏”。诗人这种襟怀磊落、放言无忌的精神,给诗歌披上了一层夺目的光彩。

不错,李白早就有泛舟五湖的打算,但他的归隐有一个前提,就是须待“事君之道成,荣亲之义毕”(《代寿山答孟少府移文书》)。现在,既然还没能做出一番轰轰烈烈的事业来“事君荣亲”,当然也就不会真的去归隐。所谓“泛五湖”“疏钟鼎”,只不过是他发泄牢骚和不满的愤激之词。

宋人陈郁说："盖写形不难，写心唯难也。"(《藏一话腴》)这首诗，却正是把诗人自己的内心世界作为表现对象。诗以议论式的独白为主，这种议论，不是抽象化、概念化的说教，而是"带情韵以行"(清沈德潜《说诗晬语》六十)，重在揭示内心世界，刻画诗人的自我形象，具有鲜明的个性特点。即使是抒发受谗遭谤、大志难伸的愤懑之情，也是激情如火，豪气如虹，表现了诗人粪土王侯、浮云富贵，不与统治者同流合污的精神。同时，又由于诗人对生活观察的深刻和特有的敏感，使这首诗反映了安史之乱大动荡前夕，李唐王朝政治上贤愚颠倒、远贤亲佞的黑暗现实。全诗具有强烈的感情色彩，激情喷涌，一气呵成，具有一种排山倒海的气势，读之使人心潮难平。

(张燕瑾)

东鲁门泛舟二首（其一）

原文

日落沙明天倒开，
波摇石动水萦回。
轻舟泛月寻溪转，
疑是山阴雪后来。

鉴赏

这是作者寓居东鲁时的作品。那时，他常与鲁中名士孔巢父等往还，饮酒酣歌，时人称他们为“竹溪六逸”。此诗就记录着诗人当年的一段生活。

东鲁是唐时的兖州（今山东曲阜），“东鲁门”在府城东。诗中写的是月下泛舟的情景。

“日落沙明天倒开”，第一句写景就奇妙。常言“天开”往往与日出相关，把天开与日落联在一起，则闻所未闻。但它确乎写出一种实感：“日落”时回光返照的现象，使水中沙洲与天空的倒影分外眼明，给人以“天开”之感。这光景通过水中倒影来写，更是奇中有奇。此句从写景中已间接展示“泛舟”之事，又是很好的发端。

“波摇石动水萦回”。按常理应该波摇石不动。而“波摇石动”，同样来自弄水的实感。这是因为现实生活中人们观察事物时，往往会产生各种错觉。波浪的轻摇，水流的萦回，都可能造成“石动”的感觉。至于石的倒影更是摇荡不宁的。这样通过主观感受来写，一下子就抓住使人感到妙不可言的景象特征，与前句有共同的妙处。

夜里水上的景色，因“素月分辉，明河共影”而特别美妙。月光映射水面，铺上一层粼粼的银光，船儿好像泛着月光而行。这使舟中人陶然心醉，忘怀一切，几乎没有目的地沿溪寻路，信流而行。“轻舟泛月寻溪转”，这不仅是写景记事，也刻画了人物精神状态。一个“轻”字，很好地表现了那种飘飘然的感觉。

到此三句均写景叙事，末句才归结到抒情。这里，诗人并未把感情和盘托出，却信手拈来一个著名故事，予以形容。事出《世说新语·任诞》，说的是东晋王徽之（字子猷）居山阴（今浙江绍兴）时，在一个明朗的雪夜，忽然思念住在剡地的好友戴逵，便连夜乘舟造访，隔了一宿才到达。王到后，却不入见，反而掉过船头回去了。别人问他何以如此，他答道：“吾本乘兴而行，兴尽而返，何必见戴？”

“乘兴而行”，正是李白泛舟时的心情。宋苏轼《赤壁赋》写月下泛舟有一段精彩的抒写：“浩浩乎如冯虚御风，而不知其所止；飘飘乎如遗世独立，羽化而登仙。”正好用来说明李白泛舟时那物我两忘的情态。那时，他原未必有王子猷那走朋访友的打算，用访戴故事未必确切；然而，他那忘乎其形的豪兴，却与雪夜访戴的王子猷颇为神似，而那月夜与雪夜的境界也很近似。无怪乎诗人不禁胡涂起来，我是李太白呢，还是王子猷呢，一时自己也不甚了然了。一个“疑”字运用得极为传神。

这里的用典之妙，在于自如，在于信手拈来，因而用之，借其一端，发挥出无尽的诗意。典故的活用，原是李白七绝的特长之一。此诗在艺术上的成功与此是分不开的，不特因为写景入妙。

（周啸天）

下终南山过斛斯山人宿置酒

原文

暮从碧山下，山月随人归。
却顾所来径，苍苍横翠微。
相携及田家，童稚开荆扉。
绿竹入幽径，青萝拂行衣。
欢言得所憩，美酒聊共挥。
长歌吟松风，曲尽河星稀。
我醉君复乐，陶然共忘机。

鉴赏

我国的田园诗以东晋陶潜为开山祖，他的诗，对后代影响很大。李白这首田园诗，似也有陶诗那种描写琐事人情，平淡爽直的风格。

李白作此诗时，正在长安供奉翰林。从诗的内容看，诗人是在月夜到长安南面的终南山去造访一位姓斛斯的隐士。首句“暮从碧山下”，“暮”字挑起了第二句的“山月”和第四句的“苍苍”，“下”字挑起了第二句的“随人归”和第三句的“却顾”，“碧”字又逗出第四句的“翠微”。平平常常五个字，却无一字虚设。“山月随人归”，把月写得如此脉脉有情。月尚如此，人而不如月乎？第三句“却顾所来径”，写出诗人对终南山的眷恋之情。这里虽未正面写山林暮景，却是情中有景。不正是旖旎山色，使诗人迷恋不已吗？第四句又是正面描写。“翠微”指青翠掩映的山林幽深处。“苍苍”两字起加倍渲染的作用。“横”有笼罩意。此句描绘出暮色苍苍中的山林美景。这四句，用笔简练而神色俱佳。

诗人漫步山径，大概遇到了斛斯山人，于是“相携及田家”。“相携”，显出情谊的密切。“童稚开荆扉”，连孩子们也开柴门来迎客了。进门后，“绿竹入幽径，青萝拂行衣”，写出了田家庭园的恬静，流露出诗人的称羡之情。“欢言得所憩，美酒聊共挥”，“得所憩”不仅是赞美山人的庭园居室，显然也为遇知己而高兴，因而欢言笑谈，美酒共挥。一个“挥”字写出了李白畅怀豪饮的神情。酒醉情浓，放声长歌，直唱到天河群星疏落，籁寂更深。“长歌吟松风，曲尽河星稀”句中青松与青天，仍处处绾带上文的一片苍翠。至于河星既稀，月色自淡，这就不在话下了。最后，从美酒共挥，转到“我醉君复乐，陶然共忘机”，写出酒后的风味，陶陶然把人世的机巧之心，一扫而空，显得淡泊而恬远。

这首诗以田家、饮酒为题材，很显然是受陶潜诗的影响，然而两者诗风又有不同之处。陶潜的写景，虽未曾无情，却显得平淡恬静，如“暖暖远人村，依依墟里烟”(《归园田居五首》其一)，“道狭草木长，夕露沾我衣”(同上其三)，“采菊东篱下，悠然见南山”(《饮酒二十首》其五)，“微雨从东来，好风与之俱”(《读山海经十三首》其一)之类，既不染色，而口气又那么温缓舒徐。而李白就着意渲染，“却顾所来径，苍苍横翠微”，“绿竹入幽径，青萝拂行衣。欢言得所憩，美酒聊共挥”，不仅色彩鲜明，而且神情飞扬，口气中也带有清俊之味。在李白的一些饮酒诗中，豪情狂气喷薄涌泄，溢于纸上，而此诗似已大为掩抑收敛了。“长歌吟松风，曲尽河星稀。我醉君复乐，陶然共忘机。”可是一比起陶诗，意味还是有差别的。陶潜的“或有数斗酒，闲饮自欢然”（《答庞参军》），“过门更相呼，有酒斟酌之”（《移居》其二），“何以称我情，浊酒且自陶”（《己酉岁九月九日》），“一觞虽独进，杯尽壶自倾”（《饮酒二十首》其七）之类，称心而出，信口而道，淡淡然无可无不可的那种意味，就使人觉得李白挥酒长歌仍有一股英气，与陶潜异趣。因而，从李白此诗既可以看到陶诗的影响，又可以看到两位诗人风格的不同。

（沈熙乾）

把酒问月

原文

青天有月来几时？我今停杯一问之。
人攀明月不可得，月行却与人相随。
皎如飞镜临丹阙，绿烟灭尽清辉发。
但见宵从海上来，宁知晓向云间没？
白兔捣药秋复春，嫦娥孤栖与谁邻？
今人不见古时月，今月曾经照古人。
古人今人若流水，共看明月皆如此。
唯愿当歌对酒时，月光长照金樽里。

鉴赏

《把酒问月》这诗题就是作者绝妙的自我造像，那飘逸浪漫的风神惟谪仙人方能有之。题下原注："故人贾淳令予问之。"彼不自问而令予问之，一种风流自赏之意溢于言表。

悠悠万世，明月的存在对于人间是一个魅人的宇宙之谜。"青天有月来几时"的劈头一问，对那无限时空里的奇迹，大有神往与迷惑交驰之感。问句先出，继而具体写其人神往的情态。这情态从把酒"停杯"的动作见出。它使人感到那突如其来的一问分明带有几分醉意，从而倍有诗味。二句语序倒装，以一问摄起全篇，极富气势感。开篇从手持杯酒仰天问月写起，以下大抵两句换境换意，尽情咏月抒怀。

明月高高挂在天上，会使人生出“人攀明月不可得”的感慨；然而当你无意于追攀时，它许会万里相随，依依不舍。两句一冷一热，亦远亦近，若离若即，道是无情却有情。写出明月于人既可亲又神秘的奇妙感，人格化手法的运用惟妙惟肖。回文式句法颇具唱叹之致。紧接二句对月色作描绘：皎皎月轮如明镜飞升，下照宫阙，云翳（“绿烟”）散尽，清光焕发。以“飞镜”作譬，以“丹阙”陪衬俱好，而“绿烟灭尽”四字尤有点染之功。试想，一轮圆月初为云遮，然后揭开纱罩般露出娇面，该是何等光彩照人！月色之美被形容得如可揽接。不意下文又以一问将月的形象推远：“但见宵从海上来，宁知晓向云间没？”月出东海而消逝于西天，踪迹实难测知，偏能月月循环不已。“但见”“宁知”的呼应足传诗人的惊奇，他从而浮想联翩，究及那难以稽考的有关月亮的神话传说：月中白兔年复一年不辞辛劳地捣药，为的什么？碧海青天夜夜独处的嫦娥，该是多么寂寞？语中对神物、仙女深怀同情，其间流露出诗人自己孤苦的情怀。这面对宇宙的遐想又引起一番人生哲理探求，从而感慨系之。今月古月实为一个，而今人古人则不断更迭。说“今人不见古时月”，亦意味“古人不见今时月”；说“今月曾经照古人”，亦意味“古月依然照今人”。故二句造语备极重复、错综、回环之美，且有互文之妙。古人今人何止恒河沙数，只如逝水，然而他们见到的明月则亘古如斯。后二句在前二句基础上进一步把明月长在而人生短暂之意渲染得淋漓尽致。前二句分说，后二句总括，诗情哲理并茂，读来意味深长，回肠荡气。最后二句则结穴到及时行乐的主意上来。三国曹操诗云：“对酒当歌，人生几何？”（《短歌行》）此处略用其字面，流露出同一种人生感喟。末句“月光长照金樽里”，形象鲜明独特。从无常求“常”，意味隽永。至此，诗情海阔天空地驰骋一番后，又回到诗人手持的酒杯上来，完成了一个美的巡礼，使读者从这一形象回旋中获得极深的诗意感受。

全诗从酒写到月，从月归到酒；从空间感受写到时间感受。其中将人与月反反复复加以对照，又穿插以景物描绘与神话传说，塑造了一个崇高、永恒、美好而又神秘的月的形象，于中也显露着一个孤高出尘的诗人自我。虽然意绪多端，随兴挥洒，但潜气内转，脉络贯通，极回环错综之致、浑成自然之妙；加之四句转韵，平仄互换，抑扬顿挫，更觉一气呵成，有宫商之声，可谓音情理趣俱好，故“于古今为创调”（清王夫之《唐诗评选》）。

（周啸天）

陪侍郎叔游洞庭醉后三首（其三）

原文

划却君山好，平铺湘水流。
巴陵无限酒，醉杀洞庭秋。

鉴赏

《陪侍郎叔游洞庭醉后三首》是李白的一组纪游诗。它由三首五言绝句组成，三首均可独立成章。这是其中第三首，更是具有独特构思的抒情绝唱。

此诗作于乾元二年(759)秋。是年春，李白在流放夜郎途中，行至巫山，幸遇大赦放还。九死一生，喜出望外，立即“朝辞白帝彩云间，千里江陵一日还”(《早发白帝城》)，赶忙返至江夏。李白获得自由以后，为什么迫不及待地返至江夏呢？“天地再新法令宽，夜郎迁客带霜寒”(《江夏赠韦南陵冰》)，原来他又对朝廷产生了幻想，希望朝廷还能用他。但是他在江夏活动了一个时期，毫无结果，幻想又落空了，只好离开江夏，出游湘中。在岳州遇到族叔李晔，时由刑部侍郎贬官岭南。他们此次同游洞庭，其心情是可以想见的。李白才华横溢，素有远大抱负，而朝政昏暗，使他一生蹭蹬不遇，因而早就发出过“大道如青天，我独不得出”(《行路难三首》其二)的感叹，而今到了晚年，九死一生之余，又遭幻想破灭，竟至无路可走，数十年愤懑，便一齐涌上心头。因此当两人碧波泛舟，开怀畅饮之际，举眼望去，兀立在洞庭湖中的君山，挡住湘水不能一泻千里直奔长江大海，就好像他人生道路上的坎坷障碍，破坏了他的远大前程。于是，发出了“刬却君山好，平铺湘水流”的奇想。他要铲去君山，表面上是为了让浩浩荡荡的湘水毫无阻拦地向前奔流，实际上这是抒发他心中的愤懑不平之气。他多么希望铲除世间的不平，让自己和一切怀才抱艺之士有一条平坦的大道可走啊！然而，这毕竟是浪漫主义的奇思幻想。君山是铲不平的，世路仍然是崎岖难行。“何以解忧，惟有杜康”，还是尽情地喝酒吧！诗人醉了，从醉眼里看洞庭湖中的碧波，好像洞庭湖水都变成了酒，而那君山上的红叶不就是洞庭之秋的绯红的醉颜吗？于是又发出了浪漫主义的奇想：“巴陵无限酒，醉杀洞庭秋。”这两句诗，既是自然景色的绝妙的写照，又是诗人思想感情的曲折的流露，流露出他也希望像洞庭湖的秋天一样，用洞庭湖水似的无穷尽的酒来尽情一醉，借以冲去积压在心头的愁闷。这首诗，前后两种奇想，表面上似乎各自独立，实际上却有着内在联系，联系它们的纽带就是诗人壮志未酬的千古愁、万古愤。酒和诗都是诗人借以抒愤懑、豁胸襟的手段。只有处在这种心情下的李白，才能产生这样奇特的想象；也只有这样奇特的想象，才能充分表达此时此际李白的心情。

李白在江夏时期写过一首《江夏赠韦南陵冰》，内容也是醉后抒愤懑之作。中有句云:“人闷还心闷,苦辛长苦辛。愁来饮酒二千石,寒灰重暖生阳春。”“我且为君捶碎黄鹤楼,君亦为吾倒却鹦鹉洲。”此诗的“刬却君山好”,用意与彼正同。假若我们一定要追问“捶碎黄鹤楼”“倒却鹦鹉洲”和“刬却君山”的动机与目的是什么,那么,即使起李白于地下,恐怕他自己也说不出究竟,可能只会这样回答:“我自抒我心中不平之气耳!”

（安　旗）

陪族叔刑部侍郎晔及中书贾舍人至游洞庭五首（其二）

原文

南湖秋水夜无烟，
耐可乘流直上天？
且就洞庭赊月色，
将船买酒白云边。

鉴赏

肃宗乾元二年(759)秋，刑部侍郎李晔贬官岭南，行经岳州(今湖南岳阳)，与诗人李白相遇。时贾至亦谪居岳州。三人相约同游洞庭湖，李白写下一组五首的七绝记其事。这是其中第二首。它内涵丰富，妙机四溢，有悠悠不尽的情韵。

首句写景，兼点季节与泛舟洞庭事。洞庭在岳州西南，故可称“南湖”。唐人喜咏洞庭，佳句累累，美不胜收。“南湖秋水夜无烟”一句，看来没有具体精细的描绘，却是天然去雕饰的淡语，惹人联想。夜来湖上，烟之有无，其谁能察？能见“无烟”，则湖上光明可知，未尝写月，而已得“月色”，极妙。清秋佳节，月照南湖，境界澄澈如画，读者如闭目可接，足使人心旷神怡。这种具有形象暗示作用的诗语，淡而有味，其中佳处，又为具体模写所难到。

在被月色净化了的境界里，最易使人忘怀尘世一切琐屑的得失之情而浮想联翩。湖光月色此刻便激起“谪仙”李白羽化遗世之想，所以次句道：安得（“耐可”）乘流而直上青天！传说天河通海，故有此想。诗人天真的异想，又间接告诉读者月景的迷人。

诗人并没有就此上天，后两句写泛舟湖上赏月饮酒之乐。“且就”二字意味深长，似乎表明，虽未上天，却并非青天不可上，也并非自己不愿上，而是洞庭月色太美，不如暂且留下来。其措意亦妙。宋苏东坡《水调歌头》“我欲乘风归去，又恐琼楼玉宇，高处不胜寒。起舞弄清影，何似在人间”数句，意境与之近似。

湖面清风，湖上明月，自然美景，人所共适，故李白曾说“清风朗月不用一钱买”（《襄阳歌》）。说“不用一钱买”，是三句“赊”字最恰当的注脚，还不能尽此字之妙。此字之用似甚无理，“月色”岂能“赊”？又岂用“赊”？然而著此一字，就将自然人格化。八百里洞庭俨然一位富有的主人，拥有湖光、山景、月色、清风等等无价之宝（只言“赊月色”，却不妨举一反三），而又十分慷慨好客，不吝借与。著一“赊”字，人与自然有了娓娓对话，十分亲切。这种别出心裁的拟人化手法，是高人一筹的。作者《送韩侍御之广德》也有“暂就东山赊月色，酣歌一夜送渊明”之句，亦用“赊月色”词语，可以互参。“赊”字有长、远之义，亦可通讲。

面对风清月白的良宵不可无酒，自然引出末句。明明在湖上，却说“将船买酒白云边”，亦无理而可玩味。原来洞庭湖面辽阔，水天相接，遥看湖畔酒家自在白云生处。说“买酒白云边”，足见湖面之壮阔。同时又与“直上天”的异想呼应，人间酒家被诗人的想象移到天上。这即景之句又充满奇情异趣，丰富了全诗的情韵。

总的说来，此诗之妙不在景物具体描绘的工致，而在于即景发兴，艺术想象奇特，铸词造语独到，能启人逸思。通篇有味而不可句摘，恰如明谢榛所说："以兴为主，浑然成篇，此诗之入化也"（《四溟诗话》）。

（周啸天）

登太白峰

原文

西上太白峰，夕阳穷登攀。
太白①与我语，为我开天关②。
愿乘泠风去，直出浮云间。
举手可近月，前行若无山。
一别武功③去，何时复更还？

〔注〕

① 太白：这里指太白星。
② 天关：星名。《宋史·天文志》："东方：角宿二星为天关，其间天门也，其内天庭也。故黄道经其中，七曜之所行也。"诗里指想象中的天界门户。
③ 武功：这里指武功山。太白山"南连武功山"（见《水经注·渭水》）。

鉴赏

李白于天宝元年（742）应诏入京时，可谓踌躇满志。可是，由于朝廷昏庸，权贵排斥，他的政治抱负根本无法实现，这使他感到惆怅与苦闷。这种心情就反映在《登太白峰》一诗上。

"西上太白峰，夕阳穷登攀。"诗的开头两句，就从侧面烘托出太白山的雄峻高耸。你看，李白从西攀登太白山，直到夕阳残照，才登上峰顶。太白峰，在今陕西武功县南九十里，是秦岭著名秀峰，高矗入云，终年积雪。俗语说："武功太白，去天三百。"山势如此高峻，李白却要攀登到顶峰。一"穷"字，表现出诗人不畏艰险、奋发向上的精神。起句"西上太白峰"正是开门见山的手法，为下面写星写月作了准备。登高壮观，诗人浮想联翩，仿佛听到"太白与我语，为我开天关"。太白星对他倾诉衷情，告诉他，愿意为他打开通向天界的门户。诗人和星星之间的友谊是多么亲切动人，富有人情味啊！李白一向热爱皎洁的明月和闪亮的星星，常常把它们人格化："青天有月来几时？我今停杯一问之。"(《把酒问月》)"举杯邀明月，对影成三人。"(《月下独酌》)诗人好像在向明月这个知心朋友问候，共叙欢情。而在这首诗里，太白星则主动问好，同他攀谈，并愿为之"开天关"。诗人想象新颖活泼，富有情趣。在这里，李白并没有直接刻画太白峰的高峻雄伟，只是写他和太白星侧耳倾谈，悄语密话的情景，就生动鲜明地表现出太白山高耸入云的雄姿。这是一种化实为虚，以虚写实的手法。李白另有一些诗也描绘了太白山的高峻，但却是用实写的手法，如《古风其五》中："太白何苍苍，星辰上森列。去天三百里，邈尔与世绝。"《蜀道难》中，也正面形容太白山的险峻雄奇："西当太白有鸟道，可以横绝峨眉巅。"虽然是同一个描写对象，李白却根据诗歌内容的不同要求而采用丰富多彩的表现方式，使人时时有新颖之感。诗人登上太白峰，通向上天的门户又已打开，于是幻想神游天界：乘着习习和风，飘然高举，自由飞升，穿过浓密云层，直上太空，向月奔去。"愿乘泠风去，直出浮云间"，形象是多么自由轻快，有如天马行空，任意驰骋，境界异常开阔。诗人飘飘然有出世之思。“愿乘泠风去”，化用《庄子·逍遥游》“夫列子御风而行，泠然善也”语意。但这里用得灵活自然，并不显出斧凿痕迹。“举手可近月，前行若无山。”这两句的意境和“俱怀逸兴壮思飞，欲上青天揽明月”（《宣州谢朓楼饯别校书叔云》）有些相似。诗人满怀豪情逸志，飞越层峦叠嶂，举起双手，向着明月靠近飞升，幻想超离人间，摆脱尘世俗气，追求个性的自由发展，到那光明理想的世界中去。以上四句，意境高远，想象奇特，形象瑰玮，艺术构思新颖，充满积极浪漫主义精神，是全诗高潮所在。然而，李白真的就甘心情愿抛开人世，脱离现实，一去不复返吗？看来还不是的：“一别武功去，何时复更还？”正当李白幻想乘泠风，飞离太白峰，神游月境时，回头望见武功山，心里却惦念着：一旦离别而去，什么时候才能返回来呢？一种留恋人间，渴望有所作为的思想感情不禁油然而生，深深地萦绕在心头。在长安，李白虽然“出入翰林中”，然而，“丑正同列，害能成谤，格言不入，帝用疏之”（李阳冰《草堂集序》）。诗人并不被重用，因而郁郁不得意。登太白峰而幻想神游，远离人世，正是这种苦闷心情的形象反映。“何时复更还？”细致地表达了他那种欲去还留，既出世又入世的微妙复杂的心理状态，言有尽而意无穷，蕴藉含蓄，耐人寻味。

晚唐诗人皮日休说过：“言出天地外，思出鬼神表，读之则神驰八极，测之则心怀四溟，磊磊落落，真非世间语者，有李太白。”（《刘枣强碑文》）这首诗就带有这种浪漫主义的创作特色。全诗借助丰富的想象，忽而驰骋天际，忽而回首人间，结构跳跃多变，突然而起，忽然而收，大起大落，雄奇跌宕，生动曲折地反映了诗人对黑暗现实的不满和对光明世界的憧憬。

（何国治）

登金陵凤凰台

原文

凤凰台上凤凰游，凤去台空江自流。
吴宫花草埋幽径，晋代衣冠成古丘。
三山半落青天外，一水中分白鹭洲[①]。
总为浮云能蔽日，长安不见使人愁。

〔注〕

① 此句一作“二水中分白鹭洲”。

鉴赏

李白很少写律诗，而《登金陵凤凰台》却是唐代的律诗中脍炙人口的杰作。此诗是作者流放夜郎遇赦返回后所作，一说是作者天宝年间，被排挤离开长安（今陕西西安），南游金陵（今江苏南京）时所作。

开头两句写凤凰台的传说，十四字中连用了三个“凤”字，却不嫌重复，音节流转明快，极其优美。“凤凰台”在金陵凤凰山上，相传南朝刘宋永嘉年间有凤凰集于此山，乃筑台，山和台也由此得名。在封建时代，凤凰是一种祥瑞。当年凤凰来游象征着王朝的兴盛；如今凤去台空，六朝的繁华也一去不复返了，只有长江的水仍然不停地流着，大自然才是永恒的存在！

三、四句就“凤去台空”这一层意思进一步发挥。三国时的吴和后来的东晋都建都于金陵。诗人感慨万分地说，吴国昔日繁华的宫廷已经荒芜，东晋的一代风流人物也早已进入坟墓。那一时的烜赫，又在历史上留下了什么有价值的东西呢？

诗人没有让自己的感情沉浸在对历史的凭吊之中，他把目光又投向大自然，投向那不尽的江水：“三山半落青天外，一水中分白鹭洲。”“三山”在金陵西南长江边上，三峰并列，南北相连。宋陆游《入蜀记》云：“三山，自石头及凤凰山望之，杳杳有无中耳。及过其下，距金陵才五十余里。”陆游所说的“杳杳有无中”正好注释“半落青天外”。李白把三山半隐半现、若隐若现的景象写得恰到好处。“白鹭洲”，在金陵西长江中，把长江分割成两道，所以说“一水中分白鹭洲”。这两句诗气象壮丽，对仗工整，是难得的佳句。

李白毕竟是关心现实的，他想看得更远些，从六朝的帝都金陵看到唐的都城长安。但是，“总为浮云能蔽日，长安不见使人愁”。这两句诗寄寓着深意。长安是朝廷的所在，日是帝王的象征。汉陆贾《新语・慎微篇》曰：“邪臣之蔽贤，犹浮云之障日月也。”李白这两句诗暗示皇帝被奸邪包围，而自己报国无门，心情是十分沉痛的。“不见长安”暗点诗题的“登”字，触境生愁，意寓言外，饶有余味。相传李白很欣赏崔颢《黄鹤楼》诗，欲拟之较胜负，乃作《登金陵凤凰台》诗。宋胡仔《苕溪渔隐丛话》、宋计有功《唐诗纪事》都有类似的记载，或许可信。此诗与崔诗工力悉敌，正如元方回《瀛奎律髓》所说：“格律气势，未易甲乙。”在用韵上，二诗都是意到其间，天然成韵。语言也流畅自然，不事雕饰，潇洒清丽。作为登临吊古之作，李诗更有自己的特点，它写出了自己独特的感受，把历史的典故，眼前的景物和诗人自己的感受，交织在一起，抒发了忧国伤时的怀抱，意旨尤为深远。

（袁行霈）

望庐山瀑布

原文

日照香炉生紫烟，
遥看瀑布挂前川。
飞流直下三千尺，
疑是银河落九天。

鉴赏

香炉，指庐山香炉峰，“在庐山西北，其峰尖圆，烟云聚散，如博山香炉之状”（宋乐史《太平寰宇记》）。可是，到了诗人李白的笔下，便成了另一番景象：一座顶天立地的香炉，冉冉地升起了团团白烟，缥缈于青山蓝天之间，在红日的照射下化成一片紫色的云霞。这不仅把香炉峰渲染得更美，而且富有浪漫主义色彩，为不寻常的瀑布创造了不寻常的背景。接着诗人才把视线移向山壁上的瀑布。“遥看瀑布挂前川”，前四字是点题；“挂前川”，这是“望”的第一眼形象，瀑布像是一条巨大的白练高挂于山川之间。“挂”字很妙，它化动为静，惟妙惟肖地表现出倾泻的瀑布在“遥看”中的形象。谁能将这巨物“挂”起来呢?“壮哉造化功”(《望庐山瀑布水二首》其一)!所以这“挂”字也包含着诗人对大自然的神奇伟力的赞颂。

第三句又极写瀑布的动态。“飞流直下三千尺”,一笔挥洒,字字铿锵有力。“飞”字,把瀑布喷涌而出的景象描绘得极为生动;“直下”,既写出山之高峻陡峭,又可以见出水流之急,那高空直落,势不可挡之状如在眼前。然而,诗人犹嫌未足,接着又写上一句“疑是银河落九天”,真是想落天外,惊人魂魄。“疑是”值得细味,诗人明明说得恍恍惚惚,而读者也明知不是,但是又都觉得只有这样写,才更为生动、逼真,其奥妙就在于诗人前面的描写中已经孕育了这一形象。你看!巍巍香炉峰藏在云烟雾霭之中,遥望瀑布就如从云端飞流直下,临空而落,这就自然地联想到像是一条银河从天而降。可见,“疑是银河落九天”这一比喻,虽是奇特,但在诗中并不是凭空而来,而是在形象的刻画中自然地生发出来的。它夸张而又自然,新奇而又真切,从而振起全篇,使得整个形象变得更为丰富多彩,雄奇瑰丽,既给人留下了深刻的印象,又给人以想象的余地,显示出李白那种“万里一泻,末势犹壮”的艺术风格。

宋人魏庆之说:“七言诗第五字要响。……所谓响者,致力处也。”(《诗人玉屑》)这个看法在这首诗里似乎特别有说服力。比如一个“生”字,不仅把香炉峰写“活”了,也隐隐地把山间的烟云冉冉上升、袅袅浮游的景象表现出来了。“挂”字前面已经提到了。那个“落”字也很精彩,它活画出高空突兀、巨流倾泻的磅礴气势。很难设想换掉这三个字,这首诗将会变成什么样子。

中唐诗人徐凝也写了一首《庐山瀑布》。诗云:“虚空落泉千仞直,雷奔入江不暂息。千古长如白练飞,一条界破青山色。”场景虽也不小，但还是给人局促之感，原因大概是它转来转去都是瀑布、瀑布，显得很实，很板，虽是小诗，却颇有点大赋的气味。比起李白那种入乎其内，出乎其外，有形有神，奔放空灵，相去实在甚远。无怪宋苏轼说："帝遣银河一派垂，古来唯有谪仙词。飞流溅沫知多少，不与徐凝洗恶诗。"（《戏徐凝瀑布诗》）话虽不无过激之处，然其基本倾向还是正确的，表现了苏轼不仅是一位著名的诗人，也是一位颇有见地的鉴赏家。

（赵其钧）

与夏十二登岳阳楼

原文

楼观岳阳尽，川迥洞庭开。
雁引愁心去，山衔好月来。
云间连下榻，天上接行杯。
醉后凉风起，吹人舞袖回。

鉴赏

乾元二年(759)，李白流放途中遇赦，回舟江陵(今湖北荆州市)，南游岳阳(今属湖南)，秋季作这首诗。夏十二，李白朋友，排行十二。岳阳楼坐落在今湖南岳阳市西北高丘上，“西面洞庭，左顾君山”，与黄鹤楼、滕王阁同为南方三大名楼，于开元四年(716)扩建，楼高三层，建筑精美。历代迁客骚人，登临游览，莫不抒怀写志。李白登楼赋诗，留下了这首脍炙人口的篇章，使岳阳楼更添一层迷人的色彩。

诗人首先描写岳阳楼四周的宏丽景色：“楼观岳阳尽，川迥洞庭开。”岳阳，这里是指天岳山之南一带。天岳山又名巴陵山，在岳阳西南。登上岳阳楼，远望天岳山南面一带，无边景色尽收眼底。

江水流向茫茫远方，洞庭湖面浩荡开阔，汪洋无际。这是从楼的高处俯瞰周围的远景。站得高，望得远，“岳阳尽”“川迥”“洞庭开”，这一“尽”、一“迥”、一“开”的渺远辽阔的景色，形象地表明诗人立足点之高。这是一种旁敲侧击的衬托手法，不正面写楼高而楼高已自见。

李白这时候正遇赦，心情轻快，眼前景物也显得有情有意，和诗人分享着欢乐和喜悦：“雁引愁心去，山衔好月来。”诗人笔下的自然万物好像被赋予生命，你看，雁儿高飞，带走了诗人忧愁苦闷之心；月出山口，仿佛是君山衔来了团圆美好之月。“雁引愁心去”，《文苑英华》作“雁别秋江去”。后者只是写雁儿冷漠地离别秋江飞去，缺乏感情色彩，远不如前者用拟人化手法写雁儿懂得人情，带走愁心，并与下句君山有意“衔好月来”互相对仗、映衬，从而使形象显得生动活泼，情趣盎然。“山衔好月来”一句，想象新颖，有独创性，着一“衔”字而境界全出，写得诡谲纵逸，诙谐风趣。

诗人兴致勃勃，幻想联翩，恍如置身仙境：“云间连下榻，天上接行杯。”在岳阳楼上住宿、饮酒，仿佛在天上云间一般。这里又用衬托手法写楼高，夸张地形容其高耸入云的状态。这似乎是醉眼蒙眬中的幻景。

诚然，诗人是有些醉意了：“醉后凉风起，吹人舞袖回。”楼高风急，高处不胜寒。醉后凉风四起，着笔仍在写楼高。凉风习习吹人，衣袖翩翩飘舞，仪表何等潇洒自如，情调何等舒展流畅，态度又何其超脱豁达，豪情逸志，溢于言表。收笔写得气韵生动，蕴藏着浓厚的生活情趣。

整首诗运用陪衬、烘托和夸张的手法，没有一句正面直接描写楼高，句句从俯视纵观岳阳楼周围景物的渺远、开阔、高耸等情状落笔，却无处不显出楼高，不露斧凿痕迹，可谓自然浑成，巧夺天工。

（何国治）

秋登宣城谢朓北楼

原文

江城[①]如画里，山晚望晴空。
两水夹明镜，双桥落彩虹。
人烟寒橘柚，秋色老梧桐。
谁念北楼上，临风怀谢公。

〔注〕

① 江城：泛指水边的城。“江”并不是实说长江。唐时江南地区的口语，无论大水小水都称之为“江”。

鉴赏

谢朓北楼是南齐诗人谢朓任宣城太守时所建，又名谢公楼，唐时改名叠嶂楼，是宣城的登览胜地。宣城处于山环水抱之中，陵阳山冈峦盘屈，三峰挺秀；句溪和宛溪的溪水，萦回映带着整个城郊，真是“鸟去鸟来山色里，人歌人哭水声中”（杜牧《题宣州开元寺水阁阁下宛溪夹溪居人》）。这诗作于天宝十三载（754），这年中秋节后，李白从金陵再度来到宣城。

一个晴朗的秋天的傍晚，诗人独自登上了谢公楼。岚光山影，是如此地明净！凭高俯瞰，这“江城”简直是在画图中似的。开头两句，诗人把他登览时所见景色概括地写了出来，总摄全篇，一下子就把读者深深吸引住，一同进入诗的意境中去了。宋严羽《沧浪诗话》云："太白发句，谓之开门见山。"指的就是这种表现手法。

中间四句是具体的描写。这四句诗里所塑造的艺术形象，都是从上面的一个"望"字生发出来的。从结构的关系来说，上两句写"江城如画"，下两句写"山晚晴空"；四句是一个完整的统一体，而又是有层次的。

"两水"指句溪和宛溪。宛溪源出峄山，在宣城的东北与句溪相会，绕城合流，所以说"夹"。因为是秋天，溪水更加澄清，它平静地流着，波面上泛出晶莹的光。用"明镜"来形容，是最恰当不过的。"双桥"指横跨溪水的上、下两桥。上桥叫作凤凰桥，在城的东南泰和门外；下桥叫作济川桥，在城东阳德门外，都是隋文帝开皇年间(581—600)的建筑。这两条长长的大桥架在溪上，倒影水中，从高楼上远远望去，缥青的溪水，鲜红的夕阳，在明灭照射之中，桥影幻映出无限奇异的璀璨色彩。这哪里是桥呢？简直是天上两道彩虹，而这"彩虹"的影子落入"明镜"之中去了。读了这两句，我们会自然而然地联想到诗人另一名作《望庐山瀑布》中的"飞流直下三千尺，疑是银河落九天"。两者同样是用比拟的手法来塑造形象，同样用一个"落"字把地下和天上联系起来；然而同中有异，异曲同工：一个是以银河比拟瀑布的飞流，一个是用彩虹写夕阳明灭的波光中双桥的倒影；一个着重在描绘其奔腾直下的气势，一个着重在显示其瑰丽变幻的色彩，两者所给予人们的美感也不一样，而诗人想象的丰富奇妙，笔致的活泼空灵，则同样使人惊叹。

秋天的傍晚，原野是静寂的，山冈一带的丛林里冒出人家一缕缕的炊烟，橘柚的深碧，梧桐的微黄，呈现出一片苍寒景色，使人感到是秋光渐老的时候了。我们不难想象，当时诗人的心情是完全沉浸在他的视野里，他的观察是深刻的，细致的；而他的描写又是毫不黏滞的。他站得高，望得远，抓住了一刹那间的感受，用极端凝练的形象语言，在随意点染中勾勒出一个深秋的轮廓，深深地透漏出季节和环境的气氛。他不仅写出秋景，而且写出了秋意。如果我们细心领会一下，就会发现他在高度概括之中，用笔是丝丝入扣的。

这结尾两句，从表面看来很简单，只不过和开头两句一呼一应，点明登览的地点是在“北楼上”；这北楼是谢朓所建的，从登临到怀古，似乎是照例的公式，因而李白就不免顺便说一句怀念古人的话罢了。这里值得注意是“谁念”两个字。“怀谢公”的“怀”，是李白自指；“谁念”的“念”，是指别人。两句的意思，是慨叹自己“临风怀谢公”的心情没有谁能够理解。这就不是一般的怀古了。

李白在长安为权贵所排挤、弃官而去之后，政治上一直处于失意之中，过着飘荡四方的流浪生活。客中的抑郁和感伤，特别当摇落秋风的时节，他那寂寞的心情，是可以想象的。宣城是他旧游之地，现在他又重来这里。一到宣城，他就会怀念到谢朓，这不仅因为谢朓在宣城遗留下像叠嶂楼这样的名胜古迹，更重要的是因为谢朓对宣城有着和自己相同的情感。当李白独自在谢朓楼上临风眺望的时候，面对着谢朓所吟赏的山川，缅怀他平素所仰慕的这位前代诗人，虽然古今世隔，然而他们的精神却是遥遥相接的。这种渺茫的心情，反映了他政治上苦闷彷徨的孤独之感；正因为政治上受到压抑，找不到出路，所以只得寄情山水，尚友古人。他当时复杂的情怀，又有谁能够理解呢？

（马茂元）

望天门山

原文

天门中断楚江开，
碧水东流至此回。
两岸青山相对出，
孤帆一片日边来。

鉴赏

天门山，就是安徽当涂县的东梁山（古代又称博望山）与和县的西梁山的合称。两山夹江对峙，像一座天设的门户，形势非常险要，“天门”即由此得名。诗题中的“望”字，说明诗中所描绘的是远望所见天门山壮美景色。历来的许多注本由于没有弄清“望”的立脚点，所以往往把诗意理解错了。

天门山夹江对峙，所以写天门山离不开长江。诗的前幅即从“江”与“山”的关系着笔。第一句“天门中断楚江开”，着重写出浩荡东流的楚江（长江流经旧楚地的一段）冲破天门奔腾而去的壮阔气势。它给人以丰富的联想：天门两山本来是一个整体，阻挡着汹涌的江流。由于楚江怒涛的冲击，才撞开了“天门”，使它中断而成为东西两山。这和作者在《西岳云台歌》中所描绘的情景颇为相似：“巨灵（河神）咆哮擘两山（指河西的华山与河东的首阳山），洪波喷流射东海。”不过前者隐后者显而已。在作者笔下，楚江仿佛成了有巨大生命力的事物，显示出冲决一切阻碍的神奇力量，而天门山也似乎默默地为它让出了一条通道。

第二句“碧水东流至此回”，又反过来着重写夹江对峙的天门山对汹涌奔腾的楚江的约束力和反作用。由于两山夹峙，浩阔的长江流经两山间的狭窄通道时，激起回旋，形成波涛汹涌的奇观。如果说上一句是借山势写出水的汹涌，那么这一句则是借水势衬出山的奇险。有的本子“至此回”作“直北回”，解者以为指东流的长江在这一带回转向北。这也许称得上对长江流向的精细说明，但不是诗，更不能显现天门奇险的气势。试比较《西岳云台歌送丹丘子》：“西岳峥嵘何壮哉！黄河如丝天际来。黄河万里触山动，盘涡毂转秦地雷。”“盘涡毂转”也就是“碧水东流至此回”，同样是描绘万里江河受到峥嵘奇险的山峰阻遏时出现的情景。绝句尚简省含蓄，所以不像七古那样写得淋漓尽致。

“两岸青山相对出，孤帆一片日边来。”这两句是一个不可分割的整体。上句写望中所见天门两山的雄姿，下句则点醒“望”的立脚点和表现诗人的淋漓兴会。诗人并不是站在岸上的某一个地方遥望天门山，他“望”的立脚点便是从“日边来”的“一片孤帆”。读这首诗的人大都赞赏“两岸青山相对出”的“出”字，因为它使本来静止不动的山带上了动态美，但却很少去考虑诗人何以有“相对出”的感受。如果是站在岸上某个固定的立脚点“望天门山”，那大概只会产生“两岸青山相对立”的静态感。反之，舟行江上，顺流而下，望着远处的天门两山扑进眼帘，显现出愈来愈清晰的身姿时，“两岸青山相对出”的感受就非常突出了。“出”字不但逼真地表现了在舟行过程中“望天门山”时天门山特有的姿态，而且寓含了舟中人的新鲜喜悦之感。夹江对峙的天门山，似乎正迎面向自己走来，表示它对江上来客的欢迎。

青山既然对远客如此有情，则远客自当更加兴会淋漓。“孤帆一片日边来”，正传神地描绘出孤帆乘风破浪，越来越靠近天门山的情景，和诗人欣睹名山胜景、目接神驰的情状。它似乎包含着这样的潜台词：雄伟险要的天门山呵，我这乘一片孤帆的远方来客，今天终于看见了你。

由于末句在叙事中饱含诗人的激情，这首诗便在描绘出天门山雄伟景色的同时突出了诗人的自我形象。如果要正题，诗题应该叫“舟行望天门山”。

（刘学锴）

客中作[1]

原文

兰陵美酒郁金香[2]，玉碗盛来琥珀光[3]。

但使主人能醉客，不知何处是他乡。

〔注〕

① 题一作《客中行》。

② 兰陵：今山东枣庄市。郁金香：一种香草。古人用以浸酒，浸后酒带金黄色。

③ 琥珀：一种树脂化石，呈黄色或赤褐色，色泽晶莹。

鉴赏

抒写离别之悲、他乡作客之愁，是古代诗歌创作中一个很普遍的主题。然而这首诗虽题为“客中作”，抒写的却是作者的另一种感受。

“兰陵美酒郁金香，玉碗盛来琥珀光。”兰陵，点出作客之地，但把它和美酒联系起来，便一扫令人沮丧的外乡异地凄楚情绪，而带有一种使人迷恋的感情色彩了。著名的兰陵美酒，是用郁金香加工浸制，带着醇浓的香味，又是盛在晶莹润泽的玉碗里，看去犹如琥珀般的光艳。诗人面对美酒，愉悦兴奋之情自可想见了。

“但使主人能醉客，不知何处是他乡。”这两句诗，可以说既在人意中，又出人意外。说在人意中，因为它符合前面描写和感情发展的自然趋向;说出人意外,是因为"客中作"这样一个似乎是暗示要写客愁的题目,在李白笔下,完全是另一种表现。这样诗就显得特别耐人寻味。诗人并非没有意识到是在他乡,当然也并非丝毫不想念故乡。但是,这些都在兰陵美酒面前被冲淡了。一种流连忘返的情绪,甚至乐于在客中、乐于在朋友面前尽情欢醉的情绪完全支配了他。由身在客中,发展到乐而不觉其为他乡,正是这首诗不同于一般羁旅之作的地方。

李白天宝初年长安之行以后,移家东鲁。这首诗作于东鲁的兰陵(治今山东枣庄市峄城镇),而以兰陵为"客中",显然应为开元年间亦即入京前的作品。这时社会呈现着财阜物美的繁荣景象,人们的精神状态一般也比较昂扬振奋,而李白更是重友情,嗜美酒,爱游历,祖国山川风物,在他的心目中是无处不美的。这首诗充分表现了李白豪放不羁的个性,并从一个侧面反映出盛唐时期的时代气氛。

(余恕诚)

夜下征虏亭

原文

船下广陵去，月明征虏亭。
山花如绣颊，江火似流萤。

鉴赏

据《建康志》记载，征虏亭在石头坞，建于东晋，是金陵（今江苏南京）的一大名胜。此亭居山临江，风景佳丽。李白于上元二年（761）暮春由此登舟，往游广陵（今江苏扬州），即兴写下此诗。

诗的语言如话，意境如画。诗人坐在小舟上回首仰望征虏亭，只见那高高的古亭在月光映照下，格外轮廓分明。

“绣颊”，亦称“绣面”，或“花面”。唐人风俗，少女妆饰面颊。白居易有诗云：“绣面谁家婢，鸦头几岁奴。”（《东南行一百韵寄通州元九侍御……》）刘禹锡亦有诗云：“花面丫头十三四，春来绰约向人时。”（《寄赠小樊》）李白是以“绣颊”代称少女，以之形容山花。那征虏亭畔的丛丛山花，在朦胧的月色下，绰约多姿，好像一群天真烂漫的少女，伫立江头，为诗人依依送别。

那江上的渔火和江中倒映的万家灯火，星星点点，闪闪烁烁，迷迷茫茫，像无数萤火虫飞来飞去。

岸上山花绰约多情，江上火点迷离奇幻；古亭静立于上，小舟轻摇于下，皓月临空，波光滟滟，构成了一幅令人心醉的春江花月夜景图。诗人热爱祖国山河的美好感情和出游的喜悦，都从画面中显现出来。

这首小诗写景简洁明快，近乎速写。李白善于从动的状态中捕捉形象，聚精积萃，抓住客观景物在特定环境下所显示出的特有神态，以极简练的线条，迅速地勾勒出来，虽寥寥数笔，而逼真传神。如诗中的船、亭、山花、江火，都以月为背景，突出诸多景物在月光笼罩下所特有的朦胧美，唤起人的美感。

（何庆善）

早发白帝城[①]

原文

朝辞白帝彩云间，千里江陵一日还。

两岸猿声啼不住，轻舟已过万重山。

〔注〕

① 白帝城：古城名，在今重庆市奉节东白帝山上。东汉初公孙述筑城，其自号白帝，故以为名。

鉴赏

唐肃宗乾元二年(759)春天，李白因永王璘案，流放夜郎(治今贵州正安西北)，取道四川赴贬地。行至白帝城，忽闻赦书，惊喜交加，旋即放舟东下江陵(治今湖北荆州市)，故诗题一作“下江陵”。此诗抒写了当时喜悦畅快的心情。

首句“彩云间”三字，描写白帝城地势之高，为全篇写下水船走得快这一动态蓄势。不写白帝城之极高，则无法体现出长江上下游之间斜度差距之大。白帝城地势高入云霄，于是下面几句中写舟行之速、行期之短、耳(猿声)目(万重山)之不暇迎送，才一一有着落。“彩云间”也是写早晨景色，显示出从晦冥转为光明的大好气象，而诗人便在这曙光初灿的时刻，怀着兴奋的心情匆匆告别白帝城。

第二句的“千里”和“一日”，以空间之远与时间之暂作悬殊对比，自是一望而知；其妙处却在那个“还”字上——“还”，归来也。它不仅表现出诗人“一日”而行“千里”的痛快，也隐隐透露出遇赦的喜悦。江陵本非李白的家乡，而“还”字却亲切得俨如回乡一样。一个“还”字，暗处传神，值得细细玩味。

第三句的境界更为神妙。古时长江三峡，“常有高猿长啸”。然而又何以“啼不住”了呢？我们不妨可以联想乘了飞快的汽车于盛夏的长昼行驶在林荫路上，耳听两旁树间鸣蝉的经验。夫蝉非一，树非一，鸣声亦非一，而因车行之速，却使蝉声树影在耳目之间成为“浑然一片”。这大抵就是李白在出峡时为猿声山影所感受的情景。身在这如脱弦之箭、顺流直下的船上，诗人是何等畅快而又兴奋啊！清人桂馥读诗至此，不禁赞叹道：“妙在第三句，能使通首精神飞越。”(《札朴》)

瞬息之间，轻舟已过“万重山”。为了形容船快，诗人除了用猿声山影来烘托，还给船的本身添上了一个“轻”字。直说船快，那自然是笨伯；而这个“轻”字，却别有一番意蕴。三峡水急滩险，诗人溯流而上时，不仅觉得船重，而且心情更为滞重，“三朝上黄牛，三暮行太迟。三朝又三暮，不觉鬓成丝”(《上三峡》)。如今顺流而下，行船轻如无物，其快速可想而知。而“危乎高哉”的“万重山”一过，轻舟进入坦途，诗人历尽艰险重履康庄的快感，亦自不言而喻了。这最后两句，既是写景，又是比兴，既是个人心情的表达，又是人生经验的总结，因物兴感，精妙无伦。

全诗给人一种锋棱挺拔、空灵飞动之感。然而只赏其气势之豪爽，笔姿之骏利，尚不能得其圜中。全诗洋溢的是诗人经过艰难岁月之后突然迸发的一种激情，故雄峻迅疾中，又有豪情欢悦。

快船快意，使人神远。后人赞此篇谓："惊风雨而泣鬼神矣"（明杨慎《升庵诗话》）。千百年来一直为人视若珍品。为了表达畅快的心情，诗人还特意用上平"删"韵的"间""还""山"作韵脚，读来是那样悠扬、轻快，令人百诵不厌。

（吴小如）

秋下荆门

原文

霜落荆门江树空，
布帆无恙挂秋风。
此行不为鲈鱼鲙，
自爱名山入剡中。

鉴赏

“荆门”，山名，在今湖北宜都西北的长江南岸，隔江与虎牙山对峙，战国时为楚国的西方门户。乘船东下过荆门，就意味着告别了巴山蜀水。这首诗写于诗人第一次出蜀远游时。对锦绣前程的憧憬，对新奇而美好的世界的幻想，使他战胜了对峨眉山月的依恋，去热烈地追求理想中的未来。诗中洋溢着积极而浪漫的热情。

第一句是写景，同时点出题中的“秋”和“荆门”。荆门山原是林木森森，绿叶满山，而今秋来霜下，木叶零落，眼前一空。由于山空，江面也显得更为开阔。这个“空”字非常形象地描绘出山明水净、天地清肃的景象，寥廓高朗，而无萧瑟衰飒之感。

第二句“布帆无恙挂秋

风”，承上句“江”字，并暗点题中“下”字。东晋大画家顾恺之为荆州刺史殷仲堪幕府的参军，曾告假乘舟东下，仲堪特地把布帆借给他，途中遇大风，恺之写信给殷说：“行人安稳，布帆无恙。”这里借用了“布帆无恙”这一典故，不仅说明诗人旅途平安，更有一帆风顺、天助人愿的意味。这种秋风万里送行舟的景象，生动地写出了诗人无比乐观欣慰的心情。

“张翰江东去，正值秋风时”。诗的第三句，就是由第二句中的“秋风”连及而来的。据说西晋时吴人张翰在洛阳做官，见秋风起而想到故乡的莼羹、鲈鱼鲙，说：“人生贵得适志耳，何能羁宦数千里，以要名爵乎！”遂命驾便归。李白“此行”正值秋天，船又是向着长江下游驶行，这便使他联想到张翰的故事。不过他声明“此行不为鲈鱼鲙”，此行目的与张翰不同，自己是远离家乡。这样反跌一笔，不但使诗变得起伏跌宕，而且急呼下文——“自爱名山入剡中”。剡(shàn)中，今浙江嵊州，境内多名山佳水。句中“自”字，与上一句中“不为”相呼应，两句紧相连贯，增强了感情色彩。

古人曾说过：“诗人之言，不足为实也。”那意思大概就是说诗具有凝练、概括、夸张、含蓄等特色，诗中语言的含意，往往不能就字面讲“实”、讲死，所以说诗者也应该“不以辞害意”。这首诗的三、四两句，如果只理解为诗人在表白“此行”的目的，不是为了吴地的美味佳肴，而是要去欣赏剡中的名山，那就未免太表面了，太“实”了。李白“入剡中”，是若干年以后的事。那么它的含意到底是什么呢？要解答这个问题，还得回到诗的第三句。从张翰所说的话来看，张翰是把“名爵”与“鲈鱼鲙”对立起来，弃其前者，而就其后者。那么李白呢？他对后者的态度明朗——“此行不为鲈鱼鲙”。对前者呢？诗人没有明说。可是，“秋下荆门”以后的所言、所行，就把这个问题说得很清楚了。第一，“此行”并没有“入剡中”，而是周游在江汉一带，寻找机会，以求仕进；第二，他还明白地声称：“大丈夫必有四方之志，乃仗剑去国，辞亲远游”（《上安州裴长史书》）。他还希求“奋其智能，愿为辅弼，使寰区大定，海县清一”（《代寿山答孟少府移文书》）。这种建功立业的宏愿，积极用世的精神，不正是和张翰的态度恰恰相反吗？可见诗人此时对“名爵”和“鲈鱼鲙”均一反张翰之意，只不过在诗中说一半留一半罢了。当然，这也是“适志”，是“适”其辞亲远游、建功立业之“志”。诗的第四句又该怎样理解呢？饱览剡中的名山佳水，诚然也是诗人所向往的，早在他出蜀之前这种兴趣就已经表露出来了，不过联系上一句来看，就不能仅仅局限于此了。我们知道自视不凡的李白，是不想通过当时一般文人所走的科举道路，去获取功名的，而是要选择另一条富有浪漫色彩的途径，那便是游历，任侠，隐居名山，求仙学道，结交名流，树立声誉，以期一举而至卿相。所以这里的“自爱名山入剡中”，无非是在标榜自己那种高人雅士的格调，无非是那种不同凡俗的生活情趣的一种艺术概括。这种乐观浪漫、豪爽开朗、昂扬奋发的精神，生动地表现了诗人的个性，以及盛唐时代的精神风貌。

这首诗在艺术表现上也颇有特色。全诗虽四句，但写景、叙事、议论各具形象，集中地抒发了年轻诗人“仗剑去国”的热情，笔势变幻灵活，而又自然浑成。四句诗中连用了两个典故，或暗用而不露痕迹，或反用而有新意，读来无凝滞堆砌之感，达到了推陈出新、语如己出、活泼自然的境界。

（赵其钧）

宿五松山下荀媪家

原文

我宿五松下，寂寥无所欢。
田家秋作苦，邻女夜舂寒。
跪进雕胡饭，月光明素盘。
令人惭漂母，三谢不能餐。

鉴赏

五松山，在今安徽铜陵市南。山下住着一位姓荀的农民老妈妈。一天晚上李白借宿在她家，受到主人诚挚的款待。这首诗就是写当时的心情。

开头两句"我宿五松下，寂寥无所欢"，写出自己寂寞的情怀。这偏僻的山村里没有什么可以引起他欢乐的事情，他所接触的都是农民的艰辛和困苦。这就是三、四句所写的："田家秋作苦，邻女夜舂寒。"秋作，是秋天的劳作。"田家秋作苦"的"苦"字，不仅指劳动的辛苦，还指心中的悲苦。秋收季节，本来应该是欢乐的，可是在繁重赋税压迫下的农民竟没有一点欢笑。农民白天收割，晚上舂米，邻家妇女舂米的声音，从墙外传来，一声一声，显得多么凄凉啊！这个

“寒”字，十分耐人寻味。它既是形容舂米声音的凄凉，也是推想邻女身上的寒冷。

五、六句写到主人荀媪：“跪进雕胡饭，月光明素盘。”古人席地而坐，屈膝坐在脚跟上，上半身挺直，叫跪坐。因为李白吃饭时是跪坐在那里，所以荀媪将饭端来时也跪下身子呈进给他。“雕胡”，就是“菰”，俗称茭白，生在水中，秋天结实，叫菰米，可以做饭，古人当作美餐。姓荀的老妈妈特地做了雕胡饭，是对诗人的热情款待。“月光明素盘”，是对荀媪手中盛饭的盘子突出地加以描写。盘子是白的，菰米也是白的，在月光的照射下，这盘菰米饭就像一盘珍珠一样地耀目。在那样艰苦的山村里，老人端出这盘雕胡饭，诗人深深地感动了，最后两句说：“令人惭漂母，三谢不能餐。”“漂母”，用《史记·淮阴侯列传》的典故：韩信年轻时很穷困，在淮阴城下钓鱼，一个正在漂洗丝絮的老妈妈见他饥饿，便拿饭给他吃，后来韩信被封为楚王，送给漂母千金表示感谢。这诗里的漂母指荀媪，荀媪这样诚恳地款待李白，使他很过意不去，又无法报答她，更感到受之有愧。李白再三地推辞致谢，实在不忍心享用她的这一顿美餐。

李白的性格本来是很高傲的，他不肯“摧眉折腰事权贵”，常常“一醉累月轻王侯”，在王公大人面前是那样地桀骜不驯。可是，对一个普通的山村老妈妈却是如此谦恭，如此诚挚，充分显示了李白的可贵品质。

李白的诗以豪迈飘逸著称，但这首诗却没有一点纵放，风格极为朴素自然。诗人用平铺直叙的写法，像在叙述他夜宿山村的过程，谈他的亲切感受，语言清淡，不露雕琢痕迹而颇有情韵，是李白诗中别具一格之作。

（袁行霈）

越中览古

原文

越王勾践破吴归，
战士还家尽锦衣。
宫女如花满春殿，
只今惟有鹧鸪飞。

鉴赏

这是一首怀古之作，亦即诗人游览越中(唐越州，治所在今浙江绍兴)，有感于其地在古代历史上所发生过的著名事件而写下的。在春秋时代，吴越两国争霸南方，成为世仇。越王勾践于公元前494年，被吴王夫差打败，回到国内，卧薪尝胆，誓报此仇。公元前473年，他果然把吴国灭了。诗写的就是这件事。

诗歌不是历史小说，绝句又不同于长篇古诗，所以诗人只能选取这一历史事件中他感受得最深的某一部分来写。他选取的不是这场斗争的漫长过程中的某一片断，而是在吴败越胜，越王班师回国以后的两个镜头。首句点明题意，说明所怀古迹的具体内容。二、三两句分写战士还家、勾践还宫的情况。消灭了敌人，雪了耻，战士都凯旋了；由于战事已经结束，大家都受到了赏赐，所以不穿铁甲，而穿锦衣。只“尽锦衣”三字，就将越王及其战士得意归来，充满了胜利者的喜悦和骄傲的神情烘托了出来。越王回国以后，踌躇满志，不但耀武扬威，而且荒淫逸乐起来。于是，花朵儿一般的美人，就占满了宫殿，拥簇着他，侍候着他。“春殿”的“春”字，应上“如花”，并描摹美好的时光和景象，不一定是指春天。只写这一点，就把越王将过去的卧薪尝胆的往事丢得干干净净表达得非常充分了。都城中到处是锦衣战士，宫殿上站满了如花宫女。这是多么繁盛、美好、热闹、欢乐，然而结句突然一转，将上面所写的一切一笔勾销。过去曾经存在过的胜利、威武、富贵、荣华，现在还有什么呢？人们所能看到的，只是几只鹧鸪在王城故址上飞来飞去罢了。这一句写人事的变化，盛衰的无常，以慨叹出之。过去的统治者莫不希望他们的富贵荣华是子孙万世之业，而诗篇却如实地指出了这种希望的破灭，这就是它的积极意义。

诗篇将昔时的繁盛和今日的凄凉，通过具体的景物，作了鲜明的对比，使读者感受特别深切。一般地说，直接描写某种环境，是比较难于突出的，而通过对比，则获致的效果往往能够大大地加强。所以，通过热闹的场面来描写凄凉，就更觉凄凉之可叹。如此诗前面所写过去的繁华与后面所写现在的冷落，对照极为强烈，前面写得愈着力，后面转得也就愈有力。为了充分地表达主题思想，诗人对这篇诗的艺术结构也作出了不同于一般七绝的安排。一般的七绝，转折点都安排在第三句里，而它的前三句却一气直下，直到第四句才突然转到反面，就显得格外有力量，有神采。这种写法，不是笔力雄健的诗人，是难以挥洒自如的。

李白另有一首怀古诗《苏台览古》可资比较:“旧苑荒台杨柳新,菱歌清唱不胜春。只今惟有西江月,曾照吴王宫里人。”苏台即姑苏台,是春秋时代吴王夫差游乐的地方,故址在今江苏省苏州市。此诗一上来就写吴苑的残破,苏台的荒凉,而人事的变化,兴废的无常,自在其中。后面紧接以杨柳在春天又发新芽,柳色青青,年年如旧,岁岁常新,以“新”与“旧”,不变的景物与变化的人事,作鲜明的对照,更加深了凭吊古迹的感慨。一句之中,以两种不同的事物来对比,写出古今盛衰之感,用意遣词,精练而又自然。次句接写当前景色。青青新柳之外,还有一些女子在唱着菱歌,无限的春光之中,回荡着歌声的旋律。杨柳又换新叶,船娘闲唱菱歌,旧苑荒台,依然弥漫着无边春色,而昔日的帝王宫殿,美女笙歌,却一切都已化为乌有。所以后两句便点出,只有悬挂在从西方流来的大江上的那轮明月,是亘古不变的;只有她,才照见过吴宫的繁华,看见过像夫差、西施这样的当时人物,可以作历史的见证人罢了。

此两诗都是览古之作,主题相同,题材近似,但越中一首,着重在明写昔日之繁华,以四分之三的篇幅竭力渲染,而以结句写今日之荒凉抹杀之,转出主意。苏台一首则着重写今日之荒凉,以暗示昔日之繁华,以今古常新的自然景物来衬托变幻无常的人事,见出今昔盛衰之感,所以其表现手段又各自不同。从这里也可以看出诗人变化多端的艺术技巧。

（沈祖棻）

经下邳圯桥怀张子房

原文

子房未虎啸，破产不为家。
沧海得壮士，椎秦博浪沙。
报韩虽不成，天地皆振动。
潜匿游下邳，岂曰非智勇？
我来圯桥上，怀古钦英风。
唯见碧流水，曾无黄石公。
叹息此人去，萧条徐泗空。

鉴赏

这是李白经过下邳（在今江苏睢宁）圯桥时写的一首怀古之作。诗饱含钦慕之情，颂扬张良的智勇豪侠，其中又暗寓着诗人的身世感慨。张良，字子房，是辅佐刘邦打天下的重要谋臣。诗起句“虎啸”二字，即指张良跟随汉高祖以后，其叱咤风云的业绩。但诗却用“未”字一笔撇开，只从张良发迹前写起。张良的祖父和父亲曾相继为韩国宰相，秦灭韩后，立志报仇，“弟死不葬，悉以家财求客刺秦皇”（《史记·留侯世家》）。“破产不为家”五字，点出了张良素来就是一个豪侠仗义、不同寻常的人物。后两句写其椎击秦始皇的壮举。据《史记》记载，张良后来“东见沧海君，得力士，为铁椎重百二十斤。秦皇帝东游，良与客狙击秦皇帝博浪沙中”。诗人把这一小节熔铸成十个字：“沧海得壮士，椎秦博浪沙。”以上四句直叙之后，第五句一折，“报韩虽不成”，惋惜力士椎击秦始皇时误中副车。秦皇帝为之寒栗，赶紧“大索天下”，而张良的英雄胆略，遂使“天地皆振动”。七、八两句“潜匿游下邳，岂曰非智勇”，写张良“更姓名潜匿下邳”，而把圯桥进履，受黄石公书一段略去不写，只用一个“智”字暗点，暗度到三句以后的“曾无黄石公”。“岂曰非智勇?”不以陈述句法正叙，而改用反问之笔，使文气跌宕，不致平衍。后人评此诗，说它句句有飞腾之势，说得未免抽象，其实所谓“飞腾之势”，就是第五句的“虽”字一折和第八句的“岂”字一宕所构成。

以上八句夹叙夹议，全都针对张良，李白本人还没有插身其中。九、十两句“我来圯桥上，怀古钦英风”，这才通过长存的圯桥古迹，把今人、古人结合起来了。诗人为何“怀古钦英风”呢？其着眼点还是在现实：“唯见碧流水，曾无黄石公。”此两句，句法有似五律中的流水对。上句切合圯桥，桥下流水，清澈碧绿，一如张良当时。岁月无常，回黄转绿，大有孔子在川上曰“逝者如斯夫，不舍昼夜”之概。下句应该说是不见张子房了，可是偏偏越过张子房，而说不见张子房之师黄石公。诗人的用意是：当代未尝没有如张良一般具有英风的人，只是没有像黄石公那样的人，加以识拔，传以太公兵法，造就“为王者师”的人才罢了。表面上是“叹息此人去，萧条徐泗空”，再也没有这样的人了；实际上，这里是以曲笔自抒抱负。《孟子·尽心下》云：“由孔子而来至于今，百有余岁，去圣人之世，若此其未远也，近圣人之居，若此其甚也，然而无有乎尔，则亦无有乎尔。”表面上孟子是喟叹世无孔子，实质上是隐隐地以孔子的继承人自负。李白在这里用笔正和孟子有异曲同工之处：谁说“萧条徐泗空”，继张良而起，当今之世，舍我其谁哉！诗人《扶风豪士歌》的结尾说：“张良未逐赤松去，桥边黄石知我心。”可以看作此诗末两句的注脚。

一首怀古之作，写得如此虎虎有势而又韵味深长，这是极可欣赏的。

（沈熙乾）

望鹦鹉洲悲祢衡

原文

魏帝营八极，蚁观一祢衡。
黄祖斗筲人，杀之受恶名。
吴江赋《鹦鹉》，落笔超群英。
锵锵振金玉，句句欲飞鸣。
鸷鹗啄孤凤，千春伤我情。
五岳起方寸，隐然讵可平？
才高竟何施，寡识冒天刑。
至今芳洲上，兰蕙不忍生。

鉴赏

这是一首怀古之作。乾元二年(759)冬或上元元年(760)春，李白在江夏(治今湖北武汉市)写了长诗《经乱离后天恩流夜郎忆旧游书怀赠江夏韦太守良宰》，诗中云："一忝青云客，三登黄鹤楼。顾惭祢处士，虚对鹦鹉洲。"可见李白对汉代祢衡是很敬仰的。这首《望鹦鹉洲悲祢衡》，可能是同时所写。

鹦鹉洲在湖北武汉西南，是长江中的一个小洲，和祢衡有密切关系。据《后汉书·祢衡传》记载：祢衡少有才辩，而尚气刚傲，好矫时慢物。孔融深爱其才，在曹操面前称赞他。曹操因被其辱，把他送与刘表。刘表又不能容，转送与江夏太守黄祖。黄祖的长子黄射在洲上大会宾客，有人献鹦鹉，他就叫祢衡写赋以娱嘉宾。祢衡揽笔而作，文不加点，辞采甚丽。鹦鹉洲由此而得名。后来，黄祖终因祢衡言不逊顺，把他杀了。李白一生道路坎坷，虽有超人才华而不容于世。这时，他从流放夜郎途中遇赦回来，望鹦鹉洲而触景生情，思念起古人祢衡来了。

诗的前四句，首先从刻画祢衡落笔，写他的性格和悲惨的遭遇。曹操经营天下，显赫一时，而祢衡却视之为蚁类，这就突出地表现了祢衡傲岸的性格。黄祖是才短识浅之徒，他杀了祢衡，正说明他心胸狭隘不能容物，因而得到了恶名。

接着四句，举出祢衡的名作《鹦鹉赋》，极赞他的杰出才华。这样一个才华“超群英”的人，命运却如此之悲惨，多么令人痛惜啊！于是引出下面四句。诗人对祢衡的遭遇愤然不平，他把黄祖之流比作凶猛的恶鸟，而把祢衡比作孤凄的凤凰。祢衡被残杀使诗人哀伤不已，心中如五岳突起，不能得平。

继愤激之情而来的是无限的哀惋。最后四句，诗人为祢衡的才华不得施展而惋惜，为他的寡识冒刑而哀伤。结句把兰蕙人格化，赋予人的感情，似乎兰蕙也为祢衡痛不欲生了。

这首诗，前八句怀古，后八句抒慨，表达了对祢衡的敬仰和哀惜，透出诗人心底怨愤难平之情。近人高步瀛评此诗：“此以正平（祢衡）自况，故极致悼惜，而沉痛语以骏快出之，自是太白本色。”（《唐宋诗举要》）这话是不无道理的。

诗中刻画人物十分精练，抓住人物特征，寥寥几笔，以少胜多，突出了祢衡孤傲的性格和超人的才华。这两点是祢衡的不同凡响之处，也正是李白所引为同调的。诗中运用比喻、拟人等艺术手法，表现出强烈的感情色彩。他把黄祖之流比作“鸷鹗”，对凶残的权势者表示强烈的憎恨；把祢衡誉为“孤凤”，爱慕、怜惜之情溢于言表。由于恰当地运用了这些艺术手法，全诗形象鲜明，感情深沉而含蓄。

（郑国铨）

谢公亭

原文

谢亭离别处，风景每生愁。
客散青天月，山空碧水流。
池花春映日，窗竹夜鸣秋。
今古一相接，长歌怀旧游。

鉴赏

谢公亭位居宣城（今属安徽）城北，谢朓任宣城太守时，曾在这里送别诗人范云。

“谢亭离别处，风景每生愁。”谢朓、范云当年离别之处犹在，如今每睹此处景物则不免生愁。“愁”字内涵很广，思古人而恨不见，度今日而觉孤独，乃至由谢朓的才华、交游、遭遇，想到自己的受谗遭妒，都可能蕴含其中。

“客散青天月，山空碧水流。”两句紧承上联“离别”“生愁”，写谢公亭的风景。由于“离别”，当年诗人欢聚的场面不见了，此地显得天旷山空，谢公亭上惟见一轮孤月，空山寂静，碧水长流。这两句写的是眼前令人“生愁”的寂寞。李白把他那种怀斯人而不见的怅惘情绪涂抹在景物上，就使得这种寂寞而美好的环境，似乎仍在期待着久已离去的前代诗人，从而能够引起人们对于当年客散之前景况的遐想。这不仅是怀古，同时包含李白自己的生活感受。李白的诗，也经常为自己生活中故交云散、盛会难再而深致惋惜，这表现了李白对于人间友情的珍视，并且也很容易引起读者的共鸣。

“客散”两句似乎已经括尽古今了，但意犹未足，接着两句“池花春映日，窗竹夜鸣秋”，不再用孤月、空山之类景物来写“生愁”，而是描绘谢公亭春秋两季佳节良宵的景物。池花映着春日自开自落，窗外修竹在静谧的秋夜中窣窣地发出清响，则风景虽佳，人事依然不免寂寞。两句看上去似乎只是描写今日的风光，而由于上联已交代了“客散”“山空”，读者却不难从这秀丽的景色中，感受到诗人言外的寂寞，以及他面对谢公亭风光追思遐想，欲与古人神游的情态。

“今古一相接，长歌怀旧游。”诗人在缅怀遐想中，似是依稀想见了古人的风貌，沟通了古今的界限，乃至在精神上产生了共鸣。这里所谓“一相接”，是由于心往神驰而与古人在精神上的契合，是写在精神上对于谢公旧游的追踪。这是一首缅怀谢朓的诗，但读者却从中感受到李白的精神性格。他的怀念，表现了他美好的精神追求，高超的志趣情怀。

李白的五律，具有律而近古的特点。这，一方面体现在往往不受声律的约束，在体制上近古；而更主要地则是他的五律绝无初唐的浮艳气息，深情超迈而又自然秀丽。像这首《谢公亭》，从对仗声律上看，与唐代一般律诗并无多大区别，但从精神和情致上看，说它在唐律中带点古意却是不错的。李白有意要矫正初唐律诗讲究词藻、着意刻画的弊病，这首《谢公亭》就是信笔写去而不着力的。“客散青天月，山空碧水流”，浑括地写出了谢公没后亭边的景象，并没有细致的描绘，但青天、明月、空山、碧水所构成的开阔而又带有寂寞意味的境界，却显得高远。至于诗的后四句，清王夫之说得更为精辟：“五、六不似怀古，乃以怀古。‘今古一相接’五字，尽古今人道不得。神理、意致、手腕，三绝也。”（《唐诗评选》）盖谓“池花春映日，窗竹夜鸣秋”二句，写得悠远飘逸，看似描绘风光，而怀古的情思已寓于其中。“今古一相接”五字，一笔排除了古今在时间上的障碍，雄健无比。尤其是“一相接”三字，言外有谢公亡后，别无他人，亦即“古来相接眼中稀”（《金陵城西月下吟》）之意。这样就使得李白的怀念谢公，与一般人偶尔发一点思古之幽情区别开了，格外显得超远。像这种风神气概，就逼近古诗，而和一般初唐律诗面貌迥异。

（余恕诚）

夜泊牛渚怀古

原文

牛渚西江夜，青天无片云。
登舟望秋月，空忆谢将军。
余亦能高咏，斯人不可闻。
明朝挂帆席，枫叶落纷纷。

鉴赏

牛渚，是安徽当涂西北紧靠长江的一座山，北端突入江中，即著名的采石矶。诗题下有原注说："此地即谢尚闻袁宏咏史处。"据《晋书·文苑传》记载：袁宏少时孤贫，以运租为业。镇西将军谢尚镇守牛渚，秋夜乘月泛江，听到袁宏在运租船上讽咏他自己的咏史诗，非常赞赏，于是邀宏过船谈论，直到天明。袁宏得到谢尚的赞誉，从此声名大著。题中所谓"怀古"，就是指这件事。

从南京以西到江西境内的一段长江，古代称西江。首句开门见山，点明"牛渚夜泊"。次句写牛渚夜景，大处落墨，展现出一片碧海青天、万里无云的境界。寥廓空明的天宇，和苍茫浩渺的西江，在夜色中融为一体，越显出境界的空阔渺远，而诗人置身其间时那种悠然神远的感受也就自然融合在里面了。

三、四句由牛渚“望月”过渡到“怀古”。谢尚牛渚乘月泛江遇见袁宏月下朗吟这一富于诗意的故事，和诗人眼前所在之地（牛渚西江）、所接之景（青天朗月）的巧合，固然是使诗人由“望月”而“怀古”的主要凭借，但之所以如此，还由于这种空阔渺远的境界本身就很容易触发对于古今的联想。空间的无垠和时间的永恒之间，在人们的意念活动中往往可以相互引发和转化，陈子昂登幽州台，面对北国苍莽辽阔的大地而涌起“前不见古人，后不见来者”（《登幽州台歌》）之感，便是显例。而今古长存的明月，更常常成为由今溯古的桥梁，“月下沉吟久不归，古来相接眼中稀”（《金陵城西月下吟》），正可说明这一点。因此，“望”“忆”之间，虽有很大跳跃，读来却感到非常自然合理。“望”字当中就含有诗人由今及古的联想和没有明言的意念活动。“空忆”的“空”字，暗逗下文。

如果所谓“怀古”，只是对几百年前发生在此地的“谢尚闻袁宏咏史”情事的泛泛追忆，诗意便不免平庸而落套。诗人别有会心，从这桩历史陈迹中发现了一种令人向往追慕的美好关系——贵贱的悬隔，丝毫没有妨碍心灵的相通；对文学的爱好和对才能的尊重，可以打破身份地位的壁障。而这，正是诗人在当时现实中求之而不可得的。诗人的思绪，由眼前的牛渚秋夜景色联想到往古，又由往古回到现实，情不自禁地发出“余亦能高咏，斯人不可闻”的感慨。尽管自己也像当年的袁宏那样，富于文学才华，而像谢尚那样的人物却不可复遇了。“不可闻”回应“空忆”，寓含着世无知音的深沉感喟。

“明朝挂帆席，枫叶落纷纷。”末联宕开写景，想象明朝挂帆离去的情景。在飒飒秋风中，片帆高挂，客舟即将离开江渚；枫叶纷纷飘落，像是无言地送着寂寞离去的行舟。秋色秋声，进一步烘托出因不遇知音而引起的寂寞凄清情怀。

诗意明朗而单纯，并没有什么深刻复杂的内容，但却具有一种令人神远的韵味。清代主神韵的王士禛甚至把这首诗和孟浩然的《晚泊浔阳望香炉峰》作为“不着一字，尽得风流”的典型，认为“诗至于此，色相俱空，正如羚羊挂角，无迹可求，画家所谓逸品是也”(《带经堂诗话》)。这说法不免有些玄虚。其实，神韵的形成，离不开具体的文字语言和特定的表现手法，并非无迹可求。像这首诗，写景的疏朗有致，不主刻画，迹近写意；写情的含蓄不露，不道破说尽；用语的自然清新，虚涵概括，力避雕琢；以及寓情于景，以景结情的手法等等，都有助于造成一种悠然不尽的神韵。

李白的五律，不以锤炼凝重见长，而以自然明丽为主要特色。本篇“无一句属对，而调则无一字不律”(清王琦注引赵宧光评)，行云流水，纯任天然。这本身就构成一种萧散自然、风流自赏的意趣，适合表现抒情主人公那种飘逸不群的性格。诗的富于情韵，与这一点也不无关系。

（刘学锴）

月下独酌四首（其一）

原文

花间一壶酒，独酌无相亲。
举杯邀明月，对影成三人。
月既不解饮，影徒随我身。
暂伴月将影，行乐须及春。
我歌月徘徊，我舞影零乱。
醒时同交欢，醉后各分散。
永结无情游，相期邈云汉。

鉴赏

佛教中有所谓“立一义”，随即“破一义”，“破”后又“立”，“立”后又“破”，最后得到究竟的辨析方法。用现代话来说，就是先讲一番道理，经驳斥后又建立新的理论，再驳再建，最后得到正确的结论。关于这样的论证，一般总有双方，相互“破”“立”。可是李白这首诗，就只一个人，以独白的形式，自立自破，自破自立，诗情波澜起伏而又纯乎天籁，所以一直为后人传诵。

诗人上场时，背景是花间，道具是一壶酒，登场脚色只是他自己一个人，动作是独酌，加上“无相亲”三个字，场面单调得很。于是诗人忽发奇想，把天边的明月，和月光下自己的影子，拉了过来，连自己在内，化成了三个人，举杯共酌，冷清清的场面，就热闹起来了。这是“立”。

可是，尽管诗人那样盛情，“举杯邀明月”，明月毕竟是“不解饮”的。至于那影子呢？虽则如晋陶潜所谓“与子相遇来，未尝异悲悦。憩荫若暂乖，止日终不别”（《影答形》），但毕竟影子也不会喝酒；那么又该怎么办呢？姑且暂将明月和身影作伴，在这春暖花开之时（“春”逆挽上文“花”字），及时行乐吧！“顾影独尽，忽焉复醉。”（陶潜《饮酒》诗序中语）这四句又把月和影之情，说得虚无不可测，推翻了前案，这是“破”。

其时诗人已经渐入醉乡了，酒兴一发，既歌且舞。歌时月儿徘徊，依依不去，好像在倾听佳音；舞时自己的身影，在月光之下，也转动零乱，似与自己共舞。醒时相互欢欣，直到酩酊大醉，躺在床上时，月光与身影，才无可奈何地分别。“我歌月徘徊，我舞影零乱。醒时同交欢，醉后各分散”，这四句又把月光和身影，写得对自己一往情深。这又是“立”。

最后二句，诗人真诚地和“月”“影”相约：“永结无情游，相期邈云汉。”然而“月”和“影”毕竟还是无情之物，把无情之物，结为交游，主要还是在于自己的有情，“永结无情游”句中的“无情”是破，“永结”和“游”是立，又破又立，构成了最后的结论。

题目是“月下独酌”，诗人运用丰富的想象，表现出一种由独而不独，由不独而独，再由独而不独的复杂情感。表面看来，诗人真能自得其乐，可是背面却有无限的凄凉。诗人曾有一首《春日醉起言志》的诗：“处世若大梦，胡为劳其生？所以终日醉，颓然卧前楹。觉来盼庭前，一鸟花间鸣。借问此何时，春风语流莺。感之欲叹息，对酒还自倾。浩歌待明月，曲尽已忘情。”试看其中“一鸟”“自倾”“待明月”等字眼，可见诗人是怎样的孤独了。孤独到了邀月与影那还不算，甚至于以后的岁月，也休想找到共饮之人，所以只能与月光身影永远结游，并且相约在那邈远的上天仙境再见。结尾两句，点尽了诗人的踽踽凉凉之感。

（沈熙乾）

山中与幽人对酌

原文

两人对酌山花开，
一杯一杯复一杯。
我醉欲眠卿且去，
明朝有意抱琴来。

鉴赏

李白饮酒诗特多兴会淋漓之作。此诗开篇就写当筵情景。"山中"，对李白来说，是"别有天地非人间"(《山中问答》)的；盛开的"山花"更增添了环境的幽美，而且眼前不是"独酌无相亲"，而是"两人对酌"，对酌者又是意气相投的"幽人"(隐居的高士)。此情此境，事事称心如意，于是乎"一杯一杯复一杯"地开怀畅饮了。次句接连重复三次"一杯"，不但极写饮酒之多，而且极写快意之至。读者仿佛看到那痛饮狂歌的情景，听到"将进酒，君莫停"(《将进酒》)那样兴高采烈的劝酒的声音。由于贪杯，诗人许是酩酊大醉了，玉山将崩，于是打发朋友先走。"我醉欲眠卿且去"，话很直率，却活画出饮者酒酣耳热的情态，也表现出对酌的双方是“忘形到尔汝”的知交。尽管颓然醉倒，诗人还余兴未尽，还不忘招呼朋友“明朝有意抱琴来”呢。此诗表现了一种超凡脱俗的狂士与“幽人”间的感情，诗中那种随心所欲、恣情纵饮的神情，挥之即去、招则须来的声口，不拘礼节、自由随便的态度，在读者面前展现出一个高度个性化的艺术形象。

诗的艺术表现也有独特之处。盛唐绝句已经律化，且多含蓄不露、回环婉曲之作，与古诗歌行全然不同。而此诗却不就声律，又词气飞扬，一开始就有一往无前、不可羁勒之势，纯是歌行作风。惟其如此，才将那种极快意之情表达得酣畅淋漓。这与通常的绝句不同，但它又不违乎绝句艺术的法则，即虽豪放却非一味发露，仍有波澜，有曲折，或者说直中有曲意。诗前二句极写痛饮之际，三句忽然一转说到醉。从两人对酌到请卿自便，是诗情的一顿宕；在遣“卿且去”之际，末句又婉订后约，相邀改日再饮，又是一顿宕。如此便造成擒纵之致，所以能于写真率的举止谈吐中，将一种深情曲曲表达出来，自然有味。此诗直在全写眼前景、口头语，曲在内含的情意和心思，既有信口而出、率然天真的妙处，又不一泻无余，故能令人玩味，令人神远。

此诗的语言特点，在口语化的同时不失其为经过提炼的文学语言，隽永有味。如“我醉欲眠卿且去”二句明白如话，却是化用一个故实。《宋书·隐逸传》：“(陶)潜不解音声，而畜素琴一张，无弦，每有酒适，辄抚弄以寄其意。贵贱造之者，有酒辄设。潜若先醉，便语客：‘我醉欲眠，卿可去。’其真率如此。”此诗第三句几乎用陶潜的原话，正表现出一种真率脱略的风度。而四句的“抱琴来”，也显然不是着意于声乐的享受，而重在“抚弄以寄其意”，以尽其兴，这从其出典可以会出。

（周啸天）

与史郎中钦听黄鹤楼上吹笛

原文

一为迁客去长沙，
西望长安不见家。
黄鹤楼中吹玉笛，
江城五月《落梅花》。

鉴赏

这是李白乾元元年(758)流放夜郎经过武昌时游黄鹤楼所作。本诗写游黄鹤楼听笛，抒发了诗人的迁谪之感和去国之情。西汉的贾谊，因指责时政，受到权臣的谗毁，贬官长沙。而李白也因永王李璘事件受到牵连，被加之以“附逆”的罪名流放夜郎。所以诗人引贾谊为同调。“一为迁客去长沙”，就是用贾谊的不幸来比喻自身的遭遇，流露了无辜受害的愤懑，也含有自我辩白之意。但政治上的打击，并没使诗人忘怀国事。在流放途中，他不禁“西望长安”，这里有对往事的回忆，有对国运的关切和对朝廷的眷恋。然而，长安万里迢迢，对迁谪之人是多么遥远，多么隔膜啊！望而不见，不免感到惆怅。

听到黄鹤楼上吹奏《梅花落》的笛声，感到格外凄凉，仿佛五月的江城落满了梅花。

诗人巧借笛声来渲染愁情。清王琦注引宋郭茂倩《乐府诗集》此调题解云："《梅花落》本笛中曲也。"江城五月，正当初夏，当然是没有梅花的，但由于《梅花落》笛曲吹得非常动听，便仿佛看到了梅花满天飘落的景象。梅花是寒冬开放的，景象虽美，却不免给人以凛然生寒的感觉，这正是诗人冷落心情的写照。同时使人联想到邹衍下狱、六月飞霜的历史传说。由乐声联想到音乐形象的表现手法，就是诗论家所说的"通感"。诗人由笛声想到梅花，由听觉诉诸视觉，通感交织，描绘出与冷落的心境相吻合的苍凉景色，从而有力地烘托了去国怀乡的悲愁情绪。所以《唐诗直解》评此诗"无限羁情笛里吹来"，是很有见解的。清沈德潜说："七言绝句以语近情遥、含吐不露为贵，只眼前景，口头语，而有弦外音，使人神远，太白有焉。"(《唐诗别裁集》卷二十)这首七言绝句，正是以"语近情遥、含吐不露"见长，使人从"吹玉笛""《落梅花》"这些眼前景、口头语，听到了诗人的弦外之音。

此外，这诗还好在其独特的艺术结构。诗写听笛之感，却并没按闻笛生情的顺序去写，而是先有情而后闻笛。前半捕捉了"西望"的典型动作加以描写，传神地表达了怀念帝都之情和"望"而"不见"的愁苦。后半才点出闻笛，从笛声化出"江城五月《落梅花》"的苍凉景象，借景抒情，使前后情景相生，妙合无垠。

(闫昭典)

独坐敬亭山

原文

众鸟高飞尽，孤云独去闲。
相看两不厌，只有敬亭山。

鉴赏

敬亭山在宣州（治所在今安徽宣城），宣州是六朝以来江南名郡，大诗人如谢灵运、谢朓等曾在这里做过太守。李白一生凡七游宣城，这首五绝作于天宝十二载（753）秋游宣州时，距他被迫于天宝三载离开长安已有整整十年时间了。长期飘泊生活，使李白饱尝了人间辛酸滋味，看透了世态炎凉，从而加深了对现实的不满，增添了孤寂之感。此诗写独坐敬亭山时的情趣，正是诗人带着怀才不遇而产生的孤独与寂寞的感情，到大自然怀抱中寻求安慰的生活写照。

前二句“众鸟高飞尽，孤云独去闲”，看似写眼前之景，其实，把孤独之感写尽了：天上几只鸟儿高飞远去，直至无影无踪；寥廓的长空还有一片白云，却也不愿停留，慢慢地越飘越远，似乎世间万物都在厌弃诗人。“尽”“闲”两个字，把读者引入一个“静”的境界：仿佛是在一群山鸟的喧闹声消除之后格外感到清静；在翻滚的厚云消失之后感到特别地清幽平静。因此，这两句是写“动”见“静”，以“动”衬“静”。这种“静”，正烘托出诗人心灵的孤独和寂寞。这种生动形象的写法，能给读者以联想，并且暗示了诗人在敬亭山游览观望之久，勾画出他“独坐”出神的形象，为下联“相看两不厌”作了铺垫。

诗的下半运用拟人手法写诗人对敬亭山的喜爱。鸟飞云去之后，静悄悄地只剩下诗人和敬亭山了。诗人凝视着秀丽的敬亭山，而敬亭山似乎也在一动不动地看着诗人。这使诗人很动情——世界上大概只有它还愿和我作伴吧？“相看两不厌”表达了诗人与敬亭山之间的深厚感情。“相”“两”二字同义重复，把诗人与敬亭山紧紧地联在一起，表现出强烈的感情。结句中“只有”两字也是经过锤炼的，更突出诗人对敬亭山的喜爱。“人生得一知己足矣”，鸟飞云去又何足挂齿！这两句诗所创造的意境仍然是“静”的，表面看来，是写了诗人与敬亭山相对而视，脉脉含情。实际上，诗人愈是写山的“有情”，愈是表现出人的“无情”；而他那横遭冷遇，寂寞凄凉的处境，也就在这静谧的场面中透露出来了。

“静”是全诗的血脉。这首平淡恬静的诗之所以如此动人，就在于诗人的思想感情与自然景物的高度融合而创造出来的“寂静”的境界，无怪乎清人沈德潜在《唐诗别裁集》中要夸这首诗是“传‘独坐’之神”了。

（宛敏灏　宛新彬）

访戴天山道士不遇

原文

犬吠水声中，桃花带露浓。
树深时见鹿，溪午不闻钟。
野竹分青霭，飞泉挂碧峰。
无人知所去，愁倚两三松。

鉴赏

戴天山，又名大康山或大匡山，在今四川省江油市。李白早年曾在山中大明寺读书，这首诗大约是这一时期的作品。

全诗八句，前六句写往“访”，重在写景，景色优美；末两句写“不遇”，重在抒情，情致婉转。

诗的开头两句展现出一派桃源景象。首句写所闻，泉水淙淙，犬吠隐隐；次句写所见，桃花带露，浓艳耀目。诗人正是缘溪而行，穿林进山的。这是入山的第一程。宜人景色，使人流连忘返，且让人联想到道士居住此中，如处世外桃源，超尘拔俗。第二句中“带露浓”三字，除了为桃花增色外，还点出了入山的时间是在早晨，与下一联中的“溪午”相映照。

颔联"树深时见鹿，溪午不闻钟"，是诗人进山的第二程。诗人在林间小道上行进，常常见到出没的麋鹿；林深路长，来到溪边时，已是正午，是道院该打钟的时候了，却听不到钟声。这两句极写山中之幽静，暗示道士已经外出。鹿性喜静，常在林木深处活动。既然"时见鹿"，可见其幽静。正午时分，钟声杳然，惟有溪声清晰可闻，这就更显出周围的宁静。环境清幽，原是方外本色，与首联所写的桃源景象正好衔接。这两句景语又含蓄地叙事：以"时见鹿"反衬不见人；以"不闻钟"暗示道院无人。

颈联"野竹分青霭，飞泉挂碧峰"，是诗人进山的第三程。从上一联"不闻钟"，可以想见诗人距离道院尚有一段距离。这一联写来到道院前所见的情景——道士不在，惟见融入青苍山色的绿竹与挂上碧峰的飞瀑而已。诗人用笔巧妙而又细腻："野竹"句用一个"分"字，描画野竹青霭两种近似的色调汇成一片绿色；"飞泉"句用一个"挂"字，显示白色飞泉与青碧山峰相映成趣。显然，由于道士不在，诗人百无聊赖，才游目四顾，细细品味起眼前的景色来。所以，这两句写景，既可以看出道院这一片净土的淡泊与高洁，又可以体味到诗人造访不遇、爽然若失的情怀。

结尾两句"无人知所去，愁倚两三松"，诗人通过问讯的方式，从侧面写出"不遇"的事实，又以倚松再三的动作寄写"不遇"的惆怅，用笔略带迂回，感情亦随势流转，久久不绝。

前人评论这首诗时说："全不添入情事，只拈死'不遇'二字作，愈死愈活。"(清王夫之《唐诗评选》)"无一字说道士，无一句说不遇，却句句是不遇，句句是访道士不遇。"(吴大受《诗筏》)道出了此诗妙处。

（陈志明）

忆东山二首（其一）

原文

不向东山久，蔷薇几度花。
白云还自散，明月落谁家？

鉴赏

东山是东晋著名政治家谢安曾经隐居之处。据施宿《会稽志》载：东山位于浙江绍兴市上虞区西南，山旁有蔷薇洞，相传是谢安游宴的地方；山上有谢安所建的白云、明月二堂。了解这个，就会觉得诗里那蔷薇、那白云、那明月，都不是信笔写出，而是切合东山之景，语带双关。李白的诗就有这样的好处，即使在下笔时要受东山这样一个特定地点的限制，要写出东山的特点和风物，但成诗以后，仍显得极其自然和随意，毫无拘束之态。

李白向往东山，是由于仰慕谢安。这位在淝水之战中吟啸自若，似乎漫不经心就击败苻坚百万之众于八公山下的传奇式人物，在出仕前就是长期隐居东山。当匡扶晋室，建立殊勋，受到昏君和佞臣算计时，他又一再辞退，打算归老东山。所以，在李白看来，东山之隐，标志一种品格。它既表示对于权势禄位无所眷恋，但又不妨在社稷苍生需要的时候，出而为世所用。李白向往的东山之隐，和谢安式的从政是相结合的。在陶醉自然、吟咏啸歌之际，并不忘情于政治，而当身居朝廷的时候，又长怀东山之念，保持自己澹泊的襟怀。李白一生以谢安自期、自比。“北阙青云不可期，东山白首还归去”（《忆旧游赠谯郡元参军》）；“谢公终一起，相与济苍生”（《送裴十八图南归嵩山》）；“但用东山谢安石，为君谈笑静胡沙”（《永王东巡歌》），都是在不同的处境和心情下，从不同的角度想到谢安和东山。李白写这首诗的时候，大约正在长安。唐玄宗亲自下诏召他进京，看来是够礼贤下士的了，但实际上并没有给他像谢安那样大展雄才的机会。相反，由于诗人的正直和傲慢，却招惹了权贵的忌恨。李阳冰在《草堂集序》中说：“丑正同列，害能成谤，帝用疏之。公（李白）乃浪迹纵酒以自昏秽，咏歌之际，屡称东山。”这就是李白这首诗的背景。从“不向东山久，蔷薇几度花”可以看出，诗人在默算着离开“东山”（实际上指进京以前的隐居之地）的时日。流光如驶，岁月老人。他有像谢安与东山那样的离别，却未成就像谢安那样的功业。因此，在诗人的沉吟中，已经包含着光阴虚度、壮怀莫展的感慨了。当初，诗人告辞东山时，又何尝舍得丢开那种环境和生活呢，只不过为了实现匡国济世之志才暂时应诏而去。但如今在帝城久久淹留却毫无所成，又怎能对得起东山的风物呢？所以“白云还自散，明月落谁家”两句中所包含的感情，一方面是向往，一方面又有一种内疚，觉得未免辜负了那儿的白云明月。

这首诗应该看作是李白的“归去来兮辞”。他向往着东山,又觉得有负于东山。他无疑地是要归去了,但他的归去却又不同于陶渊明。陶渊明是决心做隐士,是去而不返的。李白却没有这种“决心”。“东山”是和谢安这样一位政治家的名字结合在一起的。向往东山,既有隐的一面,又有打算待时而起的一面。“东山高卧时起来,欲济苍生未应晚。”(《梁园吟》)他的东山之隐,原来还保留着这样一种情愫。诗中李白隐以谢安这样一个人物自比,又用白云、明月来衬托自己的形象:那东山的白云和明月是何等澹泊,何等明洁;而李白的情怀,便和这一切融合在一起了。

(余恕诚)

拟古十二首（其九）

原文

生者为过客，死者为归人[1]。
天地一逆旅，同悲万古尘。
月兔空捣药，扶桑已成薪。
白骨寂无言，青松岂知春。
前后更叹息，浮荣何足珍？

〔注〕

① 归人：《列子·天瑞篇》："古者谓死人为归人。夫言死人为归人，则生人为行人矣。"

鉴赏

李白曾一度热衷于追求功名，希望"身没期不朽，荣名在麟阁"（《拟古其七》）。然而经过"赐金放还"、流放夜郎等一系列的挫折，深感荣华富贵的虚幻，有时不免流露出一种人生易逝的感伤情绪："生者为过客，死者为归人。天地一逆旅，同悲万古尘。"活着的人像匆匆来去的过路行人，死去的人仿佛是投向归宿之地、一去不返的归客。天地犹如一所迎送过客的旅舍；人生苦短，古往今来有多少人为此同声悲叹！那么，天上仙界和地下冥府又如何呢？

“月兔空捣药，扶桑已成薪。白骨寂无言，青松岂知春。”古代神话传说，后羿从西王母处得到不死之药，他的妻子嫦娥把药偷吃了，就飞入月宫；月宫里只有白兔为她捣药，嫦娥虽获长生，但过着寂寞孤独的生活，又有什么欢乐可言呢？扶桑，相传是东海上的参天神树，太阳就从那里升起，如今也变成枯槁的柴薪。埋在地下的白骨阴森凄寂，无声无息，再也不能体会生前的毁誉荣辱了。苍翠的松树自生自荣，无知无觉，又岂能感受阳春的温暖？所谓“草不谢荣于春风，木不怨落于秋天”，这不过是“万物兴歇皆自然”（李白《日出入行》）罢了。诗人纵观上下，浮想联翩，感到宇宙间的一切都在倏忽变化，并没有什么永恒的荣华富贵。“前后更叹息，浮荣何足珍？”结尾以警策之言收束了全篇。悠悠人世莫不如此，一时荣华实在不足珍惜！《古诗十九首》的某些篇章在感叹人生短促之后，往往流露出一种及时行乐，纵情享受的颓废情绪。李白在这首诗里虽也同样叹息人生短暂，却没有宣扬消极颓丧的思想，反而深刻地揭示出封建浮荣的虚幻。这是诗人对自己坎坷一生的总结，是有丰富内容的。

这首《拟古》诗的想象力特别新颖、诡谲，有如天马行空，纵意驰骋，在艺术表现上好比鬼斧神工，匠心独具。如月兔捣不死药本来令人神往，可是在“月兔空捣药”句中，诗人却着一“空”字，一反神话原有的动人内容，这就给人以新鲜奇异的感受。又如扶桑是高二千丈，大二千余围的神树，诗人却想象为“扶桑已成薪”，一扫传统的瑰玮形象，可谓异军突起，出奇制胜。再如，阳光明媚的春天，青翠苍绿的树木，这本来是春季生机勃勃的景象，在诗人的想象里竟是“青松岂知春”。这种艺术构思超凡拔俗，出人意料，给人以特别深刻的印象，富有创新的艺术魅力。

（何国治）

翰林读书言怀呈集贤诸学士

原文

晨趋紫禁中，夕待金门诏。
观书散遗帙，探古穷至妙。
片言苟会心，掩卷忽而笑。
青蝇易相点，《白雪》难同调。
本是疏散人，屡贻褊促诮。
云天属清朗，林壑忆游眺。
或时清风来，闲倚栏下啸。
严光桐庐溪，谢客临海峤。
功成谢人间，从此一投钓。

鉴赏

唐玄宗天宝元年至三年(742—744)，李白在长安为翰林学士。当时在皇城里设有两个学士院。一是集贤殿书院，主要职务是侍读，也承担一点起草内阁文书的任务；另一是翰林学士院，专职为皇帝撰写重要文件。两院成员都称学士，而翰林学士接近皇帝，人数很少，所以地位高于集贤学士。李白是唐玄宗诏命征召进宫专任翰林学士的，越发光宠，有过不少关于他深受玄宗器重的传闻。其实皇帝只把他看作文才特出的文人，常叫他进宫写诗以供歌唱娱乐。他因理想落空，头脑逐渐清醒起来。同时，幸遇的荣宠，给他招来了非议，甚至诽谤，更使他的心情很不舒畅。这首诗便是他在翰林院读书遣闷，有感而作，写给集贤院学士们的。诗中说明处境，回答非议，表白心迹，陈述志趣，以一种潇洒倜傥的名士风度，抒发所志未申的情怀。

首二句破题，点出处境。说自己每天到皇城里的翰林院，从早到晚等候诏命下达任务，颇像东方朔那样“稍得亲近”皇帝了。“金门”指汉代皇宫的金马门，是汉代宫中博士先生们会聚待诏的地方。《汉书·东方朔传》记载，东方朔“待诏金马门，稍得亲近”。李白暗以汉武帝待之以弄臣的东方朔自况，微妙地点出自己荣宠的处境，实质滑稽可悲，不足羡慕。

接着，诗人就写自己在翰林院读书遣闷。宫中秘藏是难得阅览的，于中探究古人著述的至言妙理，如果有所体会，即使只是片言只语，也不禁合拢书卷，高兴得笑起来。诗人表面上写读书的闲情逸致，实际上暗示这快意的读书恰是失意的寄托，反衬出他在翰林院供职时无聊烦闷的心情。

于是，诗人想起了那些非议和诽谤。汉东方朔曾引用《诗经》“营营青蝇”的篇什以谏皇帝“远巧佞，退谗言”，他也以青蝇比喻那些势利的庸俗小人，而以《阳春白雪》比喻自己的志向情操。李白觉得自己本是豁达大度、脱略形迹的人，而那些小人们却一再攻击他心胸狭隘，性情偏激。显然，诗人十分厌恶苍蝇的嗡嗡，但也因为无可奈何而觉得无需同他们计较，以蔑视的心情而求得超脱吧。跟上四句所写快事中蕴含不快相反，这四句是抒写在烦恼中自得清高，前后相反相成，都见出诗人的名士风度和志士情怀。

但是，实际上诗人的心情是烦闷的，失意的。因而他即景寄兴，抒发往日隐游山林的思忆和向往。诗人仿佛在读书时偶然望见屋外天空一片晴朗，又感到一阵愉快，随之想起了山林的自由生活。有时清风也吹进这令人烦闷的翰林院，他不由地走到廊下，靠着栏杆，悠闲地吟叹长啸。这四句也是写翰林院的闲逸无聊生活，但进了一层，提出了仕不如隐的想法，明显地表露出拂意欲归的意向。

最后四句明确地申述志趣和归宿。说自己像严子陵那样不慕富贵，又如谢灵运那样性爱山水。入世出仕只是为了追求政治理想，一旦理想实现，大功告成，就将辞别世俗，归隐山林了。显然，诗人正面抒写心志，同时也进一步回答了非议和诽谤，从而归结到主题“言怀”。

这首诗多排偶句，却流畅自然，在表现手法和艺术风格上，明显汲取了汉代《古诗》那种“结体散文，直而不野，婉转附物，怊怅述情”（南朝梁刘勰《文心雕龙・明诗》）的长处，而有独创，富个性。全诗以名士的风度，与朋友谈心的方式，借翰林生活中的快事和烦恼，抒泄处境荣宠而理想落空的愁闷，表露“达则兼济天下，穷则独善其身”的本志。它娓娓而谈，言辞清爽，结构属赋，立意于兴，婉而直，浅而深，绵里藏针，时露锋芒，在唐人言怀诗中别有情趣。

（倪其心）

听蜀僧濬弹琴

原文

蜀僧抱绿绮，西下峨眉峰。
为我一挥手，如听万壑松。
客心洗流水，余响入霜钟。
不觉碧山暮，秋云暗几重。

鉴赏

这首五律写的是听琴，听蜀地一位法名叫濬的和尚弹琴。

开头两句："蜀僧抱绿绮，西下峨眉峰。"说明这位琴师是从四川峨眉山下来的。李白是在四川长大的，四川奇丽的山水培育了他的壮阔胸怀，激发了他的艺术想象。峨眉山月不止一次地出现在他的诗里。他对故乡一直很怀恋，对于来自故乡的琴师当然也格外感到亲切。所以诗一开头就说明弹琴的人是自己的同乡。"绿绮"本是琴名，汉代司马相如有一张琴，名叫绿绮，这里用来泛指名贵的琴。"蜀僧抱绿绮，西下峨眉峰"，简短的十个字，把这位音乐家写得很有气派，表达了诗人对他的倾慕。

三、四句正面描写蜀僧弹琴。“挥手”是弹琴的动作。三国魏嵇康《琴赋》说：“伯牙挥手，钟期听声。”“挥手”二字就是出自这里的。“为我一挥手，如听万壑松”，这两句用大自然宏伟的音响比喻琴声，使人感到这琴声一定是极其铿锵有力的。

“客心洗流水”，这一句就字面讲，是说听了蜀僧的琴声，自己的心好像被流水洗过一般地畅快、愉悦。但它还有更深的含义，其中包涵着一个古老的典故。《列子·汤问》：“伯牙善鼓琴，钟子期善听。伯牙鼓琴，志在登高山，钟子期曰：‘善哉，峨峨兮若泰山！’志在流水，钟子期曰：‘善哉，洋洋兮若江河！’”这就是“高山流水”的典故。借它，李白表现蜀僧和自己通过音乐的媒介所建立的知己之感。“客心洗流水”五个字，很含蓄，又很自然，虽然用典，却毫不艰涩，显示了李白卓越的语言技巧。

下面一句“余响入霜钟”也是用了典的。“霜钟”出于《山海经·中山经》：“丰山……有九钟焉，是知霜鸣。”郭璞注：“霜降则钟鸣，故言知也。”“霜钟”二字点明时令，与下面“秋云暗几重”照应。“余响入霜钟”，意思是说，音乐终止以后，余音久久不绝，和薄暮时分寺庙的钟声融合在一起。《列子·汤问》里有“余音绕梁欐，三日不绝”的话。宋代苏东坡在《前赤壁赋》里用“余音袅袅，不绝如缕”，形容洞箫的余音。这都是乐曲终止以后，入迷的听者沉浸在艺术享受之中所产生的想象。“余响入霜钟”也是如此。清脆、流畅的琴声渐远渐弱，和薄暮的钟声共鸣着，这才发觉天色已经晚了：“不觉碧山暮，秋云暗几重。”诗人听完蜀僧弹琴，举目四望，不知从什么时候开始，青山已罩上一层暮色，灰暗的秋云重重叠叠，布满天空。时间过得真快啊！

唐诗里有不少描写音乐的佳作。白居易的《琵琶行》用“大珠小珠落玉盘”来形容忽高忽低、忽清忽浊的琵琶声，把琵琶所特有的繁密多变的音响效果表现了出来。唐代另一位诗人李颀有一首《听安万善吹觱篥歌》，用不同季节的不同景物，形容音乐曲调的变化，把听觉的感受诉诸视觉的形象，取得很好的艺术效果。李白这首诗描写音乐的独到之处是，除了“万壑松”之外，没有别的比喻形容琴声，而是着重表现听琴时的感受，表现弹者、听者之间感情的交流。其实，“如听万壑松”这一句也不是纯客观的描写，诗人从琴声联想到万壑松声，联想到深山大谷，是结合自己的主观感受来写的。

律诗讲究平仄、对仗，格律比较严。而李白的这首五律却写得极其清新、明快，似乎一点也不费力。其实，无论立意、构思、起结、承转，或是对仗、用典，都经过一番巧妙的安排，只是不着痕迹罢了。这种“清水出芙蓉，天然去雕饰”（《经乱离后天恩流夜郎忆旧游书怀赠江夏韦太守良宰》）的自然的艺术美，比一切雕饰更能打动人的心灵。

（袁行霈）

劳劳亭

原文

天下伤心处，劳劳送客亭。
春风知别苦，不遣柳条青。

鉴赏

劳劳亭，三国吴时建，故址在今南京市区南，是古时送别之所。李白写这首绝句时，春风初到，柳条未青，应当是早春时节。不过，诗人要写的并非这座古亭的春光，只是因地起意，借景抒情，以亭为题来表达人间的离别之苦。

诗的前两句“天下伤心处，劳劳送客亭”，以极其洗练的笔墨，高度概括的手法，破题而入，直点题旨。就句意而言，这两句就是战国楚屈原《九歌・少司命》所说的“悲莫悲兮生别离”和南朝梁江淹《别赋》所说的“黯然销魂者，唯别而已矣”。但诗人既以亭为题，就超越一步，透过一层，不说天下伤心事是离别，只说天下伤心处是离亭。这样直中见曲，越过了离别之事来写离别之地，越过了送别之人来写送客之亭，立言就更高妙，运思就更超脱，而读者自会因地及事，由亭及人。

不过，这首诗的得力之处，还不是上面这两句，而是它的后两句。在上两句诗里，诗人为了有力地展示主题，极言离别之苦，已经把诗意推到了高峰，似乎再没有什么话好讲，没有进一步盘旋的余地了。如果后两句只就上两句平铺直叙地加以引申，全诗将纤弱无力，索然寡味。而诗人才思所至，就亭外柳条未青之景，陡然转过笔锋，以"春风知别苦，不遣柳条青"这样两句，别翻新意，振起全篇。

这一出人意表的神来之笔，出自诗人的丰富联想。南朝梁刘勰《文心雕龙·物色篇》说："诗人感物，联类不穷。"诗思往往是与联想俱来的。诗人在构思时要善于由甲及乙，由乙及丙。联类越广，转折和层次越多，诗就越有深度，也越耐人寻味。古时有折柳送别的习俗，所以一些诗人写离别时常想到杨柳，在杨柳上做文章。例如王之涣《送别》："杨柳东风树，青青夹御河；近来攀折苦，应为别离多。"就是从杨柳生意，构思也很深曲；但就诗人的联想而言，只不过把送别与杨柳这两件本来有联系的事物连在了一起，而在诗中虽然说到杨柳是"东风树"，却没有把送别一事与东风相联。李白的这两句诗却不仅因送别想到折柳，更因杨柳想到柳眼拖青要靠春风吹拂，从而把离别与春风这两件本来毫不相干的事物联在一起了。如果说王诗的联想还是直接的，那么，李诗的联想则是间接的，其联想之翼就飞得更远了。

应当说，古诗中，从送别写到折柳，再从杨柳写到春风的诗，并非绝无仅有。杨巨源《折杨柳》："水边杨柳曲尘丝，立马烦君折一枝；惟有春风最相惜，殷勤更向手中吹。"写得也具见巧思，但与李白的这两句诗相比，显得巧而不奇。李白是把联想与奇想结合为一的。诗人因送别时柳条未青、无枝可折而生奇想，想到这是春风故意不吹到柳条，故意不让它发青，而春风之所以不让柳条发青，是因为深知离别之苦，不忍看到人间折柳送别的场面。从诗人的构思说，这是联想兼奇想；而如果从艺术手法来说，这是托物言情，移情于景，把本来无知无情的春风写得有知有情，使它与相别之人同具惜别、伤别之心，从而化物为我，使它成了诗人的感情化身。清李锳在《诗法易简录》中赞美这两句诗"奇警无伦"，指出其"妙在'知'字、'不遣'字"，正是一语中的的评论。

与李白的这首诗异曲同工、相映成趣的有李商隐的《离亭赋得折杨柳》诗的第一首："暂凭樽酒送无憀，莫损愁眉与细腰。人世死前惟有别，春风争拟惜长条。"对照之下，两诗都以离亭为题，都是从离别想到杨柳，从杨柳想到春风，也都把春风写得深知离别之苦，对人间的离别满怀同情。但两诗的出发点相同，而结论却完全相反：李白设想春风因不愿见到折柳送别的场面，而不让柳条发青；李商隐却设想春风为了让人们在临别之时从折柳相赠中表达一片情意，得到一点慰藉，而不惜柳条被人攀折。这说明，同一题材，可以有各种不同的构思，不同的写法。诗人的想象是可以自由飞翔的，而想象的天地又是无限广阔的。

（陈邦炎）

春夜洛城闻笛

原文

谁家玉笛暗飞声，
散入春风满洛城。
此夜曲中闻折柳，
何人不起故园情！

鉴赏

洛城就是今河南洛阳，在唐代是一个很繁华的都市，称为东都。一个春风骀荡的夜晚，万家灯火渐渐熄灭，白日的喧嚣早已平静下来。忽然传来嘹亮的笛声，凄清婉转的曲调随着春风飞呀，飞呀，飞遍了整个洛城。这时有一个远离家乡的诗人还没入睡，他倚窗独立，眼望着“白玉盘”似的明月，耳听着远处的笛声，陷入了沉思。笛子吹奏的是一支《折杨柳》曲，它属于汉乐府古曲，抒写离别行旅之苦。古代离别的时候，往往从路边折柳枝相送；杨柳依依，正好借以表达恋恋不舍的心情。在这样一个春天的晚上，听着这样一支饱含离愁别绪的曲子，谁能不起思乡之情呢？于是，诗人情不自禁地吟了这首七绝。

这首诗全篇扣紧一个“闻”字，抒写自己闻笛的感受。这笛声不知是从谁家飞出来的，那未曾露面的吹笛人只管自吹自听，并不准备让别人知道他，却不期然而然地打动了许许多多的听众，这就是“谁家玉笛暗飞声”的“暗”字所包含的意味。“散入春风满洛城”，是艺术的夸张。在诗人的想象中，这优美的笛声飞遍了洛城，仿佛全城的人都听到了。诗人的夸张并不是没有生活的依据，笛声本来是高亢的，又当更深人静之时，再加上春风助力，说它飞遍洛城是并不至于过分的。

笛声飞来，乍听时不知道是什么曲子，细细听了一会儿，才知道是一支《折杨柳》。所以写到第三句才说“此夜曲中闻折柳”。这一句的修辞很讲究，不说听了一支折柳曲，而说在乐曲中听到了折柳。这“折柳”二字既指曲名，又不仅指曲名。折柳代表一种习俗，一个场景，一种情绪，折柳几乎就是离别的同义语。它能唤起一连串具体的回忆，使人们蕴藏在心底的乡情重新激荡起来。“何人不起故园情”，好像是说别人，说大家，但第一个起了故园之情的不正是李白自己吗？

热爱故乡是一种崇高的感情，它同爱国主义是相通的。自己从小生于斯、长于斯的故乡，作为祖国的一部分，她的形象尤其难以忘怀。李白这首诗写的是闻笛，但它的意义不限于描写音乐，还表达了对故乡的思念，这才是它感人的地方。

（袁行霈）

长门怨二首

原文

天回北斗挂西楼，
金屋无人萤火流。
月光欲到长门殿，
别作深宫一段愁。

桂殿长愁不记春，
黄金四屋起秋尘。
夜悬明镜青天上，
独照长门宫里人。

鉴赏

《长门怨》是一个古乐府诗题。据《乐府解题》记述："《长门怨》者，为陈皇后作也。后退居长门宫，愁闷悲思。……相如为作《长门赋》。……后人因其赋而为《长门怨》。"陈皇后，小名阿娇，是汉武帝皇后。武帝小时曾说："若得阿娇作妇，当作金屋贮之。"李白的这两首诗是借这一旧题来泛写宫人的愁怨。两首诗表达的是同一主题，分别来看，落想布局，各不相同，合起来看，又有珠联璧合之妙。

第一首，通篇写景，不见人物。而景中之情，浮现纸上；画外之人，呼之欲出。

诗的前两句"天回北斗挂西楼，金屋无人萤火流"，点出时间是午夜，季节是凉秋，地点则是一座空旷寂寥的冷宫。唐人用《长门怨》题写宫怨的诗很多，意境往往有相似之处。沈佺期的《长门怨》有“玉阶闻坠叶，罗幌见飞萤”句，张修之的《长门怨》有“玉阶草露积，金屋网尘生”句，都是以类似的景物来渲染环境气氛，但比不上李白这两句诗的感染力之强。两句中，上句着一“挂”字，下句着一“流”字，给人以异常凄凉之感。

诗的后两句“月光欲到长门殿，别作深宫一段愁”，点出题意，巧妙地通过月光引出愁思。沈佺期、张修之的《长门怨》也写到月光和长门宫殿。沈诗云“月皎风泠泠，长门次掖庭”，张诗云“长门落景尽，洞房秋月明”，写得都比较平实板直，也不如李白的这两句诗之超妙深曲。本是宫人见月生愁，或是月光照到愁人，但这两句诗却不让人物出场，把愁说成是月光所“作”，运笔空灵，设想奇特。前一句妙在“欲到”两字，似乎月光自由运行天上，有意到此作愁；如果说“照到”或“已到”，就成了寻常语言，变得索然无味了。后一句妙在“别作”两字，其中含意，耐人寻思。它的言外之意是：深宫之中，愁深似海，月光照处，遍地皆愁，到长门殿，只是“别作”一段愁而已。也可以理解为：宫中本是一个不平等的世界，乐者自乐，苦者自苦，正如裴交泰的一首《长门怨》所说，“一种蛾眉明月夜，南宫歌管北宫愁”，月光先到皇帝所在的南宫，照见欢乐，再到宫人居住的长门，“别作”愁苦。

从整首诗看，呈现在读者面前的是一幅以斗柄横斜为远景、以空屋流萤为近景的月夜深宫图。境界是这样阴森冷寂，读者不必看到居住其中的人，而其人处境之苦、愁思之深已经可想而知了。

第二首诗，着重言情。通篇是以我观物，缘情写景，使景物都染上极其浓厚的感情色彩。上首到结尾处才写到"愁",这首一开头就揭出"愁"字,说明下面所写的一切都是愁人眼中所见、心中所感。

诗的首句"桂殿长愁不记春",不仅揭出"愁"字,而且这个愁是"长愁",也就是说,诗中人并非因当前秋夜的凄凉景色才引起愁思,乃是长年都在愁怨之中,即令春临大地,万象更新,也丝毫不能减轻这种愁怨;而由于愁怨难遣,她是感受不到春天的,甚至在她的记忆中已经没有春天了。诗的第二句"黄金四屋起秋尘",与前首第二句遥相绾合。因为"金屋无人",所以"黄金四屋"生尘;因是"萤火流"的季节,所以是"起秋尘"。下面三、四两句"夜悬明镜青天上,独照长门宫里人",又与前首三、四两句遥相呼应。前首写月光欲到长门,是将到未到;这里则写明月高悬中天,已经照到长门,并让读者最后在月光下看到了"长门宫里人"。

这位"长门宫里人"对季节、对环境、对月光的感受,都是与众不同的。春季年年来临,而说"不记春",似乎春天久已不到人间;屋中的尘土是不属于任何季节的,而说"起秋尘",给了尘土以萧瑟的季节感;明月高悬天上,是普照众生的,而说"独照",仿佛"月之有意相苦"(明唐汝询《唐诗解》)。这些都是清贺裳在《皱水轩词筌》中所说的"无理而妙",以见伤心人别有怀抱。整首诗采用的是深一层的写法。

这两首诗的后两句与王昌龄《西宫秋怨》末句"空悬明月待君王"一样,都出自司马相如《长门赋》"悬明月以自照兮,徂清夜于洞房"。但王诗中的主角是在愁怨中希冀得到君王的宠幸,命意是不可取的。李诗则活用《长门赋》语,另成境界,虽然以《长门怨》为题，却并不拘泥于陈皇后的故实。诗中展现的，是在人间地狱的深宫中过着孤寂凄凉生活的广大宫人的悲惨景况，揭开的是冷酷的封建制度的一角。

（陈邦炎）

哭晁卿衡

原文

日本晁卿辞帝都，
征帆一片绕蓬壶。
明月不归沉碧海，
白云愁色满苍梧。

鉴赏

晁衡，又作朝衡，日本人，原名阿倍仲麻吕。唐开元五年(717)，随日本第九次遣唐使团来中国求学，学成后留在唐朝廷内作官，历任左补阙、左散骑常侍、镇南都护等职。与当时著名诗人李白、王维等友谊深厚，曾有诗篇唱和。天宝十二载(753)，晁衡以唐朝使者身份，随同日本第十一次遣唐使团返回日本，途中遇大风，传说被溺死。其实，此次海上遇难，晁衡未被溺死，他随风飘至海南，辗转回到长安，继续仕唐，于大历五年(770)卒于长安。李白这首诗就是在听说晁衡遇难时写下的。

诗的标题“哭”字，表现了诗人失去好友的悲痛和两人超越国籍的真挚感情，使诗歌笼罩着一层哀惋的气氛。

“日本晁卿辞帝都”，帝都即唐京都长安，诗用赋的手法，一开头就直接点明人和事。诗人回忆起不久前欢送晁衡返国时的盛况：唐玄宗亲自题诗相送，好友们也纷纷赠诗，表达美好的祝愿和殷切的希望。晁衡也写诗答赠，抒发了惜别之情。

“征帆一片绕蓬壶”，紧承上句。作者的思绪由近及远，凭借想象，揣度着晁衡在大海中航行的种种情景。“征帆一片”写得真切传神。船行驶在辽阔无际的大海上，随着风浪上下颠簸，时隐时现，远远望去，恰如一片树叶漂浮在水面。“绕蓬壶”三字放在“征帆一片”之后更是微妙。“蓬壶”即传说中的蓬莱仙岛，这里泛指海外三神山，以扣合晁衡归途中岛屿众多的特点，与“绕”字相应。同时，“征帆一片”，飘泊远航，亦隐含了晁衡的即将遇难。

“明月不归沉碧海，白云愁色满苍梧”。这两句，诗人运用比兴的手法，对晁衡作了高度评价，表达了自己的无限怀念之情。前一句暗指晁衡遇难，明月象征着晁衡品德的高洁，而晁衡的溺海身亡，就如同皓洁的明月沉沦于湛蓝的大海之中，含意深邃，艺术境界清丽幽婉，同上联中对征帆远航环境的描写结合起来，既显得自然而贴切，又令人无限惋惜和哀愁。末句以景写情，寄兴深微。苍梧，指郁洲山，据《一统志》，郁洲山在淮安府海州朐山东北海中。晁衡的不幸遭遇，不仅使诗人悲痛万分，连天宇也好似愁容满面。层层白色的愁云笼罩着海上的苍梧山，沉痛地哀悼晁衡的仙去。诗人这里以拟人化的手法，通过写白云的愁来表达自己的愁，使诗句更加迂曲含蓄，这就把悲剧的气氛渲染得更加浓厚，令人回味无穷。

诗忌浅而显。李白在这首诗中，把友人逝去、自己极度悲痛的感情用优美的比喻和丰富的联想，表达得含蓄、丰富而又不落俗套，体现了非凡的艺术才能。

李白的诗歌素有清新自然、浪漫飘逸的特色，在这首短诗中，我们也能体味到他所特有的风格。虽是悼诗，却是寄哀情于景物，借景物以抒哀情，显得自然而又潇洒。

李白与晁衡的友谊，不仅是盛唐文坛的佳话，也是中日两国人民友好交往历史的美好一页。

（常振国）

哭宣城善酿纪叟[1]

原文

纪叟黄泉里，还应酿老春。

夜台无李白[2]，沽酒与何人？

〔注〕

① 题一作《题戴老酒店》，诗云："戴老黄泉下，还应酿大春。夜台无李白，沽酒与何人？"

② 此句原作"夜台无晓日"，今改从《题戴老酒店》句。

鉴赏

这首五绝是李白在宣城（今属安徽），为悼念一位善于酿酒的老师傅纪叟而写的。事本寻常，诗也只寥寥数语，但因为它以朴拙的语言，表达了真挚动人的感情，一直为后人所爱读。

纪叟离开人世间，引起诗人深深的惋惜和怀念。诗人痴情地想象这位酿酒老人死后的生活。既然生前他能为我李白酿出老春名酒，那么如今在黄泉之下，还会施展他的拿手绝招，继续酿造香醇的美酒吧！这看去是诗人一种荒诞可笑的假想，然而却说得那么认真、悲切，使读者在感情上容易接受，觉得这一奇想是合乎人情的。

接着，诗人又沿着这条思路想得更深一层：纪叟纵然在黄泉里仍操旧业，但生死殊途，叫我李白如何能喝得到他的酒呢？想到这里，诗人更为悲切，为了表达这种强烈的伤感之情，采用设问句式，故作痴语问道："老师傅！你已经去到漫漫长夜般的幽冥世界中去了，而我李白还活在人世上，你酿了老春好酒，又将卖给谁呢？"照这两句诗的含意，似乎纪叟原是专为李白酿酒而活着，并且他酿的酒也只有李白赏识。这种想法显然更是不合乎情理的痴呆想法，但更能表明诗人平时与纪叟感情的深厚，彼此是难得的知音，如今死生分离，是多么悲痛啊！

沽酒与酿酒是李白与纪叟生前最平常的接触，然而，这看似平常的小事，却是最令人难忘，最易引起伤感。诗人善于抓住这一点，并赋予浪漫主义的色彩加以渲染，感情真挚自然，十分感人。

（宛敏灏　宛新彬）

词

ci

菩 萨 蛮

原文

平林漠漠烟如织，寒山一带伤心碧。暝色入高楼，有人楼上愁。　玉阶空伫立，宿鸟归飞急。何处是归程，长亭更短亭。

鉴赏

季节和时序对敏感的人常是触发感兴的媒介。黄昏，是动感情的时刻。风烛残年的老人惆怅地倚闾盼望浪子归家；怀春少女，望着湖中的鸳鸯，陷入了缠绵悱恻的相思之中；而那远离乡井的旅人，也不禁在异地的暮色中勾起浓重的乡思，如果他凑巧是诗人，便会像孟浩然那样地吟出“移舟泊烟渚，日暮客愁新”(《宿建德江》)，那愁思，正像薄暮的烟霭那样侵入人的心头，愈来愈浓郁，愈来愈沉重，终于像昏暝的夜幕似的压得人难以喘息。难怪诗人总爱融情入景地选择“烟”来渲染惹愁的暮色，而不用华灯和暮归者的喧笑。

瞧，这首《菩萨蛮》正是用画笔在广漠的平林上抹出牵动愁思的如织暮烟。画面的静景带有动势，它暗藏着时间在瞬息之间的冉冉推移。当远眺着暮霭笼罩的平林的第一眼，望中还呈现着寒碧的山光，该是太阳垂没未久吧！只是词人避免了诸如落日余晖这样的明调子，以免损害苍凉味的基调的统一罢了。但一转眼，暝色已悄悄地降临了。这和英国诗人雪莱的名作《云》描写暮夜递嬗一样：

当落日从明亮的海发出
　爱情与安息的情热，
而黄昏的堇色的帷幕也从
　天宇的深处降落……

但是，我们的词人更着意在“暝色”之下用了一个神来之笔的“入”字，把暝色人格化，比作一个带来了离愁的闯入者，比“夜幕”这一类平泛的静物更能使景色活跃在读者的心头眼底。于是，高楼上孤单的愁人，就益发和冉冉而入的暝色融合在一起了。

这楼头的远眺者是因何而发愁呢？我们不禁要想起“盈盈楼上女，皎皎当窗牖”这两句汉代古诗。她是在怀念、期待远人。从下片，可以想象，那征人是已经有了行将归来的消息了吧。但此刻，他在何处，在做什么？是日暮投宿的时候了，他正在走入一家村舍吗？还是早已打尖，此刻正和旅伴在酒肆中畅饮，乃至在和当垆的酒家女调笑？或者，由于什么事情的牵扯，至今还未踏上归程？向心头袭来的各种怪异的联想，不断增添这女子的愁思。这里面当然也缠夹着往昔的甜美回忆，遐想着久别重逢的情景。这时令，正如李商隐所说的“心事如波涛”，这样那样都会增添她期待的激情的浓度。

这惆怅、哀怨而又缠绵的期待，自然会使楼头人产生有如王维诗“心怯空房不忍归”的心情。这驱使她伫立于玉阶，痴痴地、徒劳地茫然望着暮色中匆遽归飞的宿鸟。鸟归人不归，触景生情，这归鸟又惹起无限愁思。那阻挡在她和征人之间的遥远的归程啊，这一路上不知有多少长亭、短亭！

眼前所见的日暮景色，这平林笼烟，寒山凝碧，暝色入楼，宿鸟归林；心头所想的那远人，那长亭、短亭，以及横隔在他们之间的迢递的路程……真是“这次第，怎一个愁字了得”！

历来解说这首词，虽然有不少论者认为它是眺远怀人之作，但更多的人却说它是羁旅行役者的思归之辞。后一种理解，大概是受了宋代文莹《湘山野录》所云“此词不知何人写在鼎州沧水驿楼”一语的影响吧。以为既然题于驿楼，自然是旅人在抒思归之情。其实，古代的驿站邮亭等公共场所以及庙宇名胜的墙壁上，有些诗词不一定要即景题咏，也不一定是写者自己的作品。细玩这首词，也不是第一人称，而是第三人称。有如电影，从“平林”“寒山”的远镜头，拉到了“高楼”的近景，复以“暝色”作特写镜头造成气氛，最终突出“有人楼上愁”的半身镜头。分明是第三者所控制、所描摹的场景变换。下片的歇拍两句，才以代言的方法，模拟出画中人的心境。而且，词中的“高楼”“玉阶”，也不是驿舍应有之景。驿舍邮亭，是不大会有高楼的；它的阶除也决不会“雕栏玉砌”，正如村舍茅店不能以“画栋雕梁”形容一样。同时，长亭、短亭，也不是望中之景；即使是“十里一长亭，五里一短亭”中的最近一座，也不是暮色苍茫中视野所能及。何况“长亭更短亭”，不知凡几，当然只能意想于心头，不能呈现于楼头人的眼底。

李白究竟是不是这首词的作者，也是历来聚讼不决的问题。光以《菩萨蛮》这一词调是否在李白时已有这一点，就是议论纷纭的。前人不谈，现代的研究者如浦江清说其无，杨宪益、任二北等信其有；而它的前身究系西域的佛曲抑系古缅甸乐，也难以遽断。有人从词的发展来考察，认为中唐以前，词尚在草创期，这样成熟的表现形式，这样玲珑圆熟的词风，不可能是盛唐诗人李白的手笔。但这也未必可援为的据。敦煌卷子中《春秋后语》纸背写有唐人词三首，其一即《菩萨蛮》，亦颇成熟，虽无证据断为中唐以前人所作，亦难以断为必非中唐以前人所作，而且，在文学现象中，得风气之先的早熟的果子是会结出来的。十三世纪的诗人但丁，几乎就已经唱出了文艺复兴的声调，这是文学史家所公认的。六朝时期的不少吴声歌曲，已近似唐人才开始有的、被称为近体诗的五言绝句。以文人诗来说，隋末唐初王绩的《野望》："东皋薄暮望，徙倚欲何依。树树皆秋色，山山唯落晖。牧人驱犊返，猎马带禽归。相顾无相识，长歌怀采薇。"如果把它混在盛唐之后的律诗里，不论以格律或以风味言，都很难辨别。这不过是信手拈来的例子。李白同时人、玄宗时代的韦应物既然能写出像《调笑令》（"胡马，胡马"）那样的小词，为什么李白偏偏就办不到呢？

总之，迄今为止，虽然没有确切不移的证据，断定这首词必属李白之作，但也没有无法还价的证据，断定确非李白所作。因此，历来的词评家都不敢轻率地剥夺李白的创作权，从宋代黄昇《花庵词选》起到近人王国维，词学大家都尊之为"百代词曲之祖"。

（何满子）

忆秦娥

原文

箫声咽。秦娥梦断秦楼月。秦楼月。年年柳色，灞桥伤别。　乐游原上清秋节。咸阳古道音尘绝。音尘绝。西风残照，汉家陵阙。

鉴赏

这一篇千古绝唱，永远照映着中华民族的吟坛声苑。打开一部词史，我们的诗心首先为它所震荡，为之沉思翘首，为之惊魂动魄。

然而，它只是一曲四十六字的小令。通篇亦无幽岩跨豹之奇情、碧海掣鲸之壮采，只见他寥寥数笔，微微唱叹，却不知是所因何故，竟会发生如此巨大的艺术力量！每一循吟，重深此感，以为这真是一个绝大的文学奇迹。含咀英华，揽结秀实，正宜潜心涵咏，用志覃研。

第一韵，三字短句。万籁俱寂、玉漏沉沉，忽有一缕箫声，采入耳际。那箫声虽与笛韵同出瘦竹一枝，却与彼之嘹亮飘扬迥异其致，只闻幽幽咽咽，轻绪柔丝，珠喉细语，无以过之，莫能名其美，无以传其境。复如曲折泉流，冰滩阻涩，断续不居，隐显如泣，一个咽字，已传尽了这一枝箫的神韵。

第二韵，七字长句。秦娥者谁？犹越艳吴娃，人以地分也。扬雄《方言》："娥、嬴，好也。秦曰娥。"必秦地之女流，可当此一娥字，易地易字，两失谐调，此又吾夏汉字组列规律法则之神奇，学者所当措意。

秦娥之居，自为秦楼——此何待言，翻成辞费？盖以诗的"音组"以读之，必须是"秦娥——梦断——秦楼——月"，而自词章学之角度以求之，则分明又是"秦娥梦——秦楼月"，双行并举，中间特以一"断"字为之绾联，别成妙理。而必如是读，方觉两个秦字，重叠于唇齿之间（本音 cín，齿音，即剧曲中之"尖字"；读作 qín 者失其美矣），更呈异响。若昧乎此，即有出而责备古代词人；何用如此笨伯，而重复一个"毫无必要"的"秦"字？轻薄为文，以哂作者，古今一慨，盖由不明曲词乃音学声家之事，倘假常人以"修改"之权，"润色"之职，势必挥大笔而涂去第二"秦"字，而浓墨书曰"秦娥梦断'高'楼月"了！

梦断者何？犹言梦醒，人而知之。但在此处，"断"字神情，与"醒"大异，与"梦回""梦觉""梦阑"亦总不相同。何者？醒也，回也，觉也，阑也，都是蘧蘧眠足，自然梦止，乃是最泛常、极普通的事情与语言。"断"即不然，分明有忽然惊觉、猝然张目之意态在焉。由此而言，"断"字乃非轻下。词人笔致，由选字之铮铮，知寄情之忒忒。

箫声幽咽之下，接以梦断——则梦为箫断耶？以事言，此为常理；以文言，斯即凡笔。如此解词，总是一层"逻辑"意障，横亘胸中，难得超脱。箫之与梦，关系自存，然未必如常情凡笔所推。

吾人于此，宜知想象：当秦娥之梦，猝猝惊断，方其怅然追捕断梦之间，忽有灵箫，娓娓来耳根，两相激发，更助迷惘，似续断梦——适相会也，非相忤也。大诗人东坡不尝云乎："客有吹洞箫者，倚歌而和之，其声呜呜然，如怨如慕，如泣如诉。"此真不啻为吾人理解此篇的一个绝好注脚。四个"如"字，既得"咽"字之神，复传秦娥之心矣。

箫宜静夜，尤宜月夜。"二十四桥明月夜，玉人何处教吹箫"，言之最审。故当秦娥梦断，张目追寻，唯见满楼月色，皎然照人。而当此际，乃适逢吹箫人送来怨曲。其难为怀，为复何若！

箫声怨咽，已不堪闻，——然尤不似素月凝霜，不堪多对。"寂寞起来搴绣幌，月明正在梨花上"。寂寞之怀，既激于怨箫，更愁于明月，于此，词人乃复再叠第三个"秦"字，而加重此"秦楼月"之力量！炼响凝辉，皆来传映秦娥心境。而由此三字叠句，遂又过入另一天地。

秦楼人月，相对不眠，月正凄迷，人犹怅惘，梦中之情，眼前之境，交相引惹。灞桥泣别，柳色青青，历岁经年，又逢此际。闺中少妇，本不知愁，一登翠楼，心惊碧柳，于是"悔教夫婿觅封侯"，以致风烟万里难相见。此时百感，齐上心头。可知箫也，梦也，月也，柳也，皆为此情而生，为此境而设，——四者一也。

春柳为送别之时，秋月乃望归之候。自春徂秋，已经几度；兹复清秋素节，更盼归期有讯。都人士女，每值重阳九日，登乐游原以为观赏。身在高原，四眺无际。向西一望，咸阳古道，直接长安，送客迎宾，车马络绎；此中宜有驿使，传递佳音——然而自晨及昏，了无影响，音尘断绝，延伫空劳——命局定矣，人未归也。

至"音尘绝"三字，直如雷霆震耸！"笔落惊风雨，诗成泣鬼神”，仿佛似之。音尘绝，心命绝，笔墨绝，而偏于此三字，重叠短句一韵，山崩而地坼，风变而日销。必具千钧力，出此三字声。

音尘已绝，早即知之，非独一日一时也，而年年柳色，夜夜月光，总来织梦；今日登原，再证此“绝”。行将离去，所获者何？立一向之西风，沐满川之落照，而入我目者，独有汉家陵阙，苍苍莽莽，巍然而在。当此之际，乃觉凝时空于一点，混悲欢于百端，由秦娥一人一时之情，骤然升华而为吾国千秋万古之心。盖自秦汉以逮隋唐，山河缔造，此地之崇陵，已非复帝王个人之葬所，乃民族全体之碑记也。良人不归，汉陵长在，词笔至此，箫也，梦也，月也，柳也，遂皆退居于次位，吾人所感，乃极阔大，极崇伟，极悲壮！四十六字小令之所以独冠词史、成为千古绝唱者在此，为一大文学奇迹者亦在此。

向来评此词者，谓为悲壮，是也。而又谓为衰飒，则非也。若衰飒矣，尚何悲壮之可云？二者不可混同。夫小令何以能悲壮？以其有伟大悲剧之质素在，唯伟大悲剧能唤起吾人之悲壮感，崇高感，而又包含人生哲理与命运感。见西风残照字样，即认定为衰飒，何其皮相——盖不识悲剧文学真谛之故。

论者又谓此词“破碎”，似“连缀”而成，一时乍见，竟莫知其意何居，云云。此则只见其笔笔变换，笔笔重起，遂生错觉，而不识其潜气内转，脉络井然。全篇两片，一春柔，一秋肃；一婉丽，一豪旷；一以“秦楼月”为眼，一以“音尘绝”为目——以“伤别”为关纽，以“灞桥伤别”“汉家陵阙”家国之感为两处结穴。岂是破碎连缀之无章法、无意度之漫然闲笔乎？故学文第一不可见浅识陋。

此词句句自然，而字字锤炼，沉声切响，掷地真作金石声。而抑扬顿挫，法度森然，无一字荒率空浮，无一处逞才使气。其风格诚五代花间未见，亦非歌席诸曲之所能拟望，已开宋代词家格调。

凡填此词，上下片两煞拍四字句之首字，必用去声，方为合律，方能起调——如"汉"家"灞"桥是，其声如巨石浑金，斤两奇重；一用平声，音乐之美全失，后世知此理者寥寥，学词不知审音，精彩遗其大半矣。

（周汝昌）

李白诗歌

鉴赏辞典

文

wen

与韩荆州书

原文

白闻天下谈士相聚而言曰:“生不用封万户侯,但愿一识韩荆州。”何令人之景慕,一至于此耶!岂不以有周公之风,躬吐握之事,使海内豪俊,奔走而归之,一登龙门[①],则声誉十倍。所以龙盘凤逸之士,皆欲收名定价于君侯[②]。君侯不以富贵而骄之,寒贱而忽之,则三千宾中有毛遂,使白得颖脱而出,即其人焉。

白陇西[③]布衣,流落楚汉。十五好剑术,遍干诸侯;三十成文章,历抵卿相。虽长不满七尺,而心雄万夫。王公大人,许与气义。此畴曩[④]心迹,安敢不尽于君侯哉!

君侯制作[⑤]侔神明,德行动天地,笔参造化,学究天人。幸愿开张心颜,不以长揖见拒。必若接之以高宴,纵之以清谈,请日试万言,倚马可待。今天下以君侯为文章之司命,人物之权衡,一经品题,便作佳士;而君侯何惜阶前盈尺之地,不使白扬眉吐气,激昂青云耶!

昔王子师为豫州[⑥],未下车即辟荀慈明,既下车又辟孔文举。山涛作冀州[⑦],甄拔三十余人,或为侍中、尚书[⑧],先代所美。而君侯亦一荐严协律[⑨],入为秘书郎[⑩];中间崔宗之、房习祖、黎昕、许莹之徒,或以才名见知,或以清白见赏。白每观其衔恩抚躬,忠义奋发,以此感激,知君侯推赤心于诸贤腹中,所以不归他人,而愿委身国士。倘急难有用,敢效微躯。

且人非尧舜,谁能尽善?白谟猷[⑪]筹画,安能自矜。至于制作,积成卷轴,则欲尘秽视听,恐雕虫小技,不合大人。若赐观刍荛[⑫],请给纸墨,兼之书人。然后退扫闲轩,缮写呈上。庶青萍、结绿,长价于薛、卞之门。幸推下流,大开奖饰,惟君侯图之!

〔注〕

① 龙门：《艺文类聚》引《三秦记》："河津一名龙门，大鱼积龙门数千不得上，上者为龙，不上者(鱼)。"地在今陕西韩城与山西河津间。
② 君侯：对尊贵者的敬称。
③ 陇西：郡名，秦昭襄王时置，隋初废。辖境在今甘肃陇西一带。
④ 畴曩：往日。
⑤ 制作：著作。
⑥ 豫州：古州名，东汉时治所在今安徽亳州市。
⑦ 冀州：古州名，晋时治所在今河北高邑西南。
⑧ 侍中：官名，魏晋时职责为顾问应对，系清要之官。尚书：官名，魏晋时掌群臣章奏。
⑨ 协律：协律郎，掌管音乐的官，隶属于太常寺。
⑩ 秘书郎：掌管图书收藏及校写的官，隶属于秘书省。
⑪ 谟猷(mó yóu)：谋划。
⑫ 刍荛(chú ráo)：向人陈述意见的谦词。

鉴赏

李白的散文现存几十篇，数量不多，但有的也写得很好。本文便是他散文中的名篇。

本文约写于唐玄宗开元二十一年(733)左右。这时李白寓家于安州(治所在今湖北安陆)，漫游今湖北、湖南一带，广事交游，渴望获得仕进机会，施展抱负，因此写了这封信给韩荆州。韩荆州，即韩朝宗，此时正任荆州大都督府长史兼襄州刺史、山南东道采访处置使，是荆襄地区的高级行政长官。他乐于识拔后进，为时人推重，所以李白写了这封自荐书给他，希望得到援引。

本文开头借谈士之口，说他们不想封万户侯，但愿认识韩荆州，赞美韩朝宗对士人具有强大的吸引力。后世“识荆”一语，即源于此，成为人们拜见贤者、初次相识的雅语。接着，李白以西周时周公旦“躬吐握”和东汉李膺使后进“登龙门”两个典故，说明海内豪俊之士奔走归附韩朝宗的原因。相传周公为了不怠慢来谒见的士人，“一沐三握发，一饭三吐哺”（《韩诗外传》）；东汉李膺以维持纲常名教为己任，后进之士被他认真接待的，名为“登龙门”，犹如鱼跃上龙门，化而为龙，成为不平凡的人物。接着又说：韩朝宗如能不以己之富贵骄人，不以人之贫贱而轻忽之，则李白就能如战国时毛遂那样，在三千门客中脱颖而出。毛遂是赵国平原君的门客，他向平原君自荐，在赵、楚两国谈判中立了功。颖脱，指锥子放在袋中，其颖（尖头）立刻破袋而出，比喻贤士的才能必然迅速显现。这一段着重赞美韩朝宗能礼贤下士，把他和周公、李膺相比，可谓称颂备至。这种颂美从不少士人的谈论中引出，显得很自然，并不使人感到是阿谀奉承。后面再从平原君的故事中，很自然地表达了自荐的心情和要求。

第二段简单介绍自己的经历和才能。李白出生于蜀中，自称为西凉武昭王李暠之后代（见《上安州裴长史书》），李暠是陇西成纪人，又是汉代名将李广的十六世孙，故此处说是陇西布衣。这时他流寓于今湖北省汉水流域一带（战国时属楚地，故称楚汉）。他十五岁爱好击剑，三十岁文章写得很有成就，凭着其文武才能，遍谒诸侯（指各地地方长官）和王公卿相，冀求援引。那些达官贵人也承认他的气节道义很好。李白在另一篇文章《上安州裴长史书》中曾谈到，他早年时曾与蜀中友人吴指南同游楚地，指南死于洞庭湖滨，李白素服恸哭，临时葬指南于湖侧。数年后从金陵一带归来，又筹措经费，把指南安葬于江夏城（今湖北武汉）东。这便是他重视气节、道义的一个例子。段末说：这是他平时的心情和行为，希望韩朝宗能够了解。李白在本文中介绍自己的经历、才能和性格特点颇为简括，在《上安州裴长史书》中则有较详细的叙述，读者可以参看。

第三段进一步希望韩朝宗能够认识自己的才能而加以任用。先是颂扬韩朝宗的德行、学问、文章都好；意为他具备这么好的修养，能够识拔贤能之士是不言而喻的。接着希望韩朝宗要气度宽宏，不因自己的长揖不拜而拒予接待。长揖，拱手自上而至极下，是古代宾主以平等身份相见时所行的礼。他要求韩朝宗不但不拒绝接待，而且要优厚款待，这样他的文才便能充分发挥出来。据说东晋时大臣桓温北征，半路上要写一篇露布（公告），叫幕下文士袁宏倚立在马前起草。袁宏手不停挥，很快写满七张纸，而且写得相当好（见《世说新语·文学》）。此处用这一典故来说明自己文思敏捷、才能出众。（李白的文才确是非常敏捷的，故杜甫有"敏捷诗千首"的诗句称赞他。）接着又说：今天大家认为你韩朝宗是衡量文章、人物的权威人士，一经你的好评，便称佳士。你何必吝惜阶前盈尺之地，不让我李白像袁宏那样倚马草文，一展文才，扬眉吐气，直上青云呢？李白颂扬韩朝宗，希望他赏识自己的才能而加以任用；但他对韩朝宗没有显示出一点卑躬屈膝的样子，而是长揖不跪拜。（李白《忆襄阳旧游赠马少府巨》诗中也有"高冠佩雄剑，长揖韩荆州"之句。）这里充分显示了他"平交王侯"的气概。《古文观止》编者评云："此段正写己愿识荆州，却绝不作一分寒乞态，殊觉豪气逼人。"说得颇为中肯。

第四段推开一步，补充说明自己要求归附韩朝宗的原因。先是说，从前东汉王允做豫州刺史，任用了贤士荀爽、孔融；西晋山涛做冀州刺史，甄拔三十余人，有的在朝廷做了侍中、尚书等官，为前人所赞美。接着就说韩朝宗也荐举了协律郎严某为秘书郎，还有崔宗之、房习祖等人，有的富有才学，有的行为清白，都被赏识荐用。李白看到他们衔恩图报，忠义奋发，因此心情激动，知道韩朝宗对贤士能推心置腹，所以决心归附于他。国士，全国推尊仰慕之士，这里是对韩朝宗的美称。段末表示，倘逢急难之际，自己愿为之献身，表现出诗人满腔报国的热忱。这里急难是指战乱等关系国运的大事。安史之乱爆发，李白出山参与永王李璘幕府；他临终前不久，还打算以老病之身参加李光弼军队，讨伐安史余孽(见《李太尉大举秦兵百万出征东南懦夫请缨冀申一割之用半道病还留别金陵崔侍御》诗)，都表现出他敢效微躯的举动和精神。

最后一段说自己愿呈献文章，求得对方赏识。先是说人不会尽善尽美，关于政治方面的谋划主张，不敢自夸，至于诗文，写得颇多，积成卷轴，这类雕虫小技，如果对方不嫌弃而愿赐观，则请给予纸墨等文具，还有抄写人员，就可认真抄写呈上。青萍，宝剑名。结绿，美玉名。春秋时越国人薛烛和楚国人卞和，一个善于识剑，一个善于识玉。结尾意思说：宝剑美玉依靠良工的鉴别，方能增长声价；自己地位不高，也要靠韩朝宗大加奖励称誉，才有光明前途啊！唐代读书人的习尚，喜欢把自己的诗文等作品写在卷子上呈献给达官贵人或文坛前辈，希望获得他们的赏识，从而猎取功名。李白也准备把文章呈献给韩朝宗。李白在政治才能上也颇自负，曾自称“怀经济之才”(《为宋中丞自荐表》)，并常以东晋名臣谢安自比。本段说“白谟猷筹画，安能自矜”，比较谦逊，可能是他没有写什么政治性论文，能向韩朝宗呈献的都是一些文学性诗文的缘故。

本文和李白的某些诗篇一样，充分表现了他自负和傲岸的性格。他写信要求韩朝宗赏识自己，所以更是着重称述自己。首段以毛遂自比，说明其才能超过众人；接着说自己能文有武，心雄万夫，讲究气节道义，文才更是卓越敏捷；结尾说准备呈献所作诗文：自负不凡的高昂气概，贯穿全篇。李白不但自负，而且兀傲。对那些达官贵人，李白希望他们援引，但他不肯为此而卑躬屈膝，所谓“安能摧眉折腰事权贵”（《梦游天姥吟留别》）；而是要以平等之礼节结交。他对韩朝宗是长揖不拜，对当时另一名人李邕，李白赠诗给他说，“宣父犹能畏后生，丈夫未可轻年少”（《上李邕》），要李邕学习孔子，知道后生可畏，不要看轻自己这个年轻人。李白这种傲岸和自负的气质，在本文中紧密结合，随处流露，而在第三段中表现尤为突出，在要求“扬眉吐气，激昂青云”的语句中达到了顶峰。由于生动地展示了自负、傲岸的性格特征，诗人的形象在本文中可说跃然纸上。

文中对韩朝宗也是颂扬备至。先是以周公、李膺相比，赞美他礼贤下士；接着又说他德行、才学都极好；继而又说他已经荐举了一批佳士。这种颂扬，目的是说明韩朝宗必能赏识、荐举自己，为本文自荐这一主题服务。颂扬对方，称述自己，两条线索在文中很好配合，交叉进行，起了打动对方的作用。

本文语言特色，是夸张而又流畅奔放。文中不论颂扬对方，称述自己，都出以夸张笔墨，充分显示出诗人的浪漫气质。全篇语言明快流畅，句子长短错综，自然奔放，富有气势，很好表现了诗人的豪迈性格与胸襟。前三段末尾，都使用了感情洋溢的感叹语句,“使白得颖脱而出,即其人焉”,“安敢不尽于君侯哉”,“不使白扬眉吐气,激昂青云耶”,各自在上文具体描述基础上进行小结,做到声情摇曳,增加了艺术感染力。

（王运熙　施绍文）

春夜宴诸从弟桃李园序

原文

夫天地者，万物之逆旅[①]；光阴者，百代之过客。而浮生若梦，为欢几何？古人秉烛夜游，良有以也。况阳春召我以烟景，大块[②]假我以文章。会桃李之芳园，序天伦之乐事。群季俊秀，皆为惠连[③]；吾人咏歌，独惭康乐[④]。幽赏未已，高谈转清。开琼筵以坐花，飞羽觞而醉月。不有佳作，何伸雅怀？如诗不成，罚依金谷酒数[⑤]。

〔注〕

① 逆旅：客舍。
② 大块：大自然。
③ 惠连：南朝宋文学家谢惠连，与其族兄谢灵运并称“大小谢”。
④ 康乐：南朝宋文学家谢灵运，谢玄孙，袭封康乐公。
⑤ 金谷酒数：晋石崇宴客洛阳金谷涧中，赋诗不成者罚酒三觞。

鉴赏

这篇散文小品,洋溢着诗情画意,像一首优美的诗,长期以来,家弦户诵,脍炙人口。明代大画家仇英还把它转化为视觉形象,绘成图画,流传至今。

从题目看,这是一篇记事文。记事文,一般要包含六个要素:Who(何人)、When(何时)、Where(何地)、What(何事)、How(如何)、Why(为何)。题目即回答了四个要素:什么人?作者与诸从弟。什么时候?春夜。什么地方?桃李园。干什么?宴饮。这已经在很大程度上泄露了主题。一看题目就知道文章的基本内容,又怎能引人入胜呢?然而一读全文,就立刻被那强烈的艺术魅力所吸引,陶醉于美的享受。原因在于:作者结合剩下的两个要素,对已见于题目中的四个要素作了进一步的、独特的回答,从而展现了情景交融、景美情浓的艺术天地。

全文是以议论开头的:"夫天地者,万物之逆旅;光阴者,百代之过客。而浮生若梦,为欢几何?古人秉烛夜游,良有以也。"《古文观止》的编者说这是"点'夜'字",即回答了"何时"。这固然是对的;但不仅如此。更重要的,还在于回答了另一个要素:"为何"。白天满可以"宴",为什么要"夜"宴呢?就因为"浮生若梦,为欢几何",所以要及时行乐,连夜间都不肯放过。及时行乐的思想在我们看来是消极的,但在封建社会的某些知识分子和达官贵人中却是普遍存在的。《古诗十九首》有云:"生年不满百,常怀千岁忧。昼短苦夜长,何不秉烛游?"曹丕《与吴质书》有云:"少壮真当努力,年一过往,何可攀援?古人思秉烛夜游,良有以也。"作者在行文上的巧妙之处,就表现在他不去说明自己为什么要"夜"宴,只说明"古人秉烛夜游"的原因,而自己"夜"宴的原因,已和盘托出,无烦词费。

“阳春召我以烟景，大块假我以文章”，这是万口传诵的名句。《古文观止》的编者说它“点‘春’字”，即与第一段“点‘夜’字”结合，照应题目，回答了“何时”。这当然不算错；但不仅如此。它用一个表示进层关系的连词“况”承接第一段，进一步回答了“为何”。“浮生若梦，为欢几何”，因而应该“夜”宴；更何况这是春季的“夜”，“阳春”用她的“烟景召唤我”，“大块（天地）”把她的“文章”献给我，岂容辜负！因而更应该“夜”宴。其所以成为名句，就由于它的确佳妙。第一，只用几个字就体现了春景的特色。春天的阳光，暖烘烘，红艳艳，多么惹人喜爱！“春”前着一“阳”字，就把春天形象化，使人身上感到一阵温暖，眼前呈现一片红艳。春天地气上升，花、柳、山、水，以及其他所有自然景物，都披绡戴縠，分外迷人。那当然不是绡縠，而是弥漫于空气之中的袅袅轻烟。“景”前着一“烟”字，就展现了这独特的画面。此后，“阳春烟景”，就和作者在《黄鹤楼送孟浩然之广陵》一诗中所创造的“烟花三月”一样，成为人们喜爱的语言，一经运用，立刻唤起对春天美景的无限联想。至于把天地间的森罗万象叫做“文章”，也能给人以文采炳焕、赏心悦目的感受。第二，这两个句子还把审美客体拟人化。那“阳春”是有情的，她用美丽的“烟景”召唤我；那“大块”也是有情的，她把绚烂的“文章”献给我。既然如此，作为审美主体的“我”又岂能无情！自然主客拥抱，融合无间了。

“会桃李之芳园”以下是全文的主体，兼包六个要素，而着重写“如何”。这一点很重要。试想，与诸从弟夜宴，如果是为了饯别，那就会出现“醉不成欢惨将别，别时茫茫江浸月”（白居易《琵琶行》）的场面，或“今宵酒醒何处，杨柳岸晓风残月”（柳永《雨霖铃》)的景象,未免大败人意。如今幸而并非如此。“会桃李之芳园”,不是为了饯别,而是为了“叙天伦之乐事”。这一句,既与第一段“为欢几何”里的“欢”字相照应,又赋予它以特定的具体内容。这不是别的什么“欢”,而是“叙天伦之乐事”的“欢”。看来,作者与从弟们分别很久了。作为封建社会里的“浮生”,难得享天伦之乐啊!如今,不但相会了,而且相会于流芳溢彩的桃李园中,阳春既召我以烟景,大块又假我以文章,此时此地,“叙天伦之乐事”,真是百倍的欢乐!当然,“天伦之乐事”,不同的人有不同的“叙”法。那么,作者和他的从弟们是什么样的人呢?南朝著名诗人谢灵运的族弟谢惠连工诗文,擅书画,作者便说“群季(诸弟)俊秀,皆为惠连”。以谢惠连比他的几位从弟,不用说就以谢灵运自比了。“吾人咏歌,独惭康乐”,不过是自谦罢了。人物如此俊秀,谈吐自然不凡。接下去的“幽赏未已,高谈转清”,虽似双线并行,实则前宾后主。“赏”的对象,就是前面所写的“阳春烟景”“大块文章”和“桃李芳园”;“谈”的内容,主要是“天伦乐事”,但也可以包括“赏”的对象。“赏”的对象那么优美,所以“赏”是“幽赏”;“谈”的内容那么欢乐,所以“谈”是“高谈”。在这里,美景烘托乐事,幽赏助长高谈,从而把欢乐的激情推向高潮。

“开琼筵以坐花,飞羽觞而醉月”两句,集中写“春夜宴桃李园”,这是那欢乐的浪潮激起的洪峰。“月”乃“春夜”之月,“花”乃“桃李”之花。兄弟相会,花月交辉,幽赏高谈,其乐无穷,于是继之以开筵饮宴。“飞羽觞”一句,实在写得好!《汉书·外戚传》引班倢伃赋云:“酌羽觞兮销忧。”颜师古注采用孟康的解释:“羽觞,爵也。作生爵形,有头,尾,羽翼。”爵,是酒器的名称;而在古代,“爵”字又与“雀”字相通。所谓“作生爵形”,就是其酒器的形状像活的雀儿，有头，有尾，有羽翼。正因为有羽翼，所以又称“爵”为“羽觞”。班婕伃独自借酒浇愁，“觞”虽有“羽”，却只能“酌”，不能“飞”。李白从“羽”字着想，生动地用了个“飞”字，就把兄弟们痛饮狂欢的场景表现得淋漓尽致。

痛饮固然可以表现狂欢，但光痛饮，就不够“雅”。他们都是诗人，痛饮不足以尽兴，就要作诗。于是以“不有佳作，何伸雅怀”等句结束了全篇。《古文观止》的编者说：“末数语，写一觞一咏之乐，与世俗浪游者迥别。”是相当中肯的。

开头以“浮生若梦”等句引出夜宴，在今天看来，思想境界当然不高，但在李白却有其社会原因。况且，开头一段，不过是为了引出下文；而其中的“欢”字，又为全文定下了基调。“况”字以下，写景如画，充满着春天的生机；叙事如见，洋溢着健康的欢乐。意境是崇高的，格调是明朗的。诵读全文，并不会滋生“浮生若梦”的消极情绪，却能于获得艺术享受的同时提高精神境界，热爱自然，热爱人生。

结尾的“如诗不成，罚依金谷酒数”，用的是石崇《金谷诗序》（《全晋文》卷三三）的典故。李白的这篇序，从体裁、题材上看，也与《金谷诗序》相似。而《金谷诗序》却说“感性命之不永，惧凋落之无期”，情调很悲凉。其他同类作品，如王羲之的《兰亭集序》，前面虽说“仰观天地之大，俯察品类之盛，所以游目骋怀，足以极视听之娱，信可乐也”，结尾却“临文嗟悼，不能喻之于怀”，发出“悲夫”的慨叹。孙绰的《三月三日兰亭诗序》（《全晋文》卷六一）也说“乐与时去，悲亦系之”，与王序如出一辙。陶渊明的《游斜川诗序》亦然：“悲日月之既往，悼吾年之不留”，调子是低沉的。直到初唐的游宴诗文，仍跳不出这种老套子。王勃的

《滕王阁序》，不是也有“呜呼！胜地不常，盛筵难再；兰亭已矣，梓泽丘墟”的感慨吗？李白同样写游宴，却完全摆脱了“既喜而复悲”的陈套，给人以乐观情绪的感染。与古人的同类作品相比，本篇确是别开生面，“自是锦心绣口之文”。

（霍松林）

秋于敬亭送从侄耑游庐山序

原文

余小时，大人令诵《子虚赋》，私心慕之。及长，南游云梦，览七泽[1]之壮观，酒隐安陆，蹉跎十年。初，嘉兴季父谪长沙西还，时予拜见，预饮林下。耑乃稚子，嬉游在旁。今来有成，郁负秀气。吾衰久矣，见尔慰心，申悲道旧，破涕为笑。

方告我远涉，西登香炉。长山横蹙，九江却转。瀑布天落，半与银河争流，腾虹奔电，潈射万壑。此宇宙之奇诡也。其上有方湖、石井，不可得而窥焉。

羡君此行，抚鹤长啸。恨丹液未就，白龙来迟[2]，使秦人着鞭，先往桃花之水[3]。孤负夙愿，惭归名山；终期后来，携手五岳。情以送远，诗宁阙乎？

〔注〕

① 七泽：据说楚国古有七泽，云梦是其中之一。

② 丹液未就，白龙来迟：是说未炼成金丹，未能仙去。白龙：传说中仙人的坐骑。

③ 桃花之水：指桃花源。秦人：指李耑，"耑"为端的古体。

鉴赏

这是一篇十分出色的赠序文，系李白晚年在宣城为送族侄李耑往游庐山而写的。

赠序不外叙交谊，道别情。不过此文着笔的中心点是鼓励、引导李耑情绪饱满、精神振奋地前往庐山游览，道别、叙旧皆为此铺设。开头一段叙述初识李耑因由，特提他小时候父亲叫他读《子虚赋》，他为司马相如笔下所描写的云梦景象深深打动，到成年时，真的南游云梦，饱览了荆楚壮丽的山川。作者叙述此事，显有类比意味，现在眼前这位晚辈不正像当年的自己吗？这位晚辈的向往匡庐不正如昔年自己的企慕云梦吗？他叙述自己这段往事，意图是在激发李耑也像他年轻时那样"仗剑去国，辞亲远游"，那样地向往大自然、一往无前。后面的道别又是落实在"羡君此行""终期后来"上，他羡慕李耑上庐山，他与之相约在名山相会，这就不是一般的"惜别意"了，仍然是在鼓励前行。试想，当李耑踏上这种令前辈称羡、并想步其后尘的旅行道途时，该是多么快意啊。

当然，中间那段写景是全文最精彩的部分，更是会叫这位"不识庐山真面目"的少年心驰神往。作者是以过来人的口吻描述庐山的形胜，先是鸟瞰，后是特写。“长山横蹙，九江却转”，“长山”即指庐山，“九江”，指流经此地曲折的江流。这两句所写正如《庐山谣寄卢侍御虚舟》描写的：“庐山秀出南斗旁”“白波九道流雪山”。当“登高壮观天地间”，对庐山进行全景式鸟瞰时，该叫人会是如何的振奋啊。下面对香炉峰大瀑布作集中描写。那种高度，那种力度，那种形态，那种气势，充分表现了大自然的神奇，该叫观者如何的惊心骇目。上面是作者身亲目接的景象，叙来恐怕已叫李耑心花怒放了，且慢，更奇妙的还在后面呢！“其上有方湖、石井，不可得而窥焉。”原来香炉峰上还有这两处佳胜，晋释慧远在《游庐山记》中就说过，方湖、石井中还有“赤鳞涌出，野人不能叙，直叹其奇而已”。这两处胜景连当地的居民都说不清楚，可见其奇幻了。慧远未能往游，李白也未能往观，这奇境中的奇境大概在等待少年李耑去发现了。李白亲历的胜景已够李耑称奇叹赏，不意还有这等仙境迄无问津，一饱眼福、一探为快的冲动该在这位少年心底翻腾起来，真要叫他“一夜飞渡‘彭蠡’月”了。

李白“一生好入名山游”，也会诱人发兴游名山。你看他送这位本家侄子游庐岳，多么善于借题发挥、现身说法，多么善于点染烟霞、设悬启胜，原来他还是一位出色的“导游家”呀。

（汤华泉）

附录

FULU

李白生平与文学创作年表

纪 年	年岁	生 平 经 历	主 要 作 品	相 关 大 事
唐武则天长安元年（701）辛丑	1	“惊姜之夕，长庚如梦，故生而名白，以太白字之。”出生地有蜀中、西域诸说，尚无定论。		贺知章43岁；张九龄29岁；孟浩然13岁；阿倍仲麻吕3岁；王维生。
长安四年（704）甲辰	4			以秋官侍郎张柬之为同平章事。武后卧病。
中宗神龙元年（705）乙巳	5	发蒙，诵六甲。		正月，张柬之等发动宫廷政变，武后让位，中宗复位。十一月，武后去世，年82岁。
景龙三年（709）己酉	9			关中饥，米斗百钱。宗楚客为中书令，后以附韦氏被诛。
睿宗景云元年（710）庚戌	10	通诗书，观百家。		临淄郡王李隆基平韦后之乱，拥其父相王李旦即位。七月，李隆基被立为太子，时年25岁。
玄宗先天元年（712）壬子	12			八月，太子李隆基即位。张九龄擢“道侔伊吕科”。杜甫生。

续表

纪年	年岁	生平经历	主要作品	相关大事
开元二年(714)甲寅	14			姚崇复为相。置翰林院。
开元三年(715)乙卯	15	观奇书;作诗赋;好剑术,喜任侠;始慕神仙。		九月,监察御史张孝嵩奉使定西域,大食(阿拉伯)等八国请降。岑参生。李华生。
开元五年(717)丁巳	17			日本遣唐使来华,阿倍仲麻吕慕中国之风,因留不去,改姓名为晁衡。杜甫6岁。
开元六年(718)戊午	18	隐居戴天山大匡山读书,并往来旁郡,依潼江赵征君蕤。	诗《访戴天山道士不遇》	正月,禁恶钱。十二月,宋璟请以李邕、郑勉为渝、峡刺史,皆从之。杜甫7岁,始学为诗。
开元七年(719)己未	19	仍在潼江赵蕤处。		七月,玄宗亲录囚徒,多所原免。元结生。
开元八年(720)庚申	20	春,游成都。谒苏颋,苏颋待以布衣之礼,赞其"天才英丽"。		宋璟罢相,弛恶钱之禁。苏颋出为益州大都督府长史,按察节度剑南诸州。
开元九年(721)辛酉	21	春归昌明。后从东严子隐居岷山之阳,巢居数年,不迹城市。		玄宗命僧一行造新历,梁令瓒铸黄道游仪。王维21岁,登进士第。
开元十年(722)壬戌	22	在岷山。		九月,姚崇卒,年72。十二月,《史通》作者刘知幾卒。

续表

纪 年	年岁	生 平 经 历	主 要 作 品	相 关 大 事
开元十一年(723)癸亥	23	在岷山。		九月,颁《广济方》于天下。以兵部尚书张说为中书令。崔颢登进士第。
开元十二年(724)甲子	24	再游成都、峨眉,然后买舟东下,至渝州。	诗《峨眉山月歌》	七月,以内侍杨思勖为辅国大将军,宦者为大将军始于此。
开元十三年(725)乙丑	25	春三月出蜀,经巫山,过荆门,到江陵;在江陵遇道士司马承祯。夏游洞庭湖,途中登庐山。秋游金陵,赋诗多首。	诗《渡荆门送别》、《秋下荆门》、《望庐山瀑布》、《金陵城西楼月下吟》、《长干行》(其一)、《杨叛儿》	十一月,玄宗封于泰山,令吴道子作《金桥图》。书法家怀素生。李颀登进士第。杜甫14岁,始出游翰墨场,在洛阳李范宅等听李龟年乐曲。
开元十四年(726)丙寅	26	春往扬州。游襄汉,东至金陵扬州,卧病。冬,作客汝海。	诗《夜下征虏亭》《金陵酒肆留别》	正月,命中书令张说修《开元礼》,岐王李范卒。五月,户部奏天下户口极盛。十一月,突厥遣使来朝,渤海靺鞨遣使子义信来朝,并献方物。
开元十五年(727)丁卯	27	还息云梦,故相许圉师家以孙女妻之,遂留居安陆。		徐坚等纂《初学记》成。王昌龄登进士第。
开元十六年(728)戊辰	28	居安陆。早春,游江夏,遇孟浩然。长女平阳生。	诗《黄鹤楼送孟浩然之广陵》	吐蕃屡次入侵,正月、七月、八月屡破之。八月,颁行《开元大衍历》。

续表

纪年	年岁	生平经历	主要作品	相关大事
开元十七年(729)己巳	29	居安陆。安州都督马公许为奇才,礼遇之。		三月,朔方节度使信安王李祎破吐蕃,拔石堡城,拓地千里。八月,禁止私卖铜铅锡及以铜为器。
开元十八年(730)庚午	30	春在安陆;上书裴长史自白,为裴所拒。春夏之交经南阳赴长安,居终南山,颇受冷遇,欲谒玉真公主及其他王公大臣,均未果。暮秋,出游邠州。冬游坊州。		十月,吐蕃求和,许之。十二月,张说卒。杜甫19岁,游晋,至郇瑕,未几,回洛阳。
开元十九年(731)辛未	31	春返长安,仍寓居终南山;曾与长安恶少发生冲突,寡不敌众,幸为友人陆调救出;送友人王炎入蜀,赠以诗赋。夏离长安,由黄河东下,经开封,到宋城。秋到嵩山,憩故交元丹丘颍阳山居,后到洛阳。冬在洛阳。	诗《送友人入蜀》、《行路难》(其一)、《蜀道难》、《梁园吟》、《梁甫吟》、《古风》二十四(大车扬飞尘)	玄宗颇任宦官,高力士犹得宠信,四方表奏,皆先呈力士,往往决之,权倾内外。杜甫20岁,游吴越,过金陵,下姑苏,渡浙江,泛剡溪。

续表

纪年	年岁	生平经历	主要作品	相关大事
开元二十年(732)壬申	32	在洛阳,结识元演、崔成甫。秋,别元演返安陆,途经南阳,结识崔宗之。冬,还至安陆,元演随来,同游随州。	诗《春夜洛城闻笛》	正月,以信安王李祎为河东、河北两道行军副大总管,击奚、契丹,三月,大破之。
开元二十一年(733)癸酉	33	居安陆白兆山桃花岩,构石室,开山田,日以读书、赋诗、弹琴、饮酒为事。		正月,玄宗亲注老子《道德经》,每年贡举加试《老子》策。左丞相宋璟致仕。十二月,中书侍郎张九龄同中书门下平章事。
开元二十二年(734)甲戌	34	春游襄阳,谒韩朝宗,干谒不遂,复求助于襄阳县尉李皓。游江夏,后返安陆。	诗《襄阳歌》;文《与韩荆州书》	正月,玄宗驾幸东都。以方士张果为银青光禄大夫,由是颇信神仙。以裴耀卿为侍中,张九龄为中书令,李林甫同平章事。
开元二十三年(735)乙亥	35	与元演同游太原,在太原送人赴京应举。		十二月,册封杨贵妃为寿王妃。李颀、贾至登进士第。杜甫24岁,赴京兆贡举,不第。
开元二十四年(736)丙子	36	春在太原,曾北游雁门关。秋,往嵩山元丹丘处,见岑勋。南返经襄阳,再晤孟浩然。	诗《将进酒》《赠孟浩然》	十一月,张九龄罢相,李林甫兼中书令,阻塞言路,大权独揽。

续表

纪年	年岁	生平经历	主要作品	相关大事
开元二十五年(737)丁丑	37	北游归来,闲居安陆。	诗《山中与幽人对酌》	四月,张九龄贬荆州长史。十一月,宋璟卒。王维为监察御史。韦应物生。
开元二十六年(738)戊寅	38	春,又出游南阳。往嵩山元丹丘处,向东南游陈州,漫游抵楚州。妻许氏去世。		六月,立李亨为太子,贺知章为太子宾客。润州刺史齐瀚开尹娄河于扬州南瓜洲浦。
开元二十七年(739)己卯	39	春至初夏,在安宜。夏,漫游于吴地。秋,溯江西上,经当涂,至巴陵,适遇王昌龄初谪岭南,二人相晤。	诗《夜泊牛渚怀古》	二月,玄宗加尊号为"开元圣文神武皇帝",大赦天下。八月,追谥孔子为文宣王,与周公旦平列。
开元二十八年(740)庚辰	40	五月,移家东鲁,寓居任城。欲在剑术上深造,以谋出路。夏秋游兖州各地,求人荐引不果,屡有不遇之叹。冬,结识韩准、裴政、孔巢父。		二月,荆州长史张九龄卒于韶州曲江私第,年68。五月,太子少保韩休卒。十月,以寿王妃杨玉环为道士,号太真,日幸,宫中号娘子,仪礼与皇后等。孟浩然卒。
开元二十九年(741)辛巳	41	居东鲁,与韩准、裴政、孔巢父、张叔明、陶沔等隐于徂徕山,酣歌纵酒,时好"竹溪六逸"。		九月,玄宗注《金刚经》。杜甫30岁,在东都洛阳,与夫人杨氏结婚,已作《登兖州城楼》《望岳》《画鹰》《房兵曹胡马》。

续表

纪　年	年岁	生平经历	主要作品	相关大事
天宝元年(742)壬午	42	四月,游泰山。夏,携子女南下,寄子女南陵,只身游越;与道士吴筠共居剡中。秋,受诏入京,与太子宾客贺知章遇于紫极宫,贺呼其为“谪仙人”,复荐之于朝。玄宗召见于金銮殿,异礼有嘉,命供奉翰林。十月,玄宗幸温泉宫,诏命李白侍从。	诗《经下邳圯桥怀张子房》《南陵别儿童入京》	正月,改元,大赦天下,下诏求贤,“有入学博通、文辞英秀及军谋武艺者,所在县以名荐京”。二月,改侍中为左相,改中书令为右相,改东都为东京。以安禄山为平卢节度使,旋晋阶为骠骑大将军。十月,造长生殿。
天宝二年(743)癸未	43	待诏翰林。春,玄宗于宫中行乐,奉诏作诗多首。夏,玄宗泛白莲池,被召作序。尝与贺知章等人为“酒中八仙”之游。奉诏草制诏书,曾引足令高力士脱靴。因与朝中奸佞之辈不合,遂遭谗谤,玄宗疏之。	诗《宫中行乐词八首》《清平调》《翰林读书言怀》	正月,安禄山入朝,玄宗宠待甚厚,谒见无时。三月,改西京玄元庙为太清宫,东京为太微宫,天下诸郡为紫极宫。

续表

纪 年	年岁	生平经历	主要作品	相关大事
天宝三载(744)甲申	44	春正月,送贺知章归越。为高力士、张垍等谗毁,上书请还山,玄宗赐金遣之。四月,取道上洛郡东去。初夏,与杜甫初会于洛阳。往开封访陈留采访使李彦允,托请北海高如贵道士授《道箓》。秋,与高适、杜甫同游于梁宋,三人饮酒赋诗,慷慨怀古。至齐州,高如贵授《道箓》于紫极宫。还归任城。	诗《送裴十八图南归嵩山二首》《白云歌送刘十六归山》《下终南山过斛斯山人宿置酒》《玉壶吟》《灞陵行送别》《古风》之四十六(一百四十年)	正月,改年为载;贺知章请度为道士还乡,玄宗遣左右相以下饯别于长乐坡,是年卒。三月,以安禄山兼范阳节度使。
天宝四载(745)乙酉	45	春在任城,略置田产,并购酒楼,日夕沉饮;杜甫来东鲁,二人同游于任城一带。夏,北海郡太守李邕来济南郡,白与高适、杜甫同谒邕。秋,与杜甫复会于鲁郡,二人同游甚密,于鲁郡送别杜甫。秋冬,游金乡、单父,出猎消忧。	诗《鲁郡东石门送杜二甫》《金乡送韦八之西京》	八月,册杨太真为贵妃,三姊皆赐地宅于京师,从兄铦、锜,从祖兄钊(即杨国忠)皆封高官。安禄山欲以边功市宠,数侵奚、契丹,九月,奚、契丹各杀唐公主以叛。十月,以王鉷为御史中丞、京畿采访使。

续表

纪年	年岁	生平经历	主要作品	相关大事
天宝五载(746)丙戌	46	春，游于鲁郡，卧病任城甚久。秋，病瘳，再游鲁郡，借诗讥评朝政。又往中都。西南行，到宋城，又游梁园。旋到扬州，在此度岁。	诗《东鲁门泛舟二首》《沙丘城下寄杜甫》《梦游天姥吟留别》	左相李适之罢，李林甫专权。以河东、朔方节度使王忠嗣兼河西、陇右节度使，与吐蕃战于青海、碛石，皆大捷。杜甫35岁，由鲁郡返东京后，即赴长安，作《冬日有怀李白》。
天宝六载(747)丁亥	47	仲春游金陵，登临之际，感时伤事，颇富兴亡之感，时兴黍离之悲。在金陵遇崔成甫。南下途径丹阳郡、吴郡，秋到越中，往会稽吊贺知章；登天台山，学越地民歌。冬，返至金陵，闻李邕、裴敦复被害事，不胜悲愤，赋辞讽其事。此后寓居金陵二年。	诗《登金陵凤凰台》《越中览古》	正月，李林甫遣人杖杀李邕、裴敦复。十月，玄宗改温泉宫为华清宫。以哥舒翰为河西、陇右节度使，以高仙芝为安西四镇节度使。
天宝七载(748)戊子	48	春在金陵。夏，到扬州江阳县访故人陆调。秋，西游霍山，过庐江，谒郡守吴王李祇。		四月，以高力士为骠骑大将军。十一月，封贵妃三姊为国夫人。

续表

纪年	年岁	生平经历	主要作品	相关大事
天宝八载(749)己丑	49	春还金陵,闻王昌龄远谪秦中,作诗寄之。	诗《闻王昌龄左迁龙标,遥有此寄》、《寄东鲁二稚子》、《答王十二寒夜独酌有怀》、《古风》之一(大雅久不作)、《劳劳亭》	六月,哥舒翰拔石堡城,擒吐蕃四百人,唐士卒死者数万。王忠嗣卒。高适在哥舒翰幕中掌书记。岑参在高仙芝幕中掌书记。
天宝九载(750)庚寅	50	春在金陵,五月往庐山。元丹丘自嵩山来信招白往之,欲举家就之。秋,在寻阳,旋北还,途经谯郡,访元参军。娶宗楚客孙女为妻。		七月,置广文馆,以郑虔为博士;郑虔献诗、书、画,玄宗题为"郑虔三绝"。八月,安禄山兼河北道采访处置使。杨钊赐名国忠。
天宝十载(751)辛卯	51	春居任城。得元丹丘新营幽居消息,欲往从游。秋,在元丹丘处。秋末,有幽州之行,入河北道,经邺郡。	诗《忆旧游寄谯郡元参军》、《古风》之三十四(羽檄若流星)	正月,玄宗命有司为安禄山治第于亲仁坊,自是安禄山出入宫掖不禁,与杨贵妃乱,丑闻颇闻于外。二月,安禄山兼河东节度使。八月,安禄山讨契丹亦大败。十一月,以杨国忠领剑南节度使。岑参随高仙芝来长安。孟郊生。

续表

纪 年	年岁	生平经历	主要作品	相关大事
天宝十一载(752)壬辰	52	北上途中,游广平郡。十月,抵达范阳郡(幽州)。目击安禄山跋扈之状,心甚忧之。	诗《北风行》	秋,哥舒翰入朝,其幕僚高适同来。十一月,李林甫死,凡在相位十九年。以杨国忠为左相兼文部尚书。十二月,以平卢兵马使史思明兼北平太守,充卢龙军使。杜甫在长安,应诏试文章,事无结果。
天宝十二载(753)癸巳	53	早春由范阳郡(幽州)南返至魏郡(魏州),时韦良宰任职于此,白在韦处宴游有日,又得县令苏某款待。西北行,游西河郡。沿汾水南下,入潼关,登西岳华山。在历阳横江浦渡江。秋,南下宣城;重阳节登响山;崔成甫自金陵来游,白与之相会,同忆长安旧游,感慨系之。	诗《远别离》、《横江词六首》、《古风》之三十一(郑客西入关)、《独坐敬亭山》、《宣州谢朓楼饯别校书叔云》	正月,剑南节度使鲜于仲通请为杨国忠刻颂,立碑于省门。杨国忠与安禄山有隙,厚结哥舒翰为己援,奏以哥舒翰为河西节度使,赐爵西平郡王。丹阳进士殷璠选编《河岳英灵集》起开元二年,迄于本年。

续表

纪年	年岁	生平经历	主要作品	相关大事
天宝十三载(754)甲午	54	春游金陵。五月,到扬州,与魏万相遇,并携万至金陵,同游;别时,互赠诗,并尽出其诗文,嘱魏万编集。闻晁衡返国途中遇难,作诗悼之。游南陵、秋浦,作诗多首。与权昭夷同在清溪采药炼丹多日。游青阳,改九子山为九华山。游泾县,有诗多首。	诗《哭晁卿衡》《秋浦歌十七首》《赠汪伦》	正月,安禄山入朝,加左仆役,兼闲厩群牧使。二月加杨国忠为司空。三月,太长请张垍贬卢溪郡司马。六月,使剑南留后李宓将兵七万攻南诏,至西洱河,全军覆灭,宓被擒。八月,以韦见素同平章事。
天宝十四载(755)乙未	55	夏游当涂。秋,又溯江而上入秋浦,思念宗氏甚切。冬返宣城,旋至金陵,送权昭夷南游。闻作乱,门人武谔来访,许北去鲁中,接子女南来,白赋诗以赠。自往宋城接宗室。		十一月,安禄山以兵十五万反于范阳,南下,陷河北诸郡。以郭子仪为朔方节度使。平原太守颜真卿、常山太守颜杲卿起兵讨贼,河北诸郡皆响应。高适拜左拾遗,转监察御史。王昌龄为闾丘晓所杀。杜甫感时忧乱,作《自京赴奉先县咏怀五百字》《后出塞五首》。

续表

纪　年	年岁	生平经历	主要作品	相关大事
肃宗 至德元载 （756） 丙申	56	岁初，携宗室南奔。春在当涂，闻玄宗将亲征安禄山，甚喜；旋闻洛阳失陷，中原横溃，乃自当涂返宣城，将避地剡中；旋到溧阳，与张旭相遇，饮于酒楼，感时伤事。夏，至越中；闻郭子仪、李光弼河北大捷，又返金陵。秋，闻贼破秦关，玄宗奔蜀，遂沿江而西，入庐山，隐居屏风叠。岁暮，永王璘辟书数至，白几经犹豫，终于决定下山入幕。九月，卧病宿松，曾两次赠诗张镐求援。	诗《古风》之十九（西上莲花山）	正月，安禄山在洛阳称大燕皇帝。六月，玄宗奔蜀，行至马嵬驿，兵变，杀杨国忠，缢杀杨贵妃。七月，太子李亨即位于灵武，尊玄宗为太上皇。十一月，以崔涣为江南宣慰使。肃宗以高适为淮南节度使，与来瑱、韦陟等会师讨永王。十二月，永王璘引兵东巡，沿江而下。杜甫在长安失陷后，携家避难，中途陷贼，被送至长安。王维为给事中，为贼所获，送至洛阳。
至德二载 （757） 丁酉	57	正月，下山入永王军幕。永王兵败丹阳，白自丹阳南奔。又西逃至舒州，避于太湖县之司空山，旋陷寻阳狱中，多次上书申诉求援。江南宣慰使崔涣及御史中丞宋若思为其推覆	诗《永王东巡歌十一首》	正月，安禄山为其子安庆绪所杀，安庆绪即位。二月，永王璘军兵败于丹阳。八月，崔涣罢相，出为余杭太守。十二月，玄宗由蜀返长安。史思明降，封范阳节度使。杜甫拜左拾遗，后因疏救房琯获罪，放还鄜州省家。

续表

纪年	年岁	生平经历	主要作品	相关大事
		洗雪，秋间乃获释，被宋若思辟为参谋，掌文书事务，并随宋若思往武昌一行。终以从璘事长流夜郎。	诗《永王东巡歌十一首》	
肃宗 乾元元年 (758) 戊戌	58	流夜郎，自寻阳首途。春末夏秋，在流放途中，行至西塞驿。五月，行至江夏，访李邕故居，赋诗悼念。登黄鹤楼，望鹦鹉洲，借祢衡故事，大舒愤懑。八月，在沔州汉阳县游西湖。秋，行至江南。冬，入三峡。	诗《望鹦鹉洲悲祢衡》	复“载”为“年”。四月，史思明复反。五月，张镐罢相，出任荆州大都督府长史。八月，以郭子仪为中书令，李光弼为侍中；命郭子仪等七节度使讨安庆绪。十月，成王李豫立为太子。十二月，史思明陷魏州。
乾元二年 (759) 己亥	59	春在流途。三月，到白帝，遇赦，喜出望外，立返江陵。初夏，还至江夏，遇倩公，将平生诗文尽付之，欲赖以刊布于世。自夏至秋，在江夏流连甚久。秋，应裴侍郎招往洞庭。与李晔、贾至同游洞庭，作诗多首。九月，遇荆州乱起，遂逗留至冬至。秋间，曾赴零陵，遇僧怀素。	诗《早发白帝城》《江上吟》《陪侍郎叔游洞庭醉后三首》《陪族叔刑部侍郎晔及中书贾舍人至游洞庭湖五首》	正月，史思明称大圣燕王。三月，郭子仪等九节度使之师与史思明战于河南，败。四月，史思明杀安庆绪。五月，史思明称大燕皇帝。九月，史思明复陷东京。十月，李光弼大败史思明于河阳。杜甫赋“三吏”“三别”《梦李白二首》《天末怀李白》《寄李十二白二十韵》。

续表

纪　年	年岁	生平经历	主要作品	相关大事
上元元年(760)庚子	60	春，返洞庭湖，旋又返江夏。秋间至寻阳，再登庐山；南入彭蠡。冬在建昌。岁末，在豫章。	诗《庐山谣寄卢侍御虚舟》	正月，以李光弼为太尉兼中书令。李光弼击破史思明于河阳西渚拔怀州。六月，田神功败史思明于郑州。七月，高力士流巫州。九月，改彭州刺史高适为蜀州刺史。杜甫居成都草堂。
上元二年(761)辛丑	61	流落江南，无可归宿。秋，闻史朝义贼焰复炽，李光弼出镇临淮，欲立功报国，请缨入幕，但因病半途而还。冬初，往依当涂县令李阳冰。冬间，出游历阳。旋归当涂，卧病。		三月，史朝义杀其父史思明，即皇帝位。四月，梓州刺史段子璋反，陷绵州，自称凉王。五月，高适等取绵州，斩段子璋。九月，江淮大饥，暴动四起。杜甫居成都草堂，作《茅屋为秋风所破歌》。王维卒，终年61。
代宗宝应元年(762)壬寅	62	早春，在当涂养病。出游，三月到宣城。又游南陵。秋还当涂，重阳之日，扶病登高。将平生著作手集尽付李阳冰。十一月，卒于当涂。有绝笔《临终歌》一首。	诗《宿五松山下荀媪家》	四月，玄宗、肃宗相继去世。太子李豫即位，号李辅国为“尚父”。六月，李辅国进爵博陆王。七月，以高适为成都尹。李辅国被暗杀。杜甫居成都西郊草堂，有《寄李白二十韵》等。

（青　杨）

图书在版编目(CIP)数据

李白诗歌鉴赏辞典：特装本 / 上海辞书出版社文学鉴赏辞典编纂中心编. —上海：上海辞书出版社，2024
ISBN 978-7-5326-6214-2

Ⅰ. ①李… Ⅱ. ①上… Ⅲ. ①李白(701-762)-唐诗-诗歌欣赏-词典 Ⅳ. ①I207.227.42-61

中国国家版本馆 CIP 数据核字(2024)第 093024 号

封面绘图 陈家泠

李白诗歌鉴赏辞典(特装本)

上海辞书出版社文学鉴赏辞典编纂中心 编

责任编辑 辛 琪
装帧设计 姜 明
责任印制 楼微雯

出版发行 上海世纪出版集团
上海辞书出版社®(www.cishu.com.cn)
地 址 上海市闵行区号景路 159 弄 B 座(邮政编码：201101)
印 刷 山东韵杰文化科技有限公司
开 本 635 毫米×965 毫米 1/16
印 张 24.5
字 数 272 000
版 次 2024 年 7 月第 1 版 2024 年 7 月第 1 次印刷
书 号 ISBN 978-7-5326-6214-2/I·575
定 价 75.00 元

本书如有质量问题，请与承印厂联系。电话：0533-8510898